영재 사고력수학 필즈

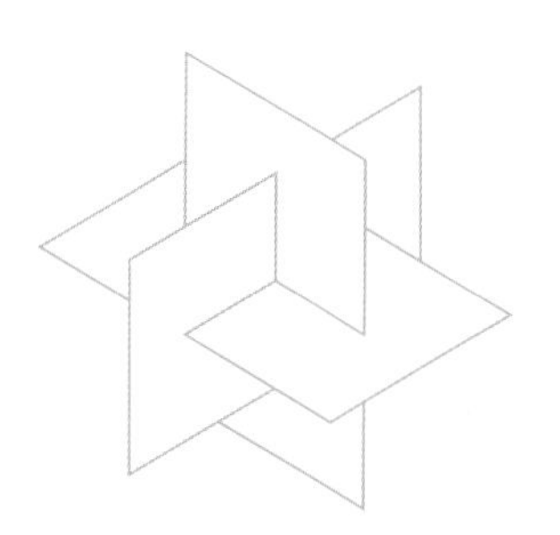

킨더 중

CONTENTS

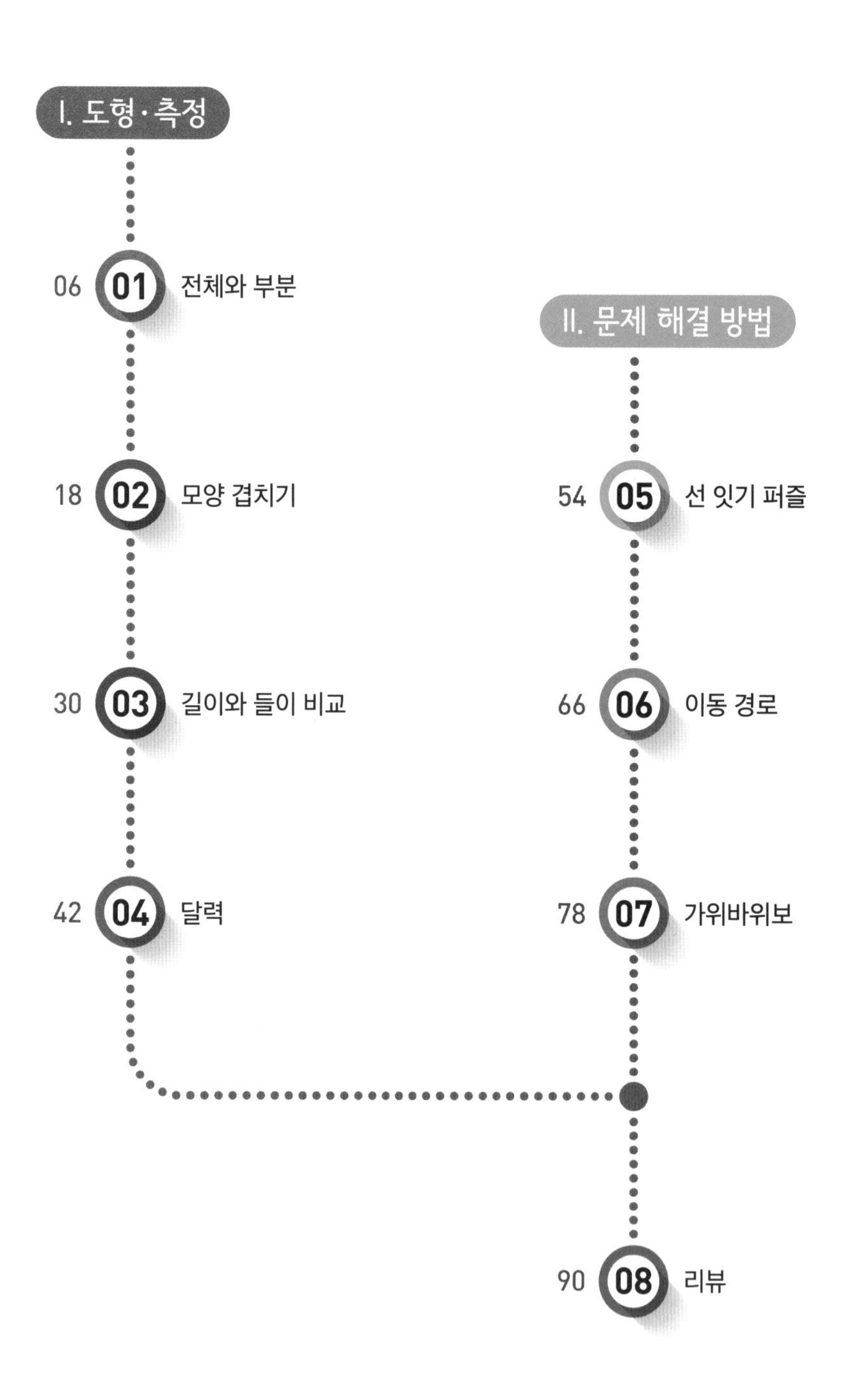

서문

이 책을 공부하게 될 친구들에게

저자는 영재교육원 관찰추천제를 대비하기 위한 「필즈수학」 시리즈를 출판하였고, 창의적 문제해결력을 기르고, 영재교육원 대비에 도움이 될 수 있도록 관찰추천제 가이드 북을 제시하였습니다.

「필즈수학」 시리즈는 수학에 대한 호기심이 있는 학생들이라면 도전해 보고 싶은 주제들로 구성되어 있고, 교재의 수준과 깊이에서 일정 수준 이상의 개념과 수학적 경험을 갖춘 학생들이라면 접근해 볼 수 있는 면이 있어 영재교육원을 준비하지 않더라도 상위권 학생들을 중심으로 꾸준한 사랑을 받고 있습니다.

이러한 이유로 많은 학생들과 학부모들이 기존 「필즈수학」 시리즈로 공부할 수 있는 학생들보다 좀 더 어린 학생들을 대상으로 하는 교재의 출판을 바라왔습니다. 이러한 요구를 반영해 수와 연산, 패턴, 도형, 측정, 문제 해결 방법 등을 주제로 하는 예비 초등학생과 초등 저학년 학생들을 위한 「필즈 킨더」 시리즈를 내놓게 되었습니다.

수학은 위계의 학문입니다. 하위 개념에 대한 정확한 이해 없이 상위 개념을 접하게 되면 언제든지 무너질 수 있는 학문이라는 뜻입니다. 이 문제는 유사 문항을 단순 반복하여 여러 번 풀어본다고 해결되지 않으며, 무의미한 반복과 과도한 학습량은 오히려 수학에 대한 흥미를 떨어뜨려 수학 공부에 방해가 될 수 있습니다. 또한, 수학적 사고력은 개념 ➡ 기본 ➡ 응용 ➡ 심화와 같이 선형적으로 발전하지도 않습니다. 스스로 부딪쳐서 해결하는 과정에서 개념을 더 완벽히 이해할 수 있고, 깊이 있는 문제를 접하며 논리적 도약을 이뤄낼 수 있을 때 수학적 사고력이 발전하는 것입니다. 수학은 많은 학부모들이 오해하듯이 '선천적 재능을 타고나야 잘할 수 있는 과목'이 아닙니다. 아이들에게 환경과 기회를 어떻게 제공했는지에 따라 아이들의 수학 실력은 달라질 수 있습니다.

「필즈 킨더」 시리즈는 예비 초등학생과 초등 저학년 학생들이 무엇을 가지고 어떻게 수학을 시작해야 하는지를 제시하고, 수학적 사고력을 길러 상위 개념으로, 다음 과정으로 진입할 수 있게 하는 마중물이 될 것입니다.

강신흥

이 책의 구성과 특징

유형 제시

어떤 문제를 공부하게 될까?

단원의 대표적인 사고력 문제 유형을 아이들의 대화를 통해 딱딱하지 않게 제시함으로써 학생들이 좀 더 재미있고 쉽게 이해할 수 있도록 도와줍니다.

대표 문제

문제를 어떻게 접근해야 할까?

문제 해결의 핵심을 알려줌으로써 어려워 보이는 문제를 편하게 접근할 수 있는 친절한 선생님의 역할을 합니다.

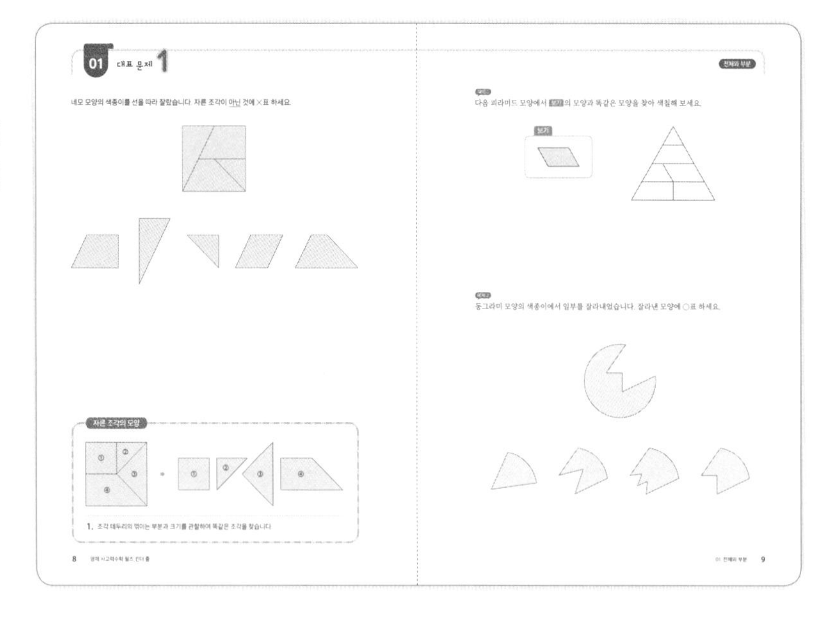

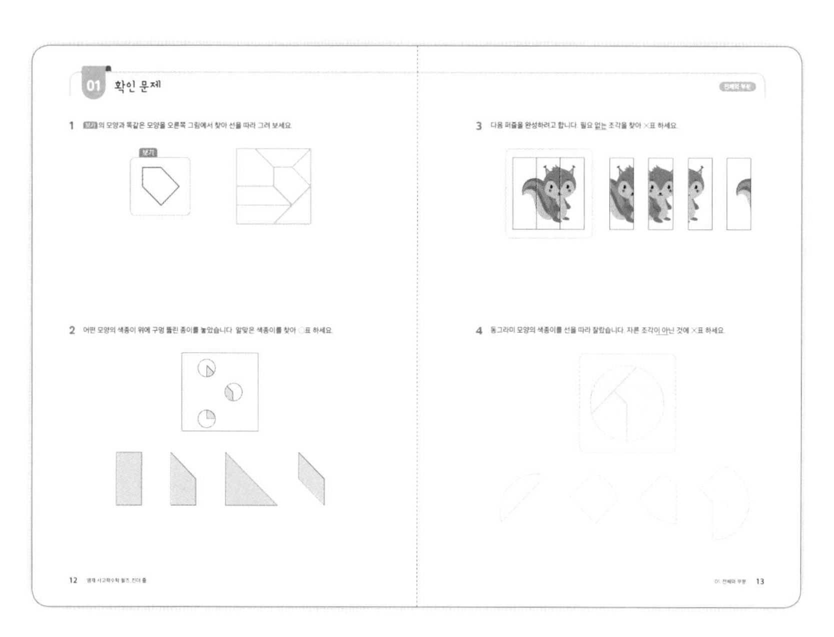

확인 문제

혼자서 해결하자!

유형 제시와 대표 문제에서 만난 문제들이 다양한 형태로 변형되어 나옵니다. 변형된 여러 문제들을 학생이 혼자 해결해봄으로써 해당 문제 유형의 이해를 높입니다.

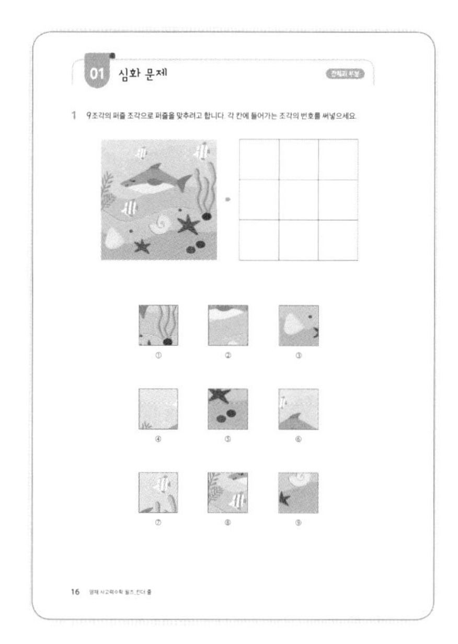

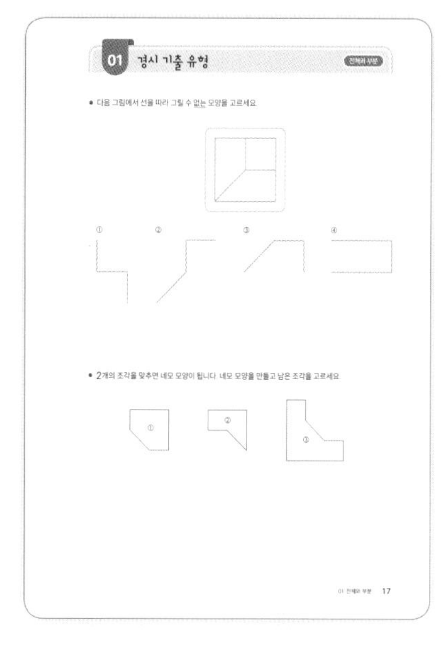

심화 문제

실력을 높이자!

기존 학습 문항들보다 난이도가 높은 문항에 도전하고 해결하는 과정에서 학생의 과제집착력을 기르고, 성취감을 맛볼 수 있게 합니다.

경시 기출 유형

도전!!

기존 경시대회 문제들과 유사한 형태의 문제를 해결하는 과정에서 다양한 각도에서 문제를 접근하고 수학적 해결 전략을 구사하는 능력을 향상시킵니다.

예비 초등학생과 초등학교 저학년을 위한 [필즈수학] 시리즈

교재	예비 초등학생을 위한 킨더	초등학교 1학년을 위한 베이직	초등학교 2학년을 위한 입문
상	모으기와 가르기	고대의 수	마방진
	덧셈식과 뺄셈식	수와 숫자	조건에 맞는 수
	목표수 만들기	카드로 만든 수	복면산과 도형이 나타내는 수
	줄서기	수 퍼즐	곱셈구구
	모양 패턴	여러 가지 패턴	수열
	증감 패턴	이중패턴과 □번째 모양	수 배열의 규칙
	수 배열표	유비추론	도형 패턴
중	전체와 부분	색종이 접고 자르기	도형의 개수
	모양 겹치기	도형의 연결	도형 붙이기
	길이와 들이 비교	길이 비교	쌓기나무
	달력	무게 비교	잴 수 있는 길이
	선 잇기 퍼즐	포함 관계	간격과 개수
	이동 경로	님 게임	여러 가지 방법으로 해결하기
	가위바위보	동전과 성냥개비	재치있게 해결하기
하	□가 있는 식	성냥개비 연산	어떤 수 구하기1
	가로세로 수 퍼즐	홀수와 짝수	연속수의 합
	주고 받기	연산 퍼즐	수 만들기
	연산 규칙	약속 연산	어떤 수 구하기2
	속성	표와 그래프	길의 가짓수
	위치와 순서	가능성	리그와 토너먼트
	색칠하기	방법의 가짓수	논리 추리

초등학교 고학년을 위한 [필즈수학] 시리즈

교재	초등학교 3, 4학년을 위한 초급	초등학교 4, 5학년을 위한 중급	초등학교 5, 6학년을 위한 고급
상	연속수	대칭수	연속수의 성질
	숫자 카드	수와 숫자의 개수	수와 숫자의 합
	가장 큰 곱 만들기	연속수의 합으로 나타내기	배수판정법
	도형이 나타내는 수	포포즈	약수의 개수
	벌레 먹은 셈	크기가 같은 분수	끝수와 0의 개수
	숫자의 개수	복면산	수와 식 만들기
	마방진	여러 가지 마방진	진법 활용
	도형 붙이기	도형 나누기와 맞추기	타일 붙이기
	주사위	도형의 개수	직육면체
	거울에 비친 모양	점을 이어 만든 도형의 개수	입체도형
	원	정육면체	쌓기나무
	가로수와 통나무	나이	뉴튼산
	가정하여 풀기	포함과 배제	거꾸로 생각하기
	저울을 이용하여 풀기	나머지	작업 능률
	재치있게 풀기	속력	극단적으로 생각하기
하	쌓기나무	붙여 만든 도형의 둘레	단위넓이의 활용
	덮기와 넓이	달력	겹쳐진 부분의 넓이
	색종이 자르기와 접기	평행과 도형의 내각	도형의 둘레와 넓이
	눈금없는 길이와 무게	바닥깔기	등적 분할
	모래시계	접기와 각	삼각형을 이용한 각도 구하기
	도형 유추	시계와 각	고장난 시계
	패턴	규칙 찾아 도형의 개수 세기	피보나치 수열
	간단한 수열	교점과 영역의 개수	여러 가지 수열의 활용
	간단한 규칙 찾기	수의 배열의 규칙	복잡한 규칙
	규칙 찾아 간단하게 계산하기	약속	그래프 읽기
	리그와 토너먼트	지불할 수 없는 동전	색칠하기
	최단거리	무게가 다른 금화 찾기	여러 가지 경우의 수
	논리 추리	연역적 논리	입체에서의 최단거리
	한붓그리기	비둘기 집	홀수 짝수
	성냥개비	님 게임	참말족과 거짓말족

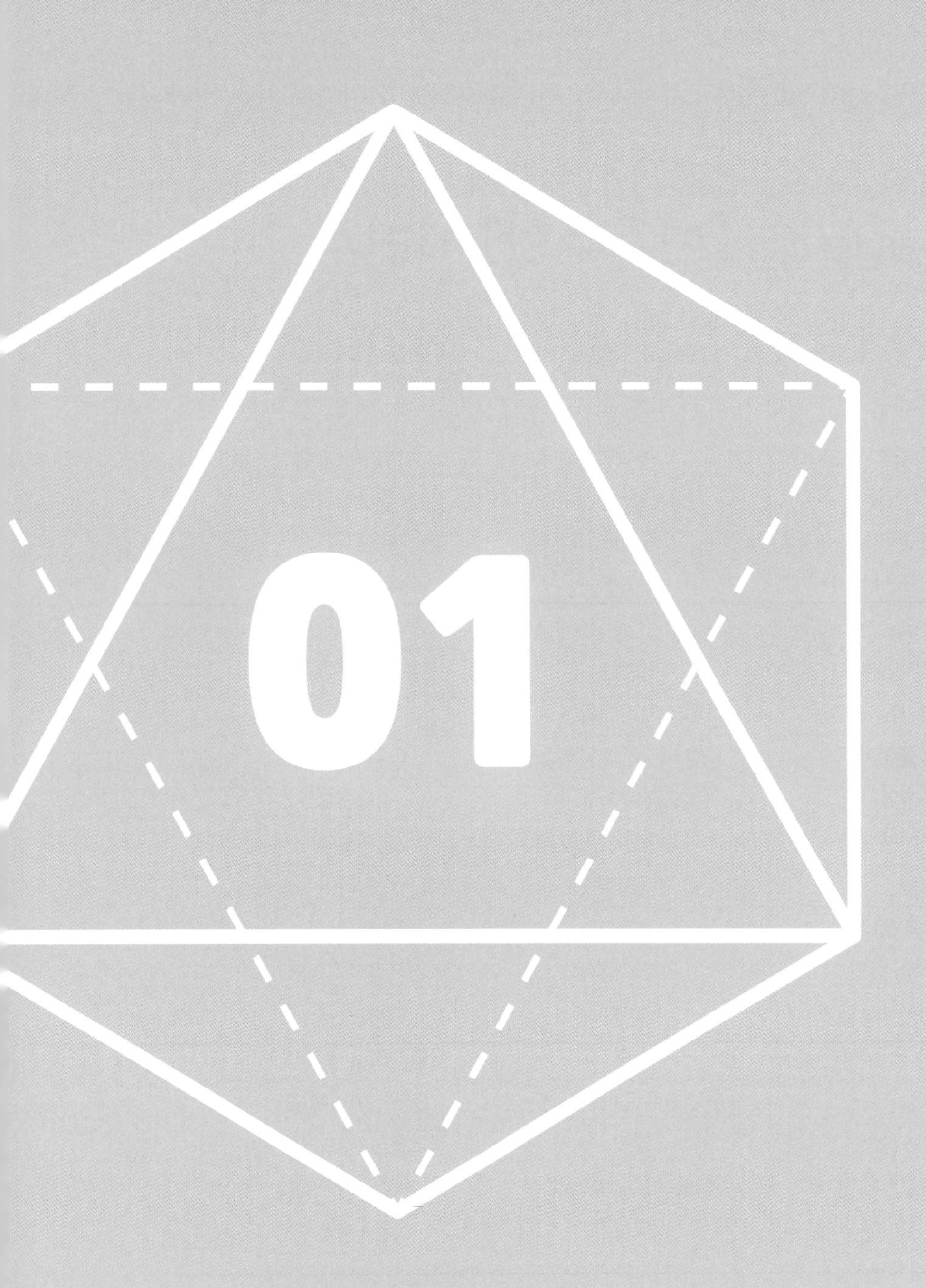

전체와 부분

전체와 부분

Math storyteller

 : 어두운 방에서 손전등을 비추었더니 벽에 그림자가 생겼어.

 : 그런데 그림자들이 서로 섞여 있어. 내 그림자는 뭘까?

 : 그림자를 보고 모양을 찾으려면 테두리 모양을 잘 살펴보아야 해.

● 친구들의 모습에 알맞은 그림자를 찾아 이어 보세요.

01 대표 문제 1

네모 모양의 색종이를 선을 따라 잘랐습니다. 자른 조각이 아닌 것에 ╳표 하세요.

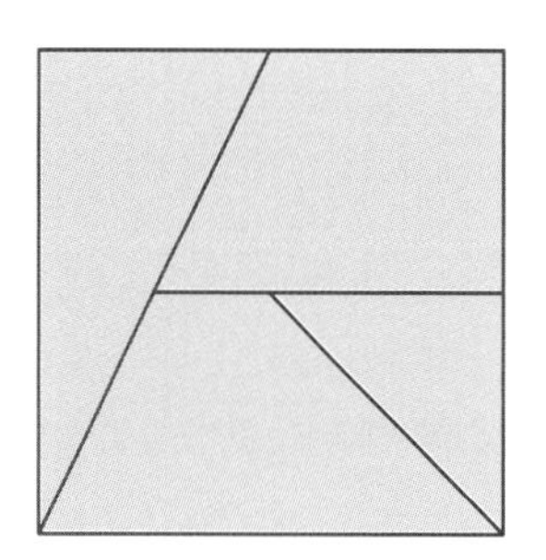

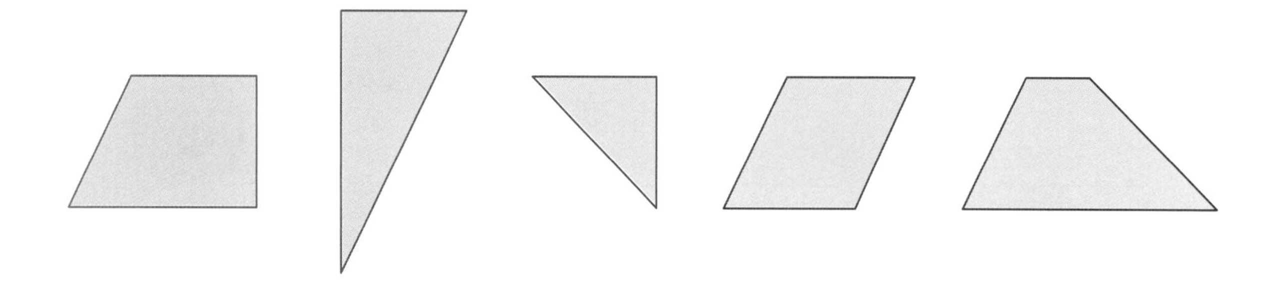

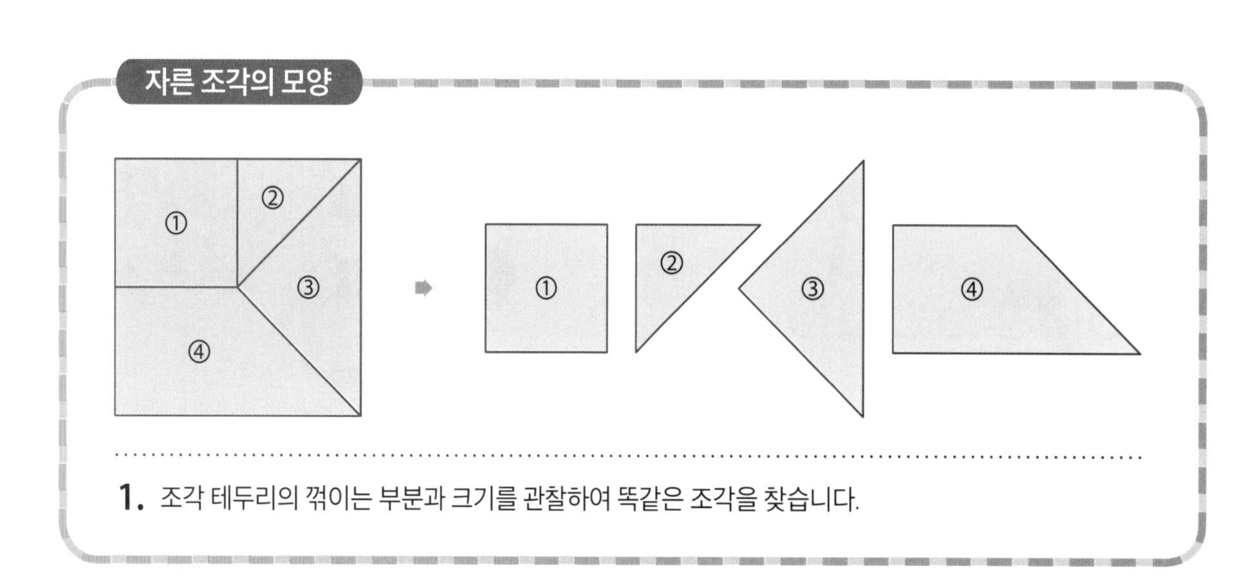

1. 조각 테두리의 꺾이는 부분과 크기를 관찰하여 똑같은 조각을 찾습니다.

예제 1

다음 피라미드 모양에서 보기 의 모양과 똑같은 모양을 찾아 색칠해 보세요.

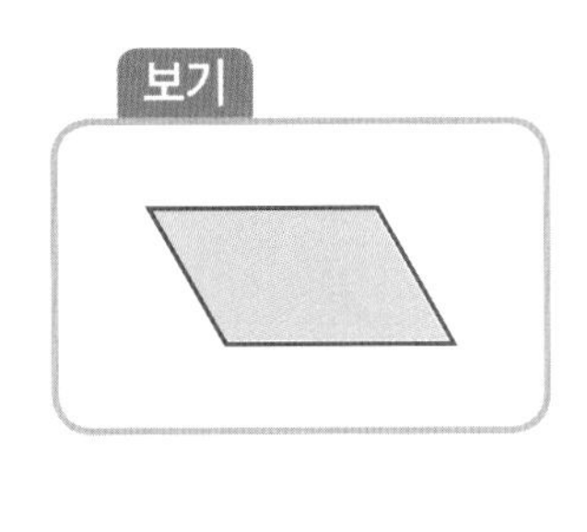

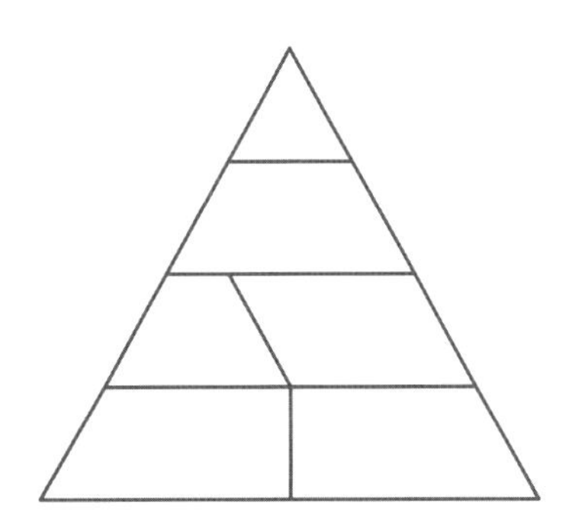

예제 2

동그라미 모양의 색종이에서 일부를 잘라내었습니다. 잘라낸 모양에 ○표 하세요.

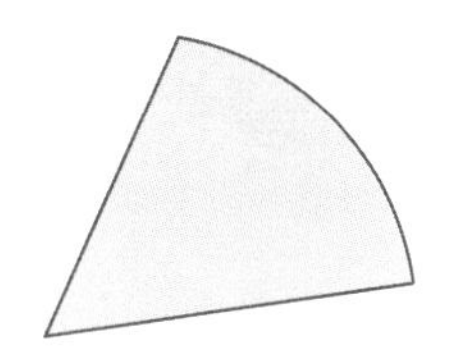

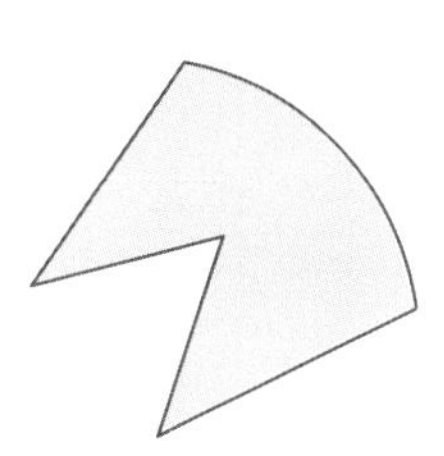

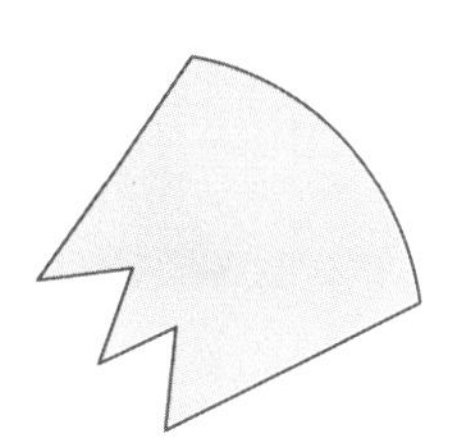

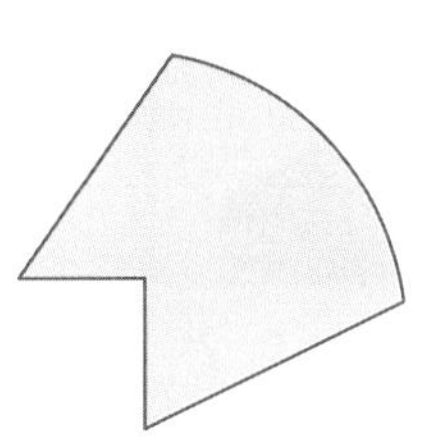

달팽이 퍼즐의 빈 곳에 들어갈 조각에 ◯표 하세요.

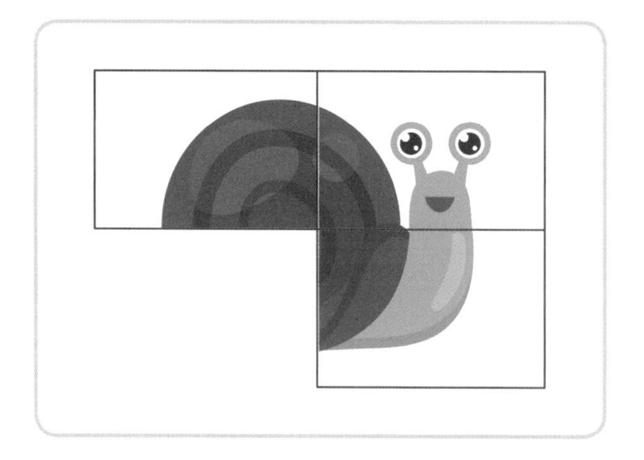

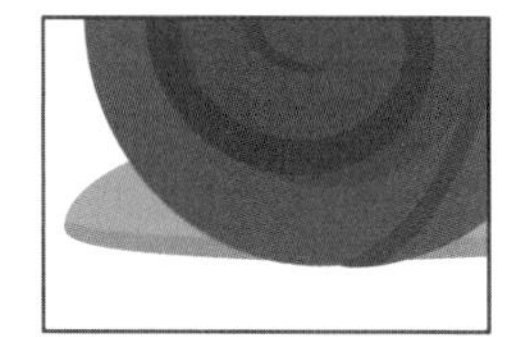
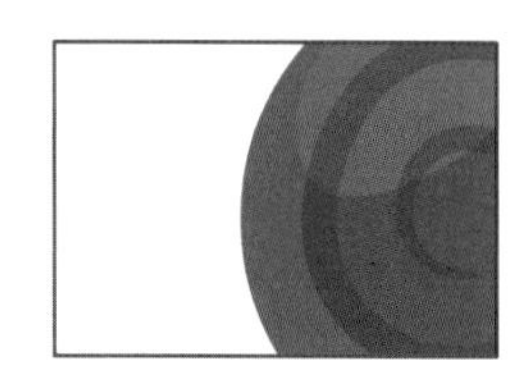
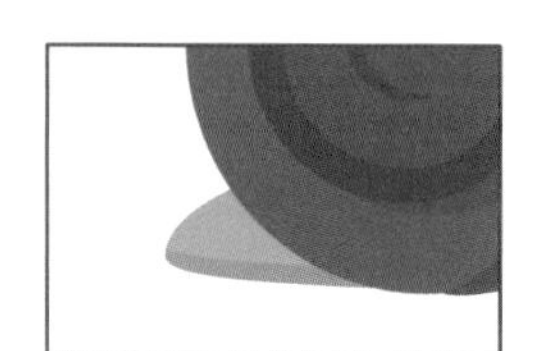
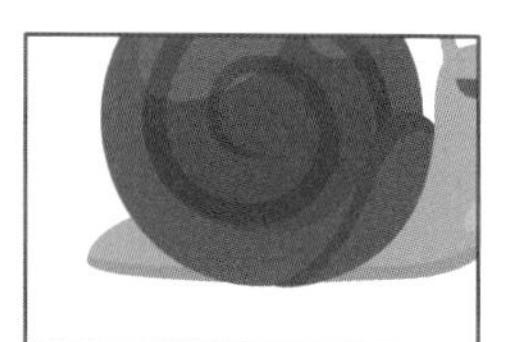

조각 퍼즐

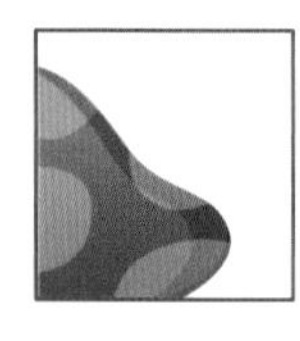
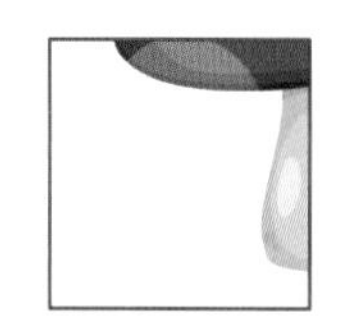

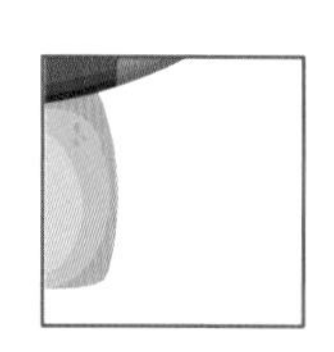
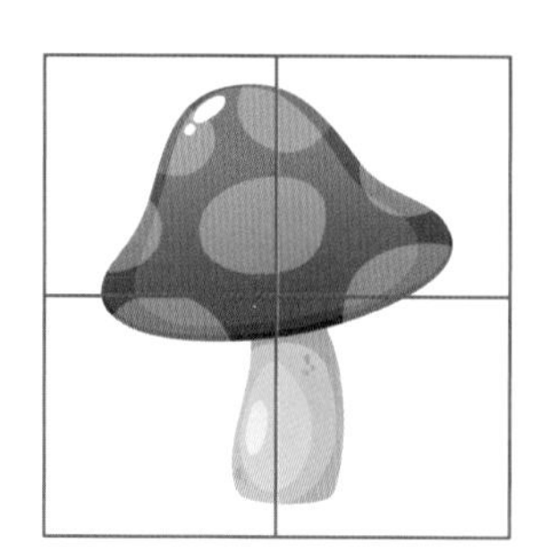

1. 끊어진 부분의 위치를 살펴보고, 연결되는 그림을 예상하여 알맞은 조각을 찾습니다.
2. 조각의 특징적인 부분을 찾아 연결되는 조각을 찾습니다.

예제 1

빈 곳에 들어갈 조각의 번호를 써넣으세요.

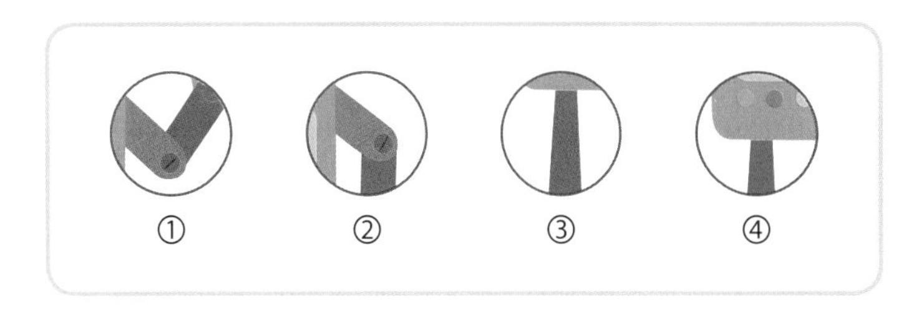

예제 2

빈 곳에 들어갈 조각의 번호를 써넣어 강아지 퍼즐을 완성해 보세요.

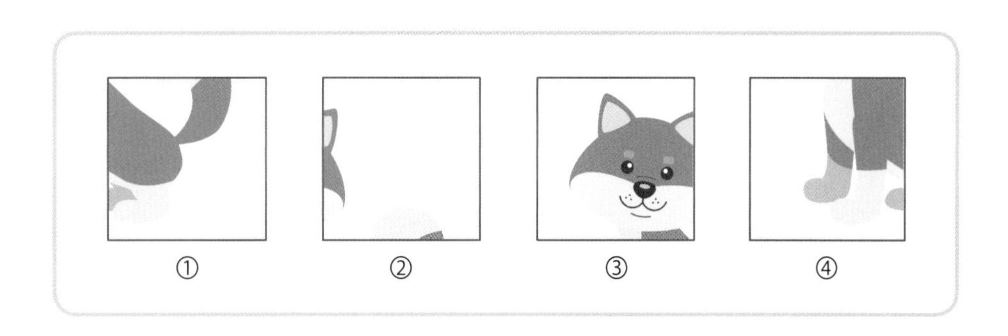

01 확인 문제

1 보기 의 모양과 똑같은 모양을 오른쪽 그림에서 찾아 선을 따라 그려 보세요.

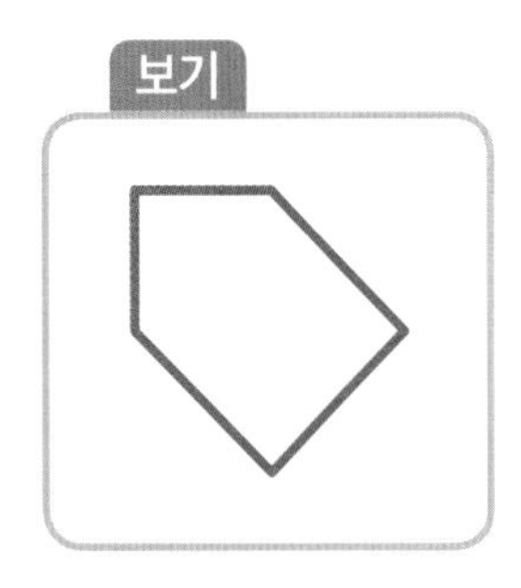

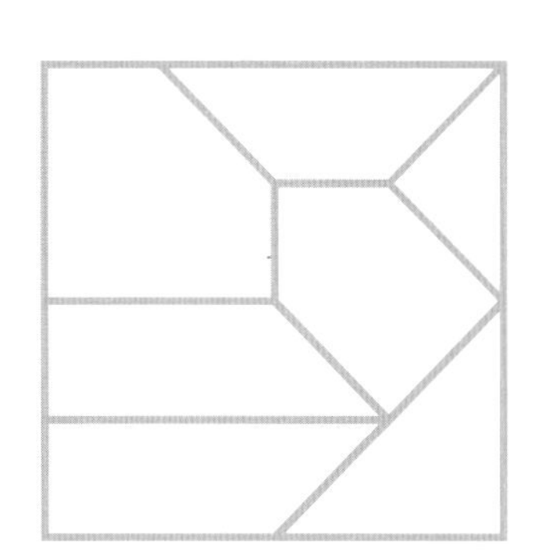

2 어떤 모양의 색종이 위에 구멍 뚫린 종이를 놓았습니다. 알맞은 색종이를 찾아 ○표 하세요.

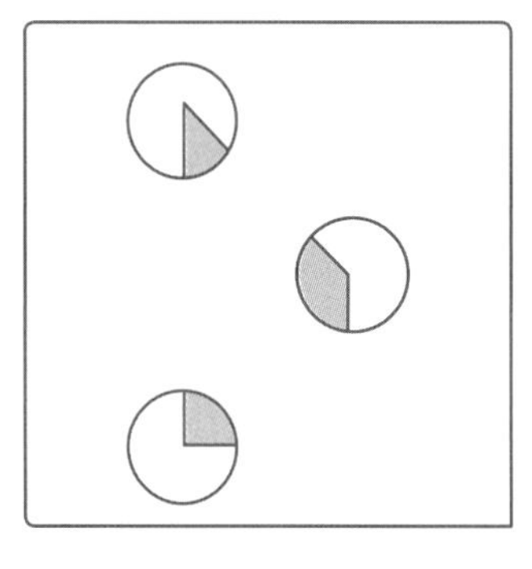

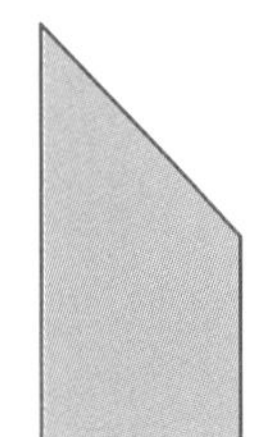
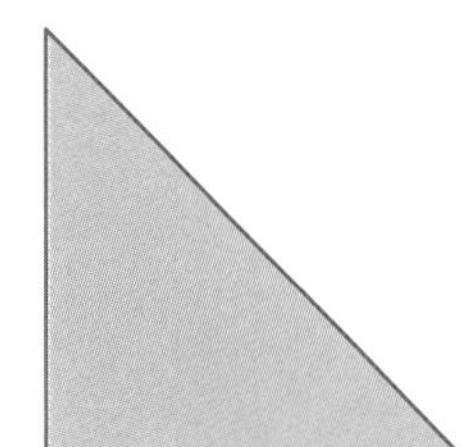
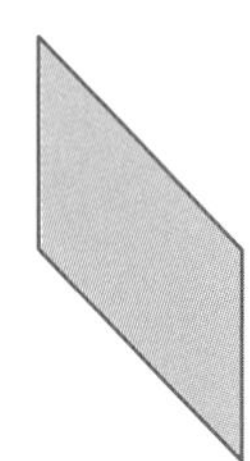

3 다음 퍼즐을 완성하려고 합니다. 필요 없는 조각을 찾아 ╳표 하세요.

4 동그라미 모양의 색종이를 선을 따라 잘랐습니다. 자른 조각이 아닌 것에 ╳표 하세요.

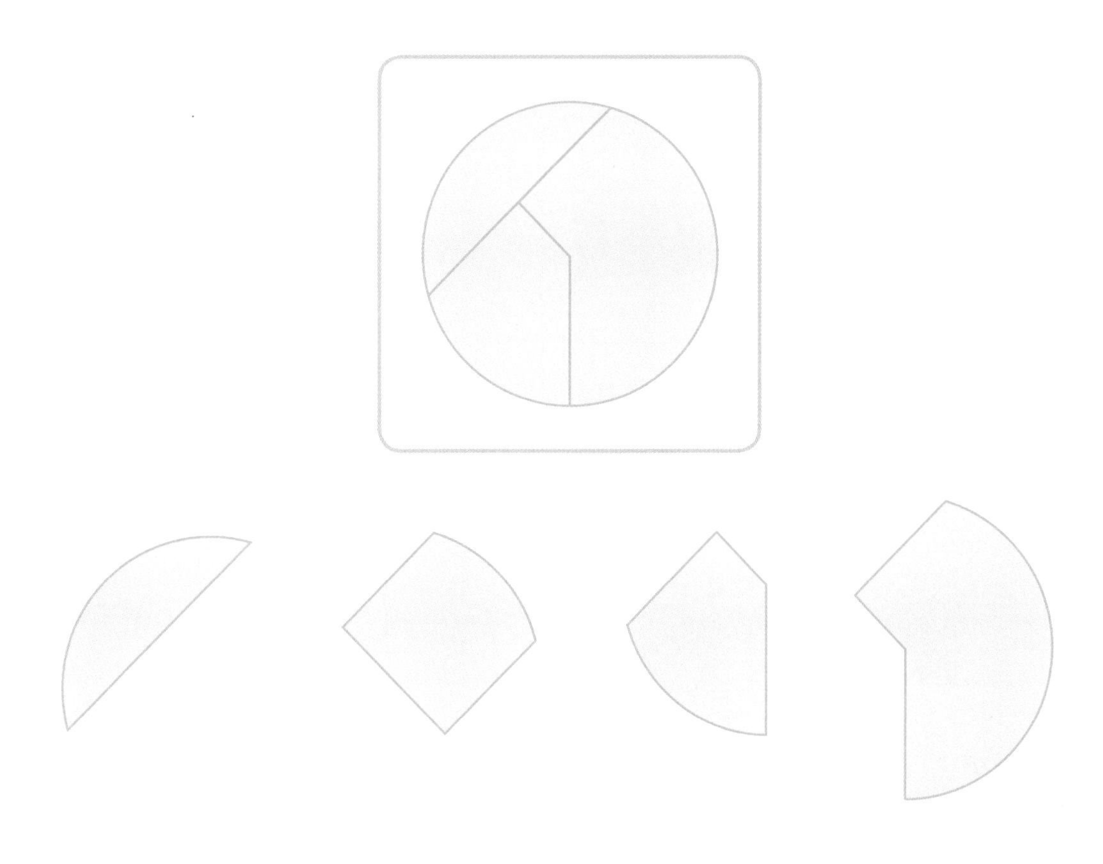

5 네모 모양의 색종이 일부를 잘랐습니다. 잘라낸 조각을 찾아 ○표 하세요.

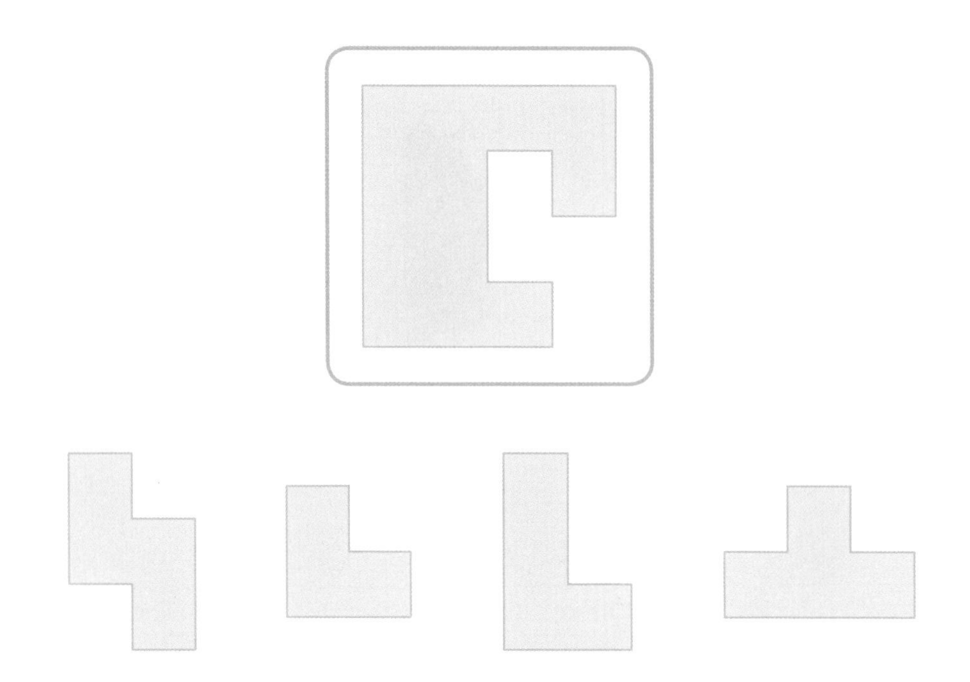

6 빈 곳에 들어갈 조각의 번호를 써넣어 퍼즐을 완성해 보세요.

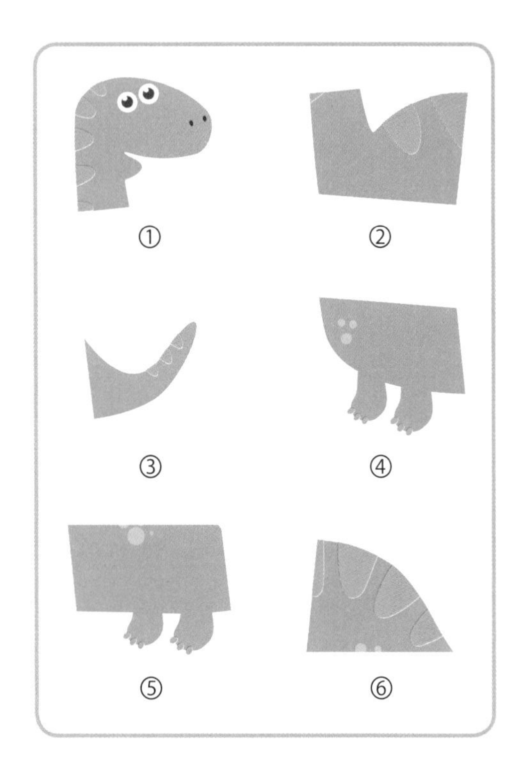

7 부서진 나무 판자의 오른쪽 부분을 고르세요.

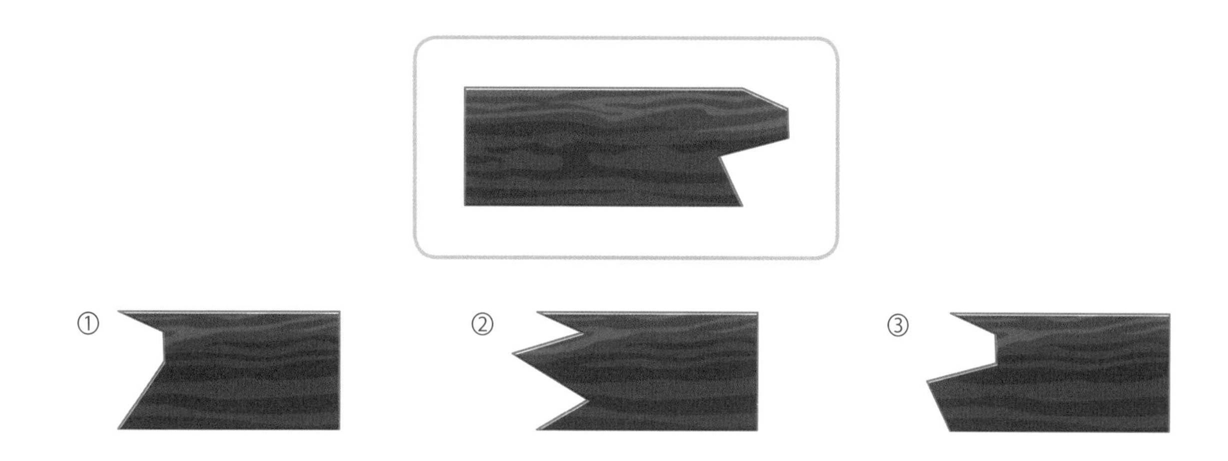

8 다음 퍼즐 조각을 맞추었을 때 완성되는 그림에 ◯표 하세요.

01 심화 문제

전체와 부분

1 9조각의 퍼즐 조각으로 퍼즐을 맞추려고 합니다. 각 칸에 들어가는 조각의 번호를 써넣으세요.

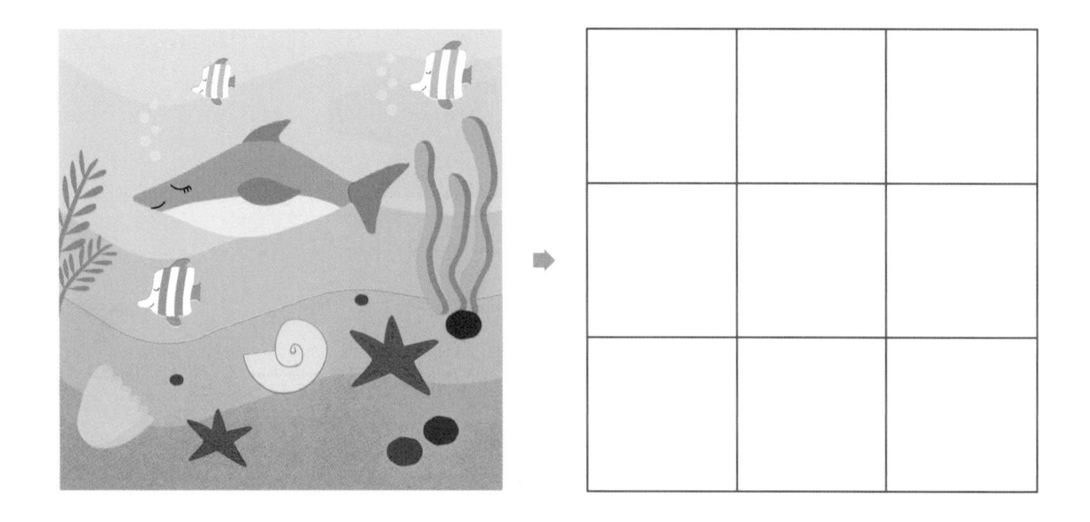

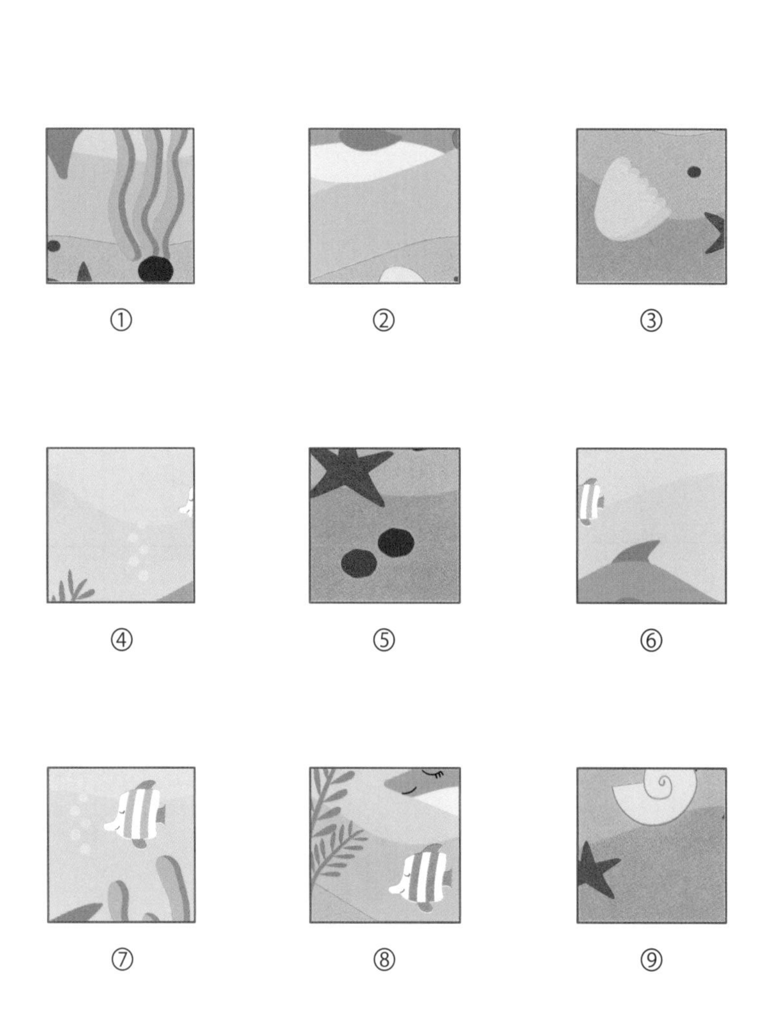

①　②　③

④　⑤　⑥

⑦　⑧　⑨

- 다음 그림에서 선을 따라 그릴 수 없는 모양을 고르세요.

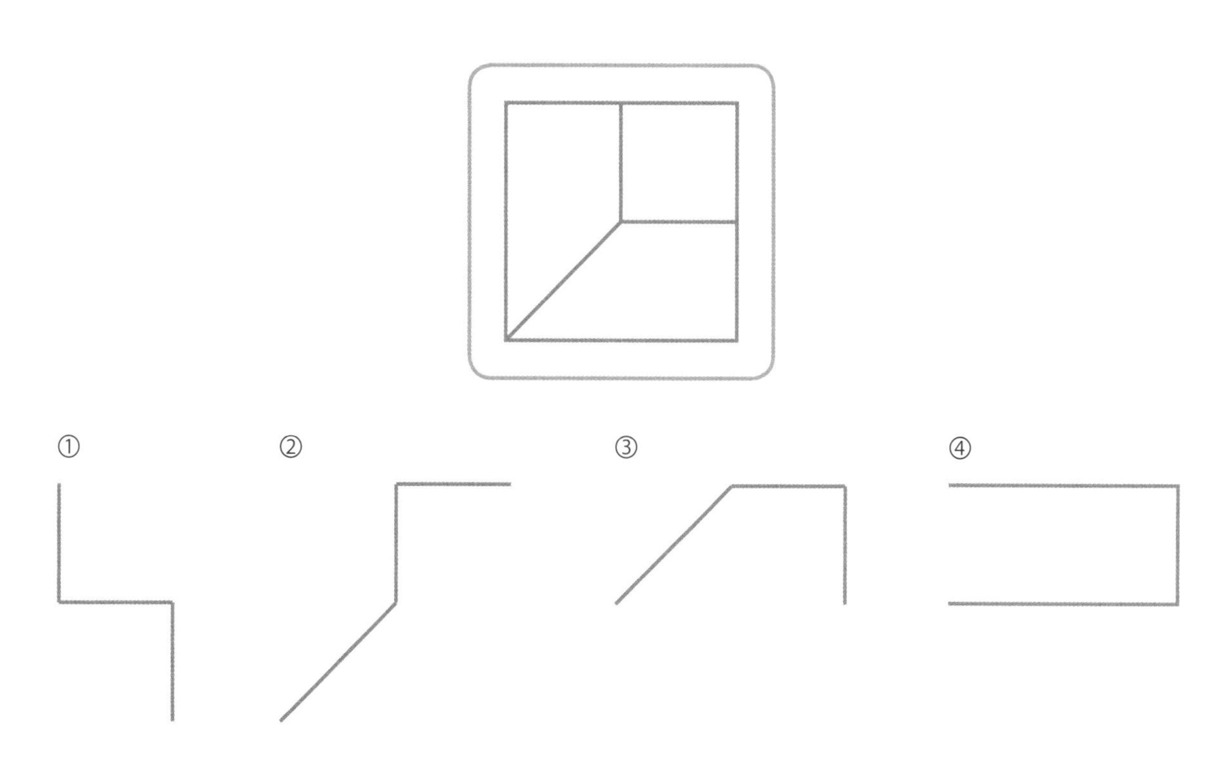

- 2개의 조각을 맞추면 네모 모양이 됩니다. 네모 모양을 만들고 남은 조각을 고르세요.

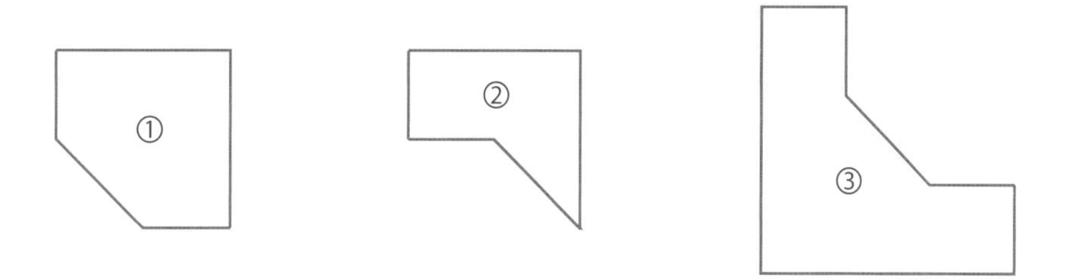

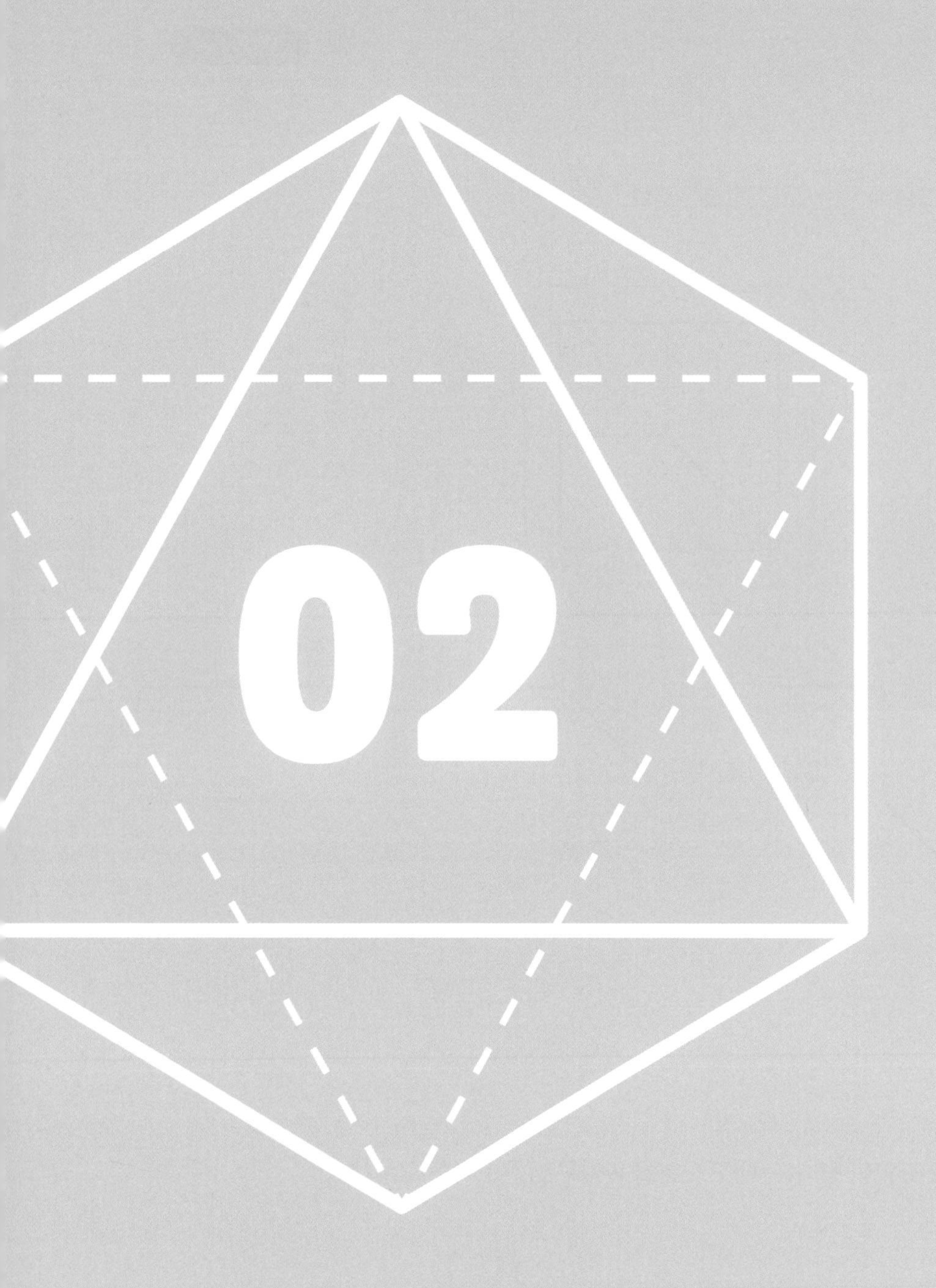

모양 겹치기

개념 02

모양 겹치기

Math storyteller

: 그림자의 테두리를 보면서 친구들의 그림자를 잘 찾았지? 이번엔 세 친구가 어두운 방에서 그림자 놀이를 했는데 그림자가 겹쳐져 있어. 누구의 그림자일까?

: 그림자의 테두리에서 특징적인 부분을 잘 찾아야 해.

● 친구 3명의 그림자가 겹쳐져 있습니다. 그림자의 주인을 찾아 모두 ○표 하세요.

02 대표 문제 1

다음 도형 2개를 서로 겹쳐서 만들 수 있는 모양을 찾아 모두 ○표 하세요.

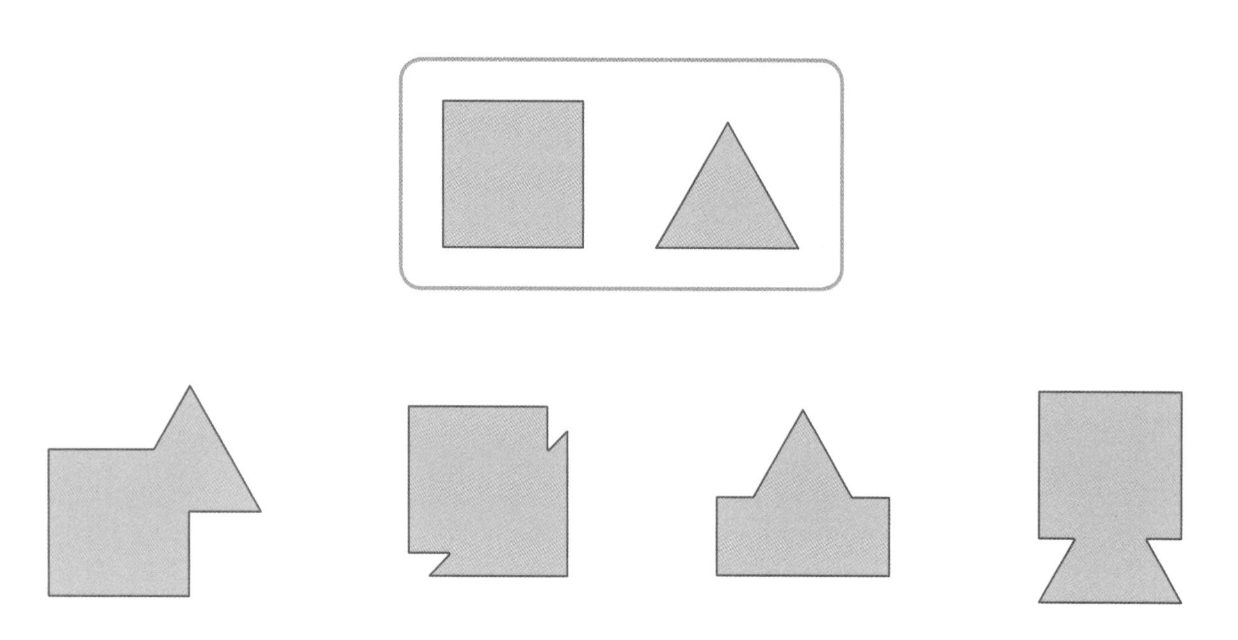

겹친 모양 찾기

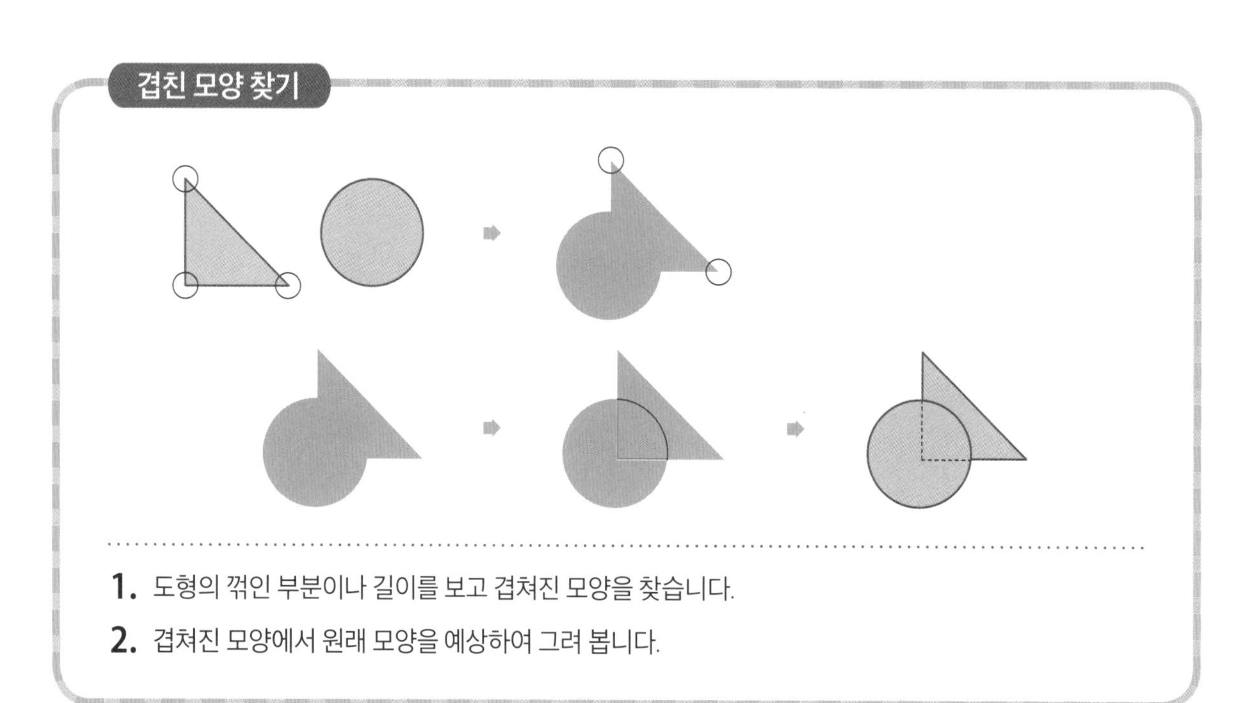

1. 도형의 꺾인 부분이나 길이를 보고 겹쳐진 모양을 찾습니다.
2. 겹쳐진 모양에서 원래 모양을 예상하여 그려 봅니다.

예제 1

겹쳐진 그림자에 없는 것 1개를 찾아 ×표 하세요.

예제 2

어떤 두 도형을 겹친 그림입니다. 두 도형을 찾아 모두 ○표 하세요.

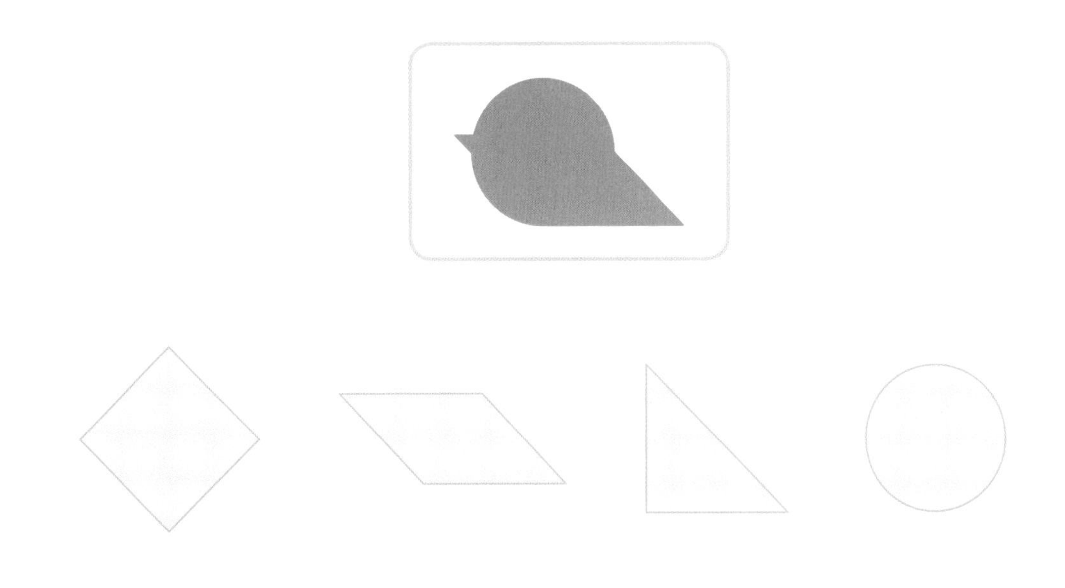

02 대표 문제 2

다음은 투명한 종이에 색칠한 것입니다. 두 종이를 완전히 포개었을 때, 9칸 중 색칠된 칸은 몇 칸일까요?
단, 종이는 돌리거나 뒤집어서 겹치지 않습니다.

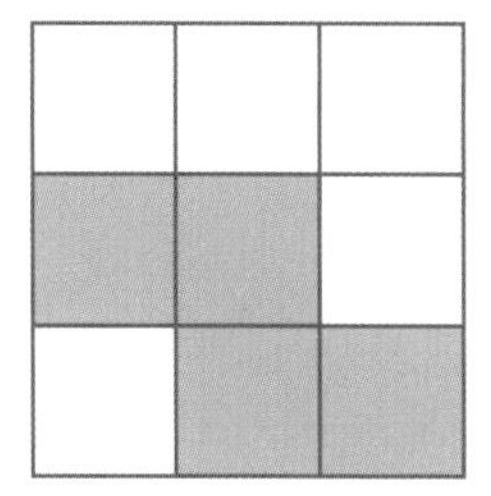

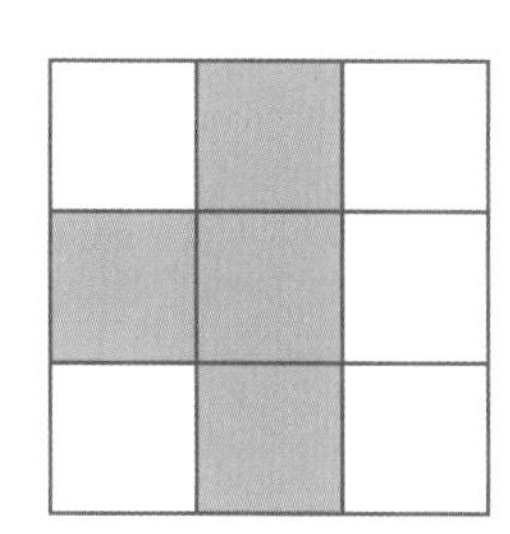

투명한 종이 겹치기

투명한 두 종이를 겹친 그림 그리기

①

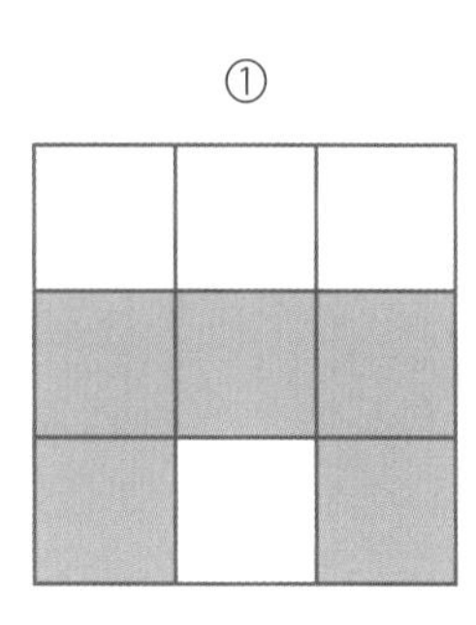

②

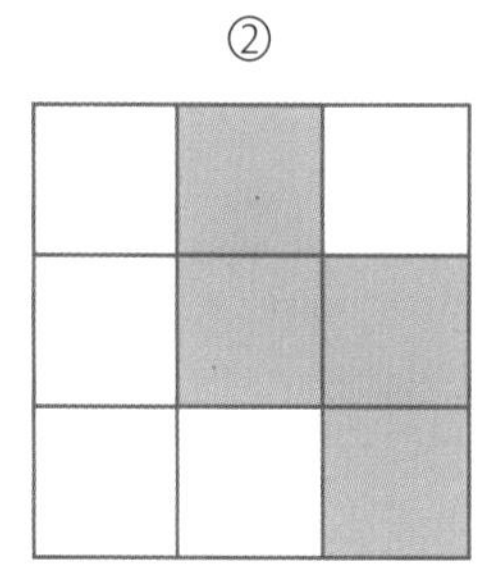

➡

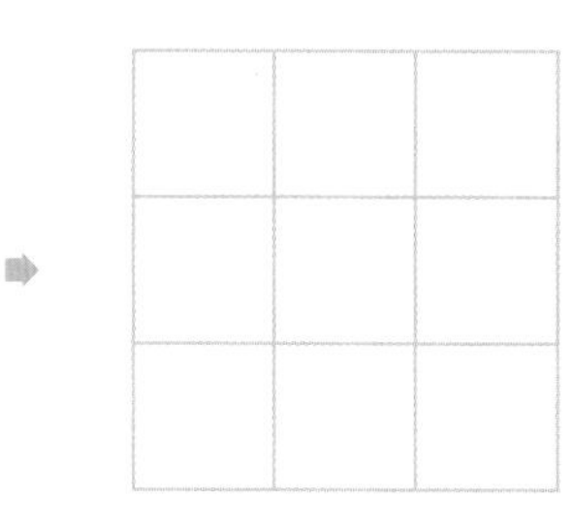

1. ①의 모양대로 똑같이 색칠한 다음, 그 위에 ②의 모양을 겹쳐서 색칠합니다.

예제 1

다음은 투명한 종이에 그린 그림입니다. 두 종이를 완전히 포개었을 때 만들어지는 그림을 그려 보세요. 단, 종이는 돌리거나 뒤집어서 겹치지 않습니다.

(1)

(2)

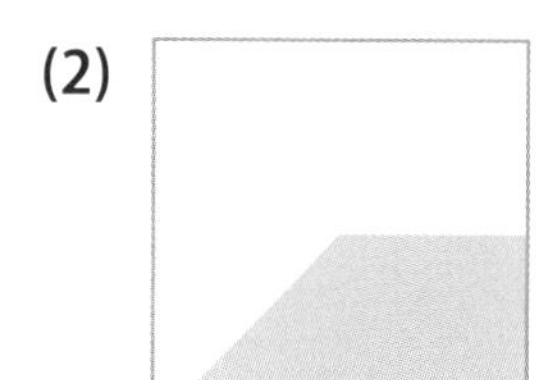

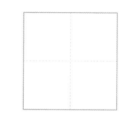

예제 2

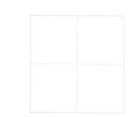

다음은 투명한 종이에 색칠한 것입니다. 두 종이를 완전히 포개었을 때, 9칸 중 색칠되지 않은 칸은 몇 칸일까요? 단, 종이는 돌리거나 뒤집어서 겹치지 않았습니다.

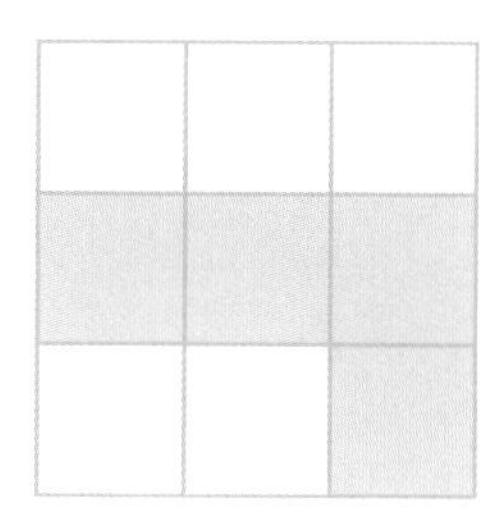
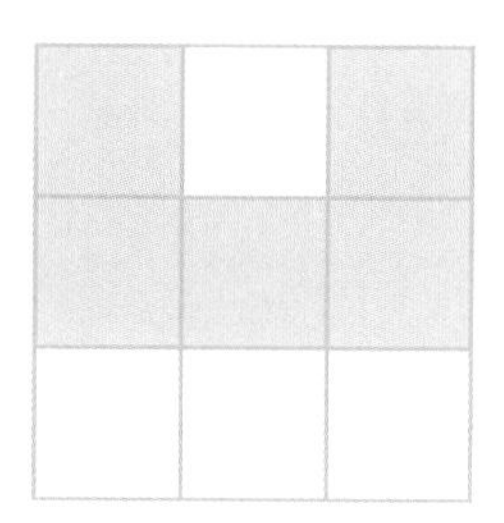

02 확인 문제

1 도형 3개를 겹친 그림입니다. 겹친 도형이 아닌 것에 ×표 하세요.

2 크기와 모양이 같은 네모 모양의 색종이 여러 장을 겹친 그림입니다. 색종이는 적어도 몇 장 겹쳤을까요?

3 다음은 투명한 종이에 색칠한 것입니다. 두 종이를 돌리거나 뒤집지 않고 완전히 포개었을 때 색칠된 칸과 색칠되지 않은 칸의 수를 각각 구해 보세요.

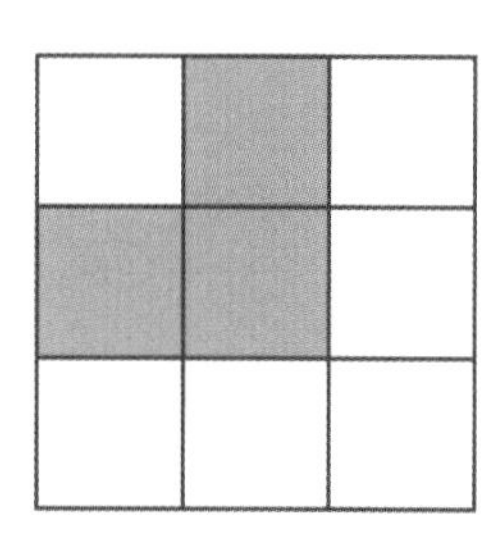
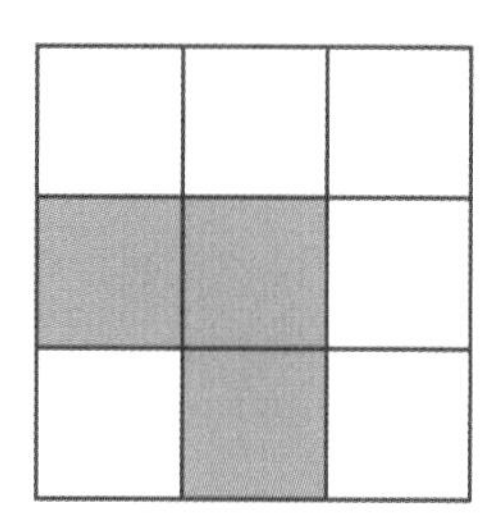

색칠된 칸:  칸　　색칠되지 않은 칸: 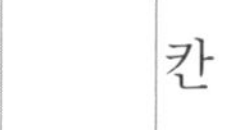 칸

4 다음 도형 2개를 서로 겹쳤습니다. 나올 수 있는 모양을 고르세요.

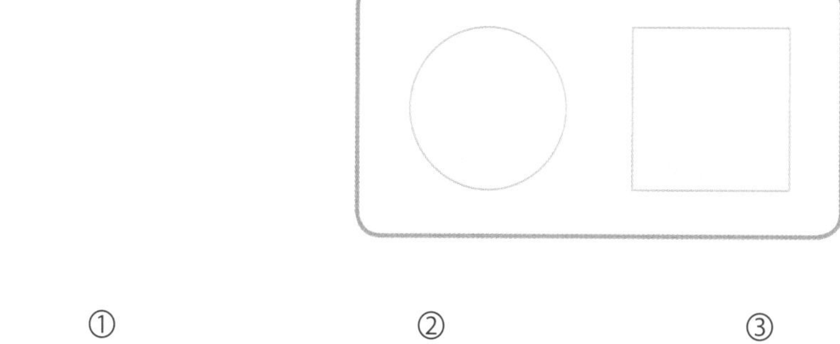

① 
② 
③ 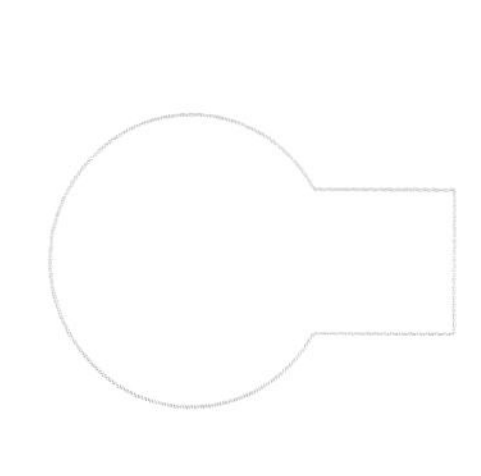
④ 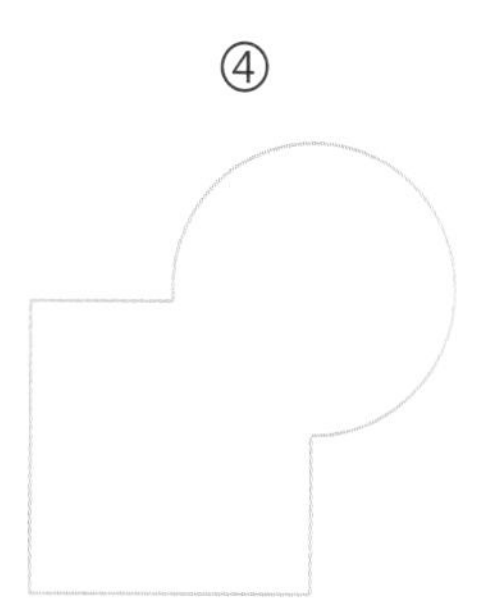

5 보기 는 투명 종이 위에 그린 그림입니다. 아래 그림은 보기 의 종이 중 2장을 완전히 포갠 그림입니다. 알맞은 종이를 찾아 번호를 써넣으세요. 단, 종이는 돌리거나 뒤집어서 겹치지 않았습니다.

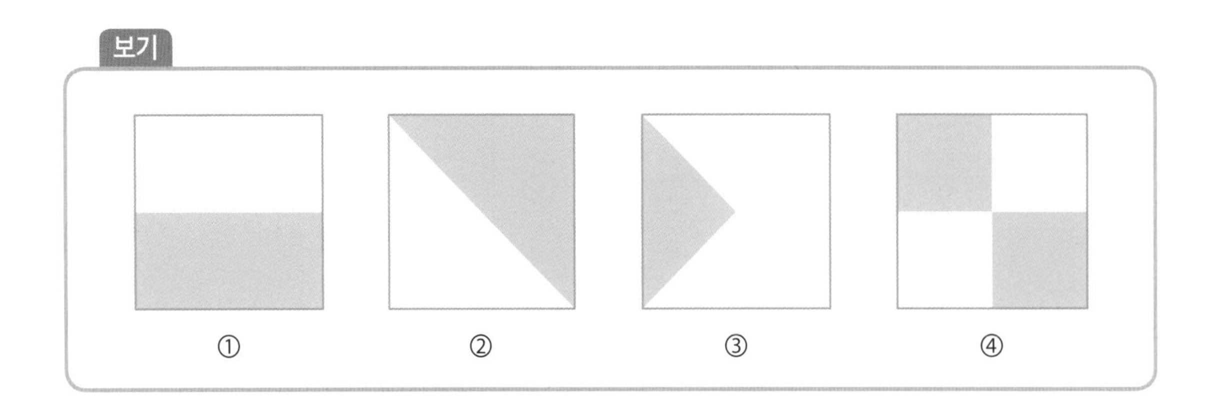

(1)

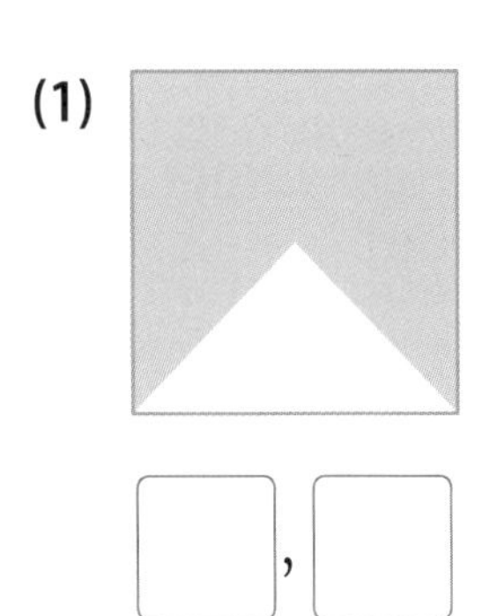

(2)

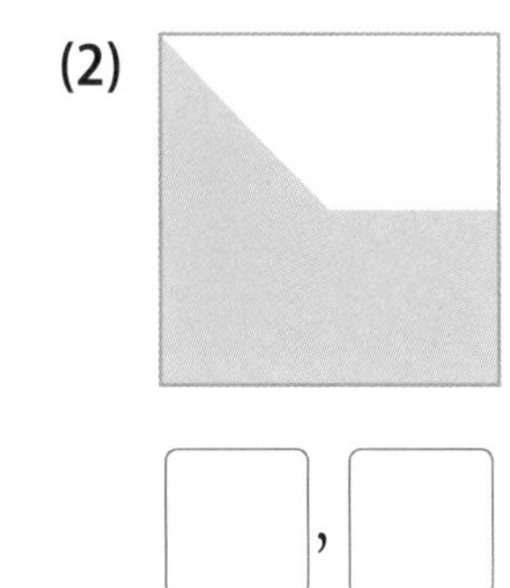

(3)

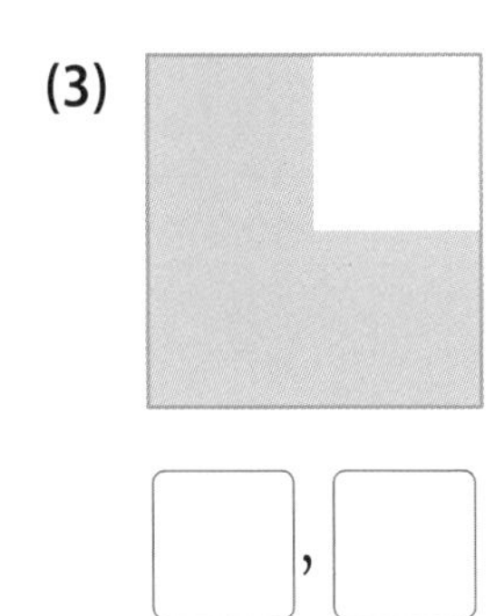

(4)

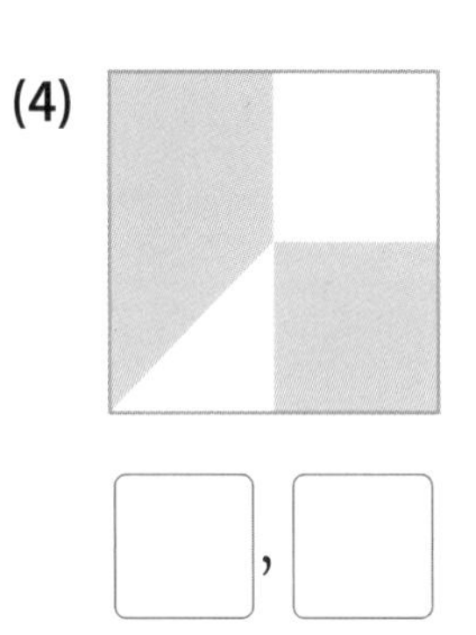

6 다음은 투명한 종이에 색칠한 것입니다. 두 종이를 돌리거나 뒤집지 않고 완전히 포개었을 때 색칠된 칸끼리 겹쳐지는 것은 몇 칸일까요?

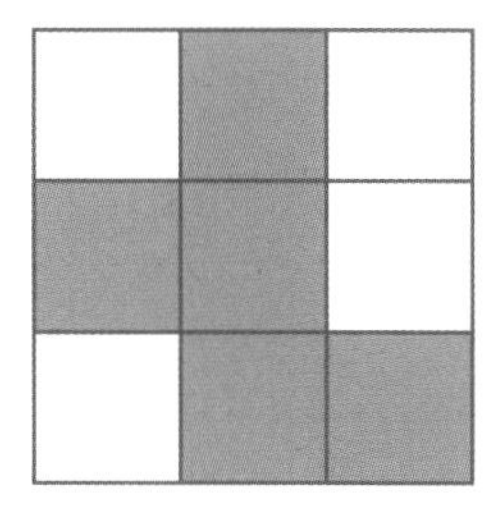
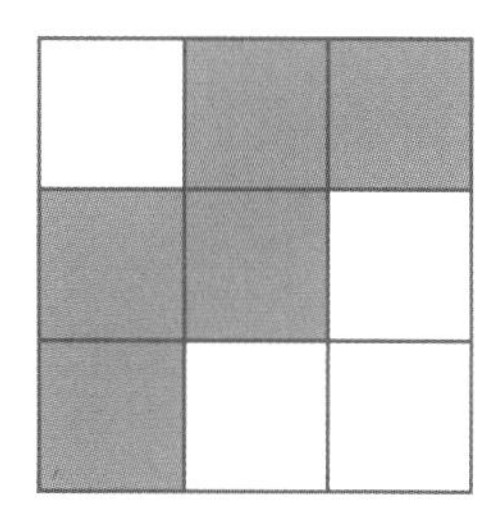

7 다음과 같은 네모 모양의 색종이 2장을 겹쳤을 때 나올 수 없는 모양에 ×표 하세요.

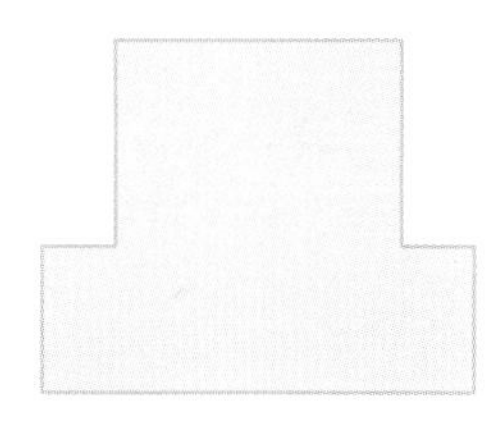

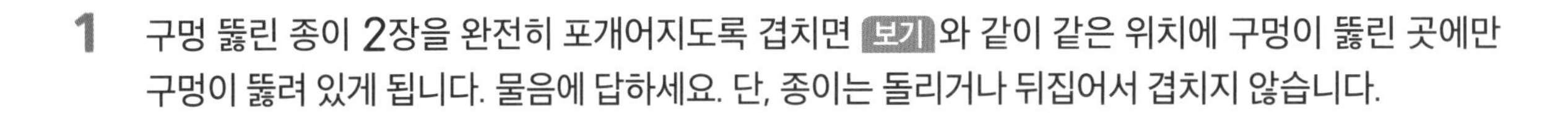

1 구멍 뚫린 종이 2장을 완전히 포개어지도록 겹치면 보기 와 같이 같은 위치에 구멍이 뚫린 곳에만 구멍이 뚫려 있게 됩니다. 물음에 답하세요. 단, 종이는 돌리거나 뒤집어서 겹치지 않습니다.

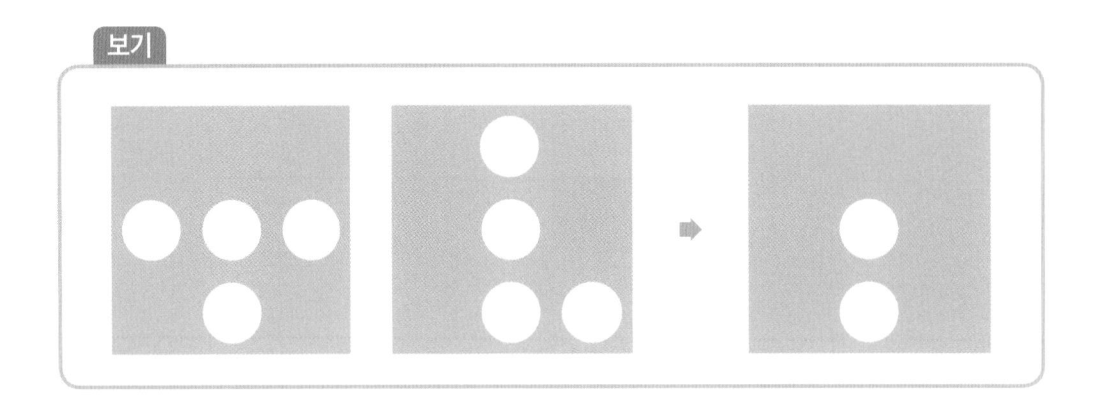

(1) 구멍 뚫린 종이 2장을 완전히 포개어지도록 겹쳤습니다. 겹친 종이에서 뚫려 있는 구멍은 몇 개일까요?

(2) 숫자 종이를 가장 아래에 놓고, 그 위에 구멍 뚫린 종이 2장을 완전히 포개어지도록 겹쳤습니다. 구멍으로 보이는 숫자를 모두 써 보세요.

02 경시 기출 유형

● 다음과 같이 숫자가 적힌 종이를 색칠된 두 칸이 겹치도록 완전히 포개었습니다. 이때 (가)에 있는 수가 (나)에 있는 수보다 더 큰 칸은 모두 몇 개일까요?

4	9	6
8	1	3
2	5	7

(가)

5	7	4
6	3	9
1	8	2

(나)

● 모양과 크기가 같은 네모 모양의 색종이 여러 장을 겹쳤습니다. 가장 아래에 있는 색종이를 색칠해 보세요.

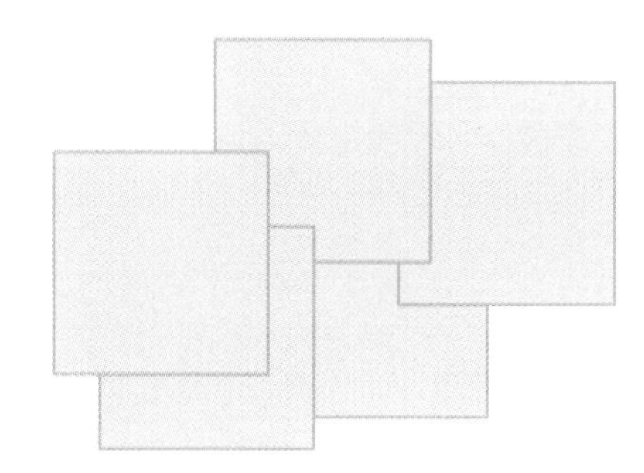

03

길이와 들이 비교

개념 03

길이와 들이 비교

Math storyteller

 : 세 친구가 시상대 위에 서 있어. 누구의 키가 가장 클까?

 : 음... 머리 끝의 위치가 같으니까 세 친구 모두 키가 같지 않을까?

 : 시상대의 높이가 각각 달라. 세 친구의 발끝의 위치가 다르니까 키도 다를 거야.

● 호수, 민서, 예원 세 친구가 시상대 위에 서 있습니다. 키가 가장 큰 친구부터 차례로 이름을 써 보세요.

(   ) – (   ) – (   )

길이나 키를 비교할 때는 한쪽 끝을 맞추어야 해.

03 대표 문제 1

동물들이 높이가 각각 다른 받침대 위에 서 있습니다. 키가 가장 작은 동물부터 차례로 이름을 써 보세요.

☐ – ☐ – ☐ – ☐

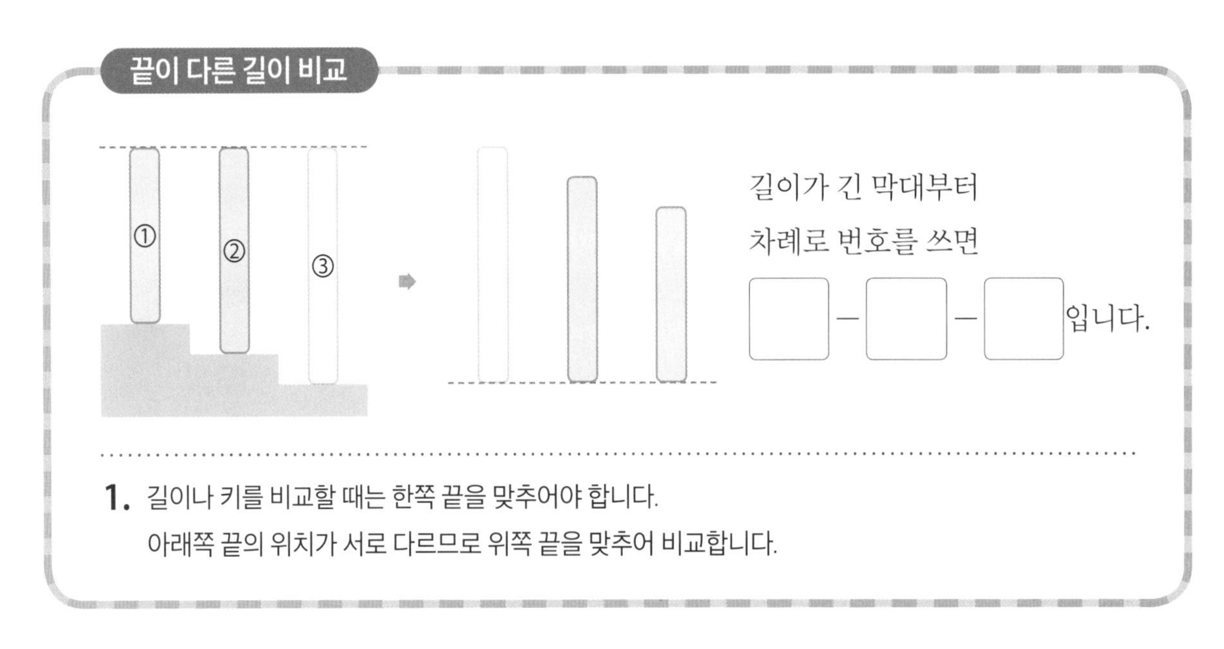

끝이 다른 길이 비교
①
②
③
길이가 긴 막대부터
차례로 번호를 쓰면
☐ – ☐ – ☐ 입니다.

1. 길이나 키를 비교할 때는 한쪽 끝을 맞추어야 합니다.
아래쪽 끝의 위치가 서로 다르므로 위쪽 끝을 맞추어 비교합니다.

예제 1

길이가 가장 긴 못부터 차례로 기호를 써 보세요.

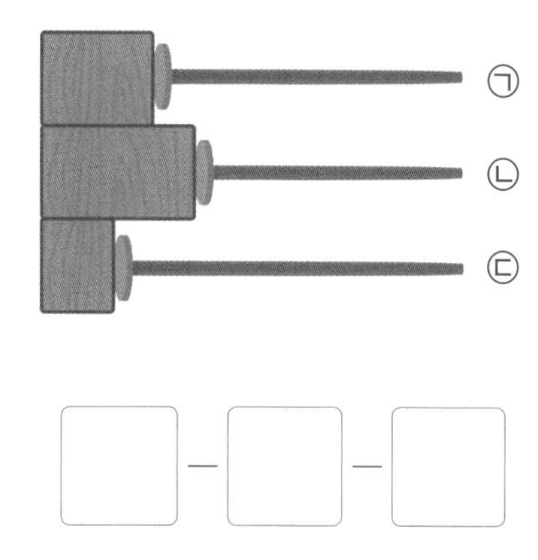

예제 2

길이가 두 번째로 긴 막대는 무엇일까요?

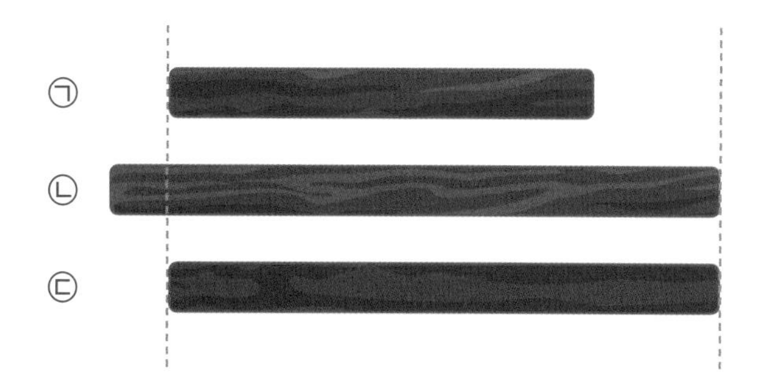

03 대표 문제 2

지호, 수아, 예원이가 각자 컵에 물을 가득 채워 똑같은 크기의 물병에 담고 있습니다. 지호는 1번, 수아는 2번, 예원이는 3번 부었더니 각각의 물병에 물이 가득 찼습니다. 가장 큰 컵을 가진 사람은 누구일까요?

내 컵으로 1번 부었더니 물병에 물이 가득 찼어.
내 컵으로는 2번 부었더니 물병이 가득 찼어.
내가 가진 컵으로는 3번이나 부었어.
지호
수아
예원

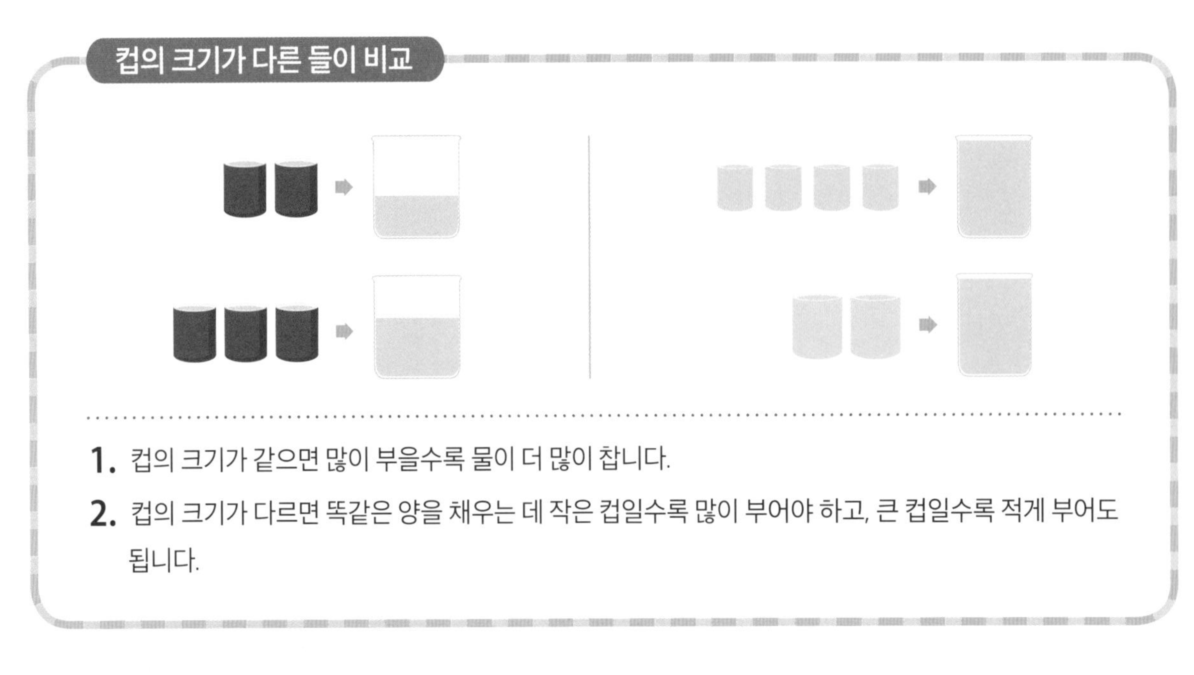

컵의 크기가 다른 들이 비교

1. 컵의 크기가 같으면 많이 부을수록 물이 더 많이 찹니다.
2. 컵의 크기가 다르면 똑같은 양을 채우는 데 작은 컵일수록 많이 부어야 하고, 큰 컵일수록 적게 부어도 됩니다.

예제 1

안이 보이지 않는 항아리에 물이 담겨 있습니다. 항아리에 담긴 물을 크기와 모양이 같은 컵에 모두 부었더니 다음과 같습니다. 물이 가장 많이 들어 있던 항아리는 무엇일까요?

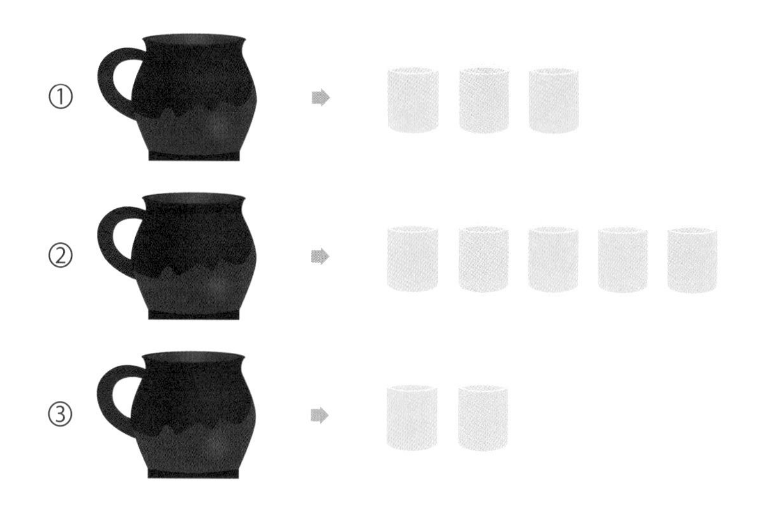

예제 2

크기가 다른 컵 3개가 있습니다. 이 중에서 하나의 컵만 사용하여 물병에 물을 가득 담으려고 합니다. 물을 담는 횟수를 가장 적게 하려면 어떤 컵을 사용해야 할까요?

① ② ③

03 확인 문제

1 키가 가장 작은 사람은 누구일까요?

2 크기와 모양이 같은 컵에 물을 가득 채워 주전자에 부었습니다. 물이 가장 많이 들어 있는 주전자는 무엇일까요?

3 가장 높은 건물부터 차례로 기호를 써 보세요.

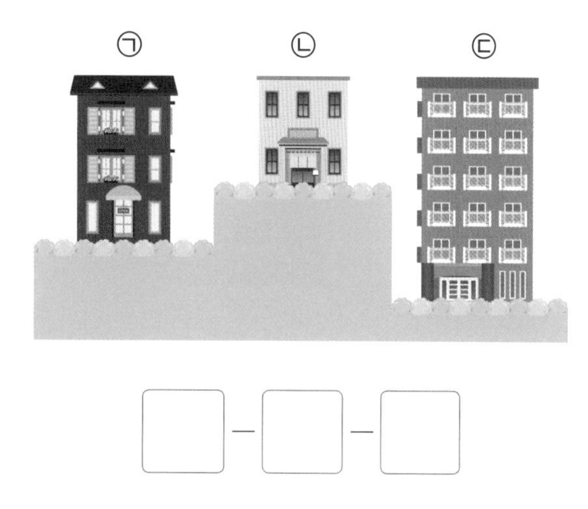

□ - □ - □

4 네 친구가 모양과 크기가 같은 컵에 주스를 가득 따랐습니다. 다음은 친구들이 마시고 남은 주스의 양입니다. 주스를 가장 많이 마신 사람은 누구일까요?

5 세 사람이 높이가 다른 뜀틀 위에 한 명씩 섰더니 머리 끝의 위치가 모두 같았습니다. 키가 가장 큰 사람은 어느 곳에 서 있을까요?

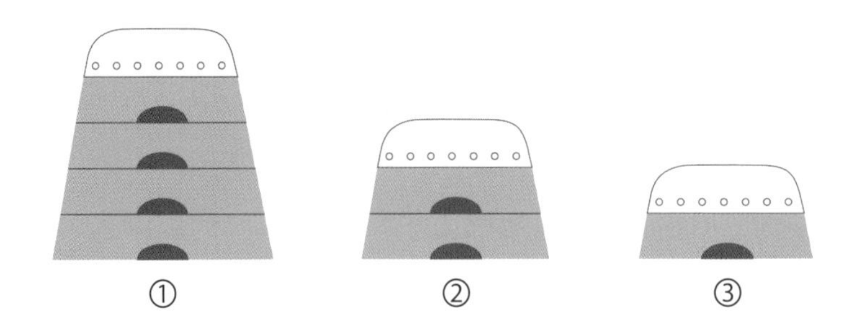

6 길이가 두 번째로 짧은 막대를 고르세요.

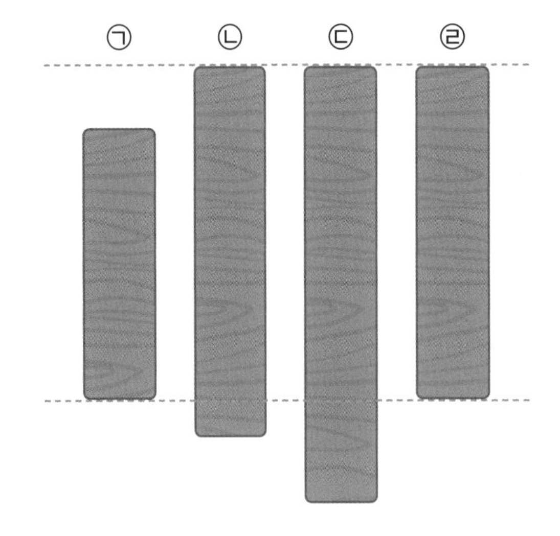

7 컵에 물을 가득 담아 크기가 같은 물병에 붓습니다. ㉠ 컵으로 4번, ㉡ 컵으로 3번, ㉢ 컵으로 5번 부었더니 각 물병에 물이 가득 찼습니다. ㉠, ㉡, ㉢ 중 가장 작은 컵은 무엇일까요?

8 동물들이 서로 높이가 다른 계단에 섰더니 머리 끝의 위치가 모두 같았습니다. ㉠ 위치에 선 동물의 이름을 써 보세요.

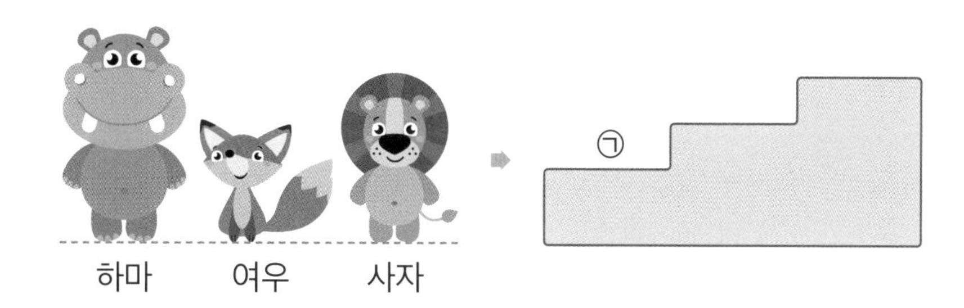

03 심화 문제

1 모양과 크기가 같은 컵 3개에 다음과 같이 물이 담겨 있습니다. 세 컵에 각각 크기가 다른 돌을 하나씩 넣었더니 물의 높이가 모두 같아졌습니다. 가장 작은 돌을 넣은 컵을 고르세요.

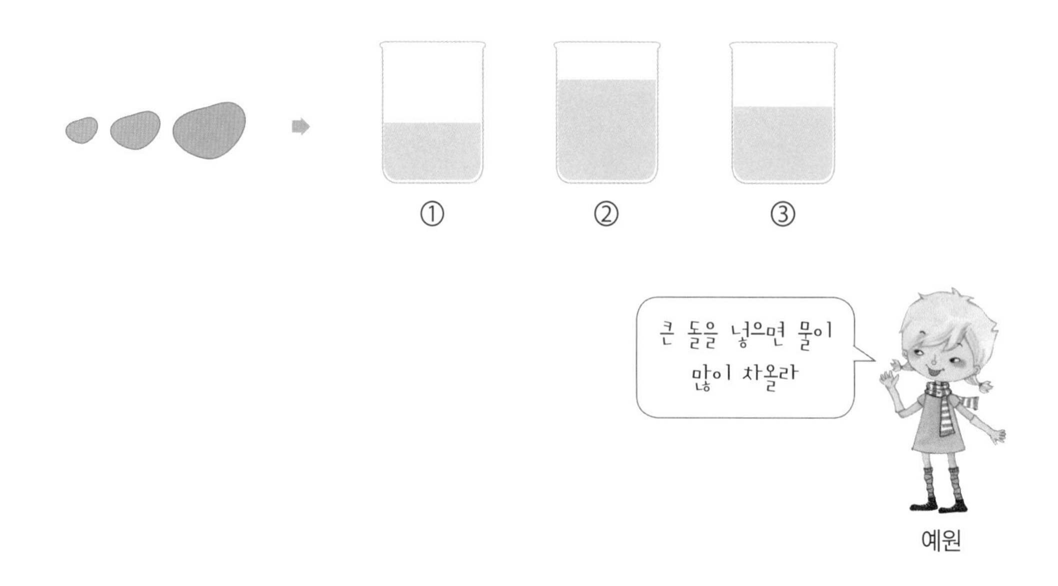

2 물이 담겨 있는 컵 중 몇 개에는 돌이 들어 있습니다. 물이 가장 많이 들어 있는 컵부터 차례로 기호를 써 보세요. 단, 돌의 크기는 모두 같습니다.

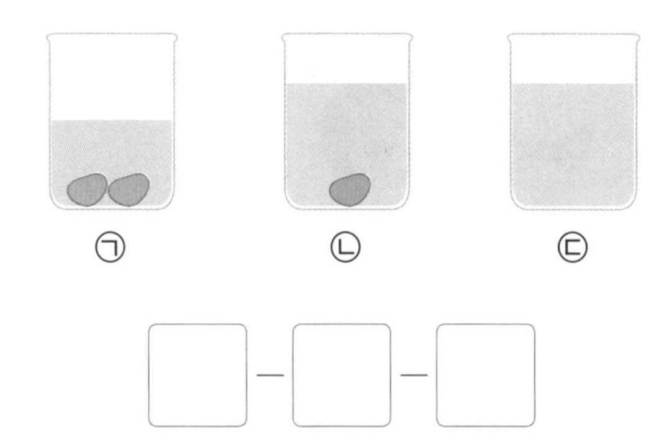

☐ – ☐ – ☐

03 경시 기출 유형

● 크기가 다른 컵 **가**, **나**, **다**가 있습니다. 물음에 답하세요.

- 컵 **가**에 물을 가득 담아 컵 **나**에 부었더니 물이 넘쳤습니다.
- 컵 **가**에 물을 가득 담이 컵 **다**에 부었더니 물이 절반만 찼습니다.

(1) 컵 **가**에 물을 가득 담아 컵 **나**에 부었더니 물이 넘쳤습니다. **가**와 **나** 중 더 큰 컵은 무엇일까요?

(2) 컵 **가**에 물을 가득 담아 컵 **다**에 부었더니 물이 절반만 찼습니다. **가**와 **다** 중 더 큰 컵은 무엇일까요?

(3) 가장 큰 컵부터 차례로 써 보세요.

04

달력

개념 04 달력

Math storyteller

: 달력은 일요일, 월요일, 화요일, 수요일, 목요일, 금요일, 토요일 7개의 요일이 있어.
그러니까 같은 요일이 7일마다 반복돼.

: 이렇게 반복되는 7일을 1주일이라고 해. 일요일부터 토요일까지 7일을 1주일이라고 해.

: 맞아. 그리고 금요일부터 목요일까지의 7일도 1주일이야. 우리 달력을 좀 더 살펴볼까?

● 12월 달력입니다. 달력을 완성하고, 물음에 답하세요.

12월						
일	월	화	수	목	금	토
			1	2	3	4
5	6	7	8			
	13	14		16		18
19	20				24	25 성탄절
26			29	30	31	

(1) 일요일은 몇 번 있나요?

(2) 12월 25일은 성탄절입니다. 성탄절은 무슨 요일일까요?

(3) 오늘이 8일이라면 어제와 내일은 각각 며칠일까요?

(4) 첫째 월요일은 6일입니다. 셋째 월요일은 며칠일까요?

04 대표 문제 1

주원, 지혜, 설아 세 친구는 나이가 같고, 생일도 모두 7월입니다. 세 친구가 7월 달력을 보고 이야기하고 있습니다. 생일이 가장 빠른 사람은 누구일까요?

- 주원: 내 생일은 17일이야.
- 지혜: 내 생일은 둘째 금요일이야.
- 설아: 내 생일은 11일에서 1주일 후야.

7월

일	월	화	수	목	금	토
1	2	3	4	5	6	7
8	9	10	11	12	13	14
15	16	17	18	19	20	21
22	23	24	25	26	27	28
29	30	31				

달력 관찰하기

9월

일	월	화	수	목	금	토
		1	2	3	4	5
6	7	8	9	10	11	12
13	14	15	16	17	18	19
20	21	22	23	24	25	26
27	28	29	30			

15일은 ☐ 요일입니다.

둘째 목요일은 ☐ 일입니다.

첫째 일요일은 ☐ 일입니다.

1. 1주일은 7일이고, 1주일마다 같은 요일이 반복됩니다.
1일, 8일, 15일, 22일, 29일은 모두 같은 요일입니다.

2. 달력 날짜를 세로로 보았을 때 가장 위쪽에 있는 날짜가 그 달의 첫째 □요일입니다.

예제 1

달력을 보고 올바른 말에는 ○표, 잘못된 말에는 ×표 하세요.

1월						
일	월	화	수	목	금	토
					1	2
3	4	5	6	7	8	9
10	11	12	13	14	15	16
17	18	19	20	21	22	23
24	25	26	27	28	29	30
31						

- 24일의 바로 전날은 토요일입니다. ········ (　　　)
- 셋째 화요일은 12일입니다. ········ (　　　)
- 일요일은 5번 있습니다. ········ (　　　)

예제 2

민지네 가족은 개천절에 캠핑을 가서 다음 날 집으로 돌아왔습니다. 집으로 돌아온 날은 며칠이고, 무슨 요일일까요?

10월						
일	월	화	수	목	금	토
				1	2	3 개천절
4	5	6	7	8	9 한글날	10
11	12	13	14	15	16	17
18	19	20	21	22	23	24
25	26	27	28	29	30	31

04 대표 문제 2

달력의 날짜가 지워져 있습니다. 이 달의 1일과 25일은 각각 무슨 요일일까요?

9월						
일	월	화	수	목	금	토
	6	7				
	13	14		16	17	
		21	22			
			29	30		

1일: ☐ 요일　　25일: ☐ 요일

날짜가 지워진 달력

9월						
일	월	화	수	목	금	토
	6	7				
	13	14	15	16	17	
	20	21	22			
			29	30		

7 작은 수, 7 큰 수, 1 작은 수, 1 큰 수

1. 달력에서 왼쪽으로 한 칸 가면 전날이므로 날수가 1 작아지고, 오른쪽으로 한 칸 가면 다음 날이므로 날수가 1 커집니다.
2. 달력에서 위로 한 칸 가면 1주일 전이므로 날수가 7 작아지고, 아래로 한 칸 가면 1주일 후이므로 날수가 7 커집니다.

예제 1

달력의 날짜가 지워져 있습니다. 13일이 적히는 칸에 색칠해 보세요.

일	월	화	수	목	금	토
	1	2	3			
	22	23	24	25	26	27
28	29	30	31			

예제 2

달력의 아랫 부분이 찢어졌습니다. 이 달력에서 셋째 수요일은 며칠일까요?

8월						
일	월	화	수	목	금	토
			1	2	3	4
5	6	7	8	9	10	11

04 확인 문제

1 내일은 5월 9일 월요일입니다. 어제는 며칠이고, 무슨 요일이었을까요?

5월 ☐ 일 ☐ 요일

2 다음은 달력의 일부입니다. 빈칸에 알맞은 수를 써넣으세요.

		4
9	10	

3 달력을 보고 물음에 답하세요.

3월						
일	월	화	수	목	금	토
	1 삼일절	2	3	4	5	6
7	8	9	10	11	12	13
14	15	16	17	18	19	20
21	22	23	24	25	26	27
28	29	30	31			

(1) 3월 1일은 삼일절입니다. 삼일절은 무슨 요일일까요?

(2) 이 달의 둘째 토요일은 며칠일까요?

(3) 금요일 날짜를 모두 써 보세요.

(4) 올해 민서의 생일은 3월의 셋째 수요일이고, 민서의 생일 바로 전날은 동생의 생일입니다. 동생의 생일은 며칠이고, 무슨 요일일까요?

3월 ☐ 일 ☐ 요일

4 달력에 물감이 흘러 날짜가 지워졌습니다. 20일은 무슨 요일일까요?

2월						
일	월	화	수	목	금	토
					1	2
3					8	9
						16
						23
24	25			28		

5 서진이가 달력에 생일을 표시해 놓았는데 동생이 달력 아랫부분을 찢어버렸습니다. 올해 서진이의 생일이 11월 첫째 일요일에서 1주일 후라면 서진이의 생일은 며칠이고, 무슨 요일일까요?

11월						
일	월	화	수	목	금	토
	1	2	3	4	5	6

서진이의 생일: 11월 ☐ 일 ☐ 요일

6 달력을 보고 지호가 생각하는 날은 며칠인지 구해 보세요.

7월						
일	월	화	수	목	금	토
1	2	3	4	5	6	7
8	9	10	11	12	13	14
15	16	17	18	19	20	21
22	23	24	25	26	27	28
29	30	31				

내가 생각하는 날은 월요일이 아니라 화요일이야. 20일은 넘어가지만 다섯째 화요일은 아니야.

지호

7 6월 1일은 화요일이고, 6월의 마지막 날은 30일입니다. 6월의 마지막 날은 무슨 요일일까요?

6월						
일	월	화	수	목	금	토

1 6월과 다음 달인 7월 달력입니다. 물음에 답하세요.

6월						
일	월	화	수	목	금	토
1	2	3	4	5	6 현충일	7
8	9	10	11	12	13	14
15	16	17	18	19	20	21
22	23	24	25	26	27	28
29	30					

7월						
일	월	화	수	목	금	토
		1	2	3	4	5
6	7	8	9	10	11	12
13	14	15	16	17	18	19
20	21	22	23	24	25	26
27	28	29	30	31		

(1) 6월 25일에서 일주일 후는 몇 월 며칠 무슨 요일일까요?

(2) 7월의 다음 달은 8월입니다. 8월 1일은 무슨 요일일까요?

(3) 6월의 전달은 5월이고, 5월의 마지막 날은 31일입니다. 5월 31일은 무슨 요일일까요?

04 경시 기출 유형

● 다음 2월 달력에서 마지막 날은 28일입니다. 날짜와 요일이 잘못 연결된 것을 고르세요.

2월						
일	월	화	수	목	금	토
				1	2	3
4	5	6	7	8	9	10

① 2월 11일 일요일
② 2월 25일 토요일
③ 2월 28일 수요일
④ 3월 1일 목요일

● 오늘은 4월 15일 토요일입니다. 유진이는 1주일 전에 할머니 댁에 갔었고, 할머니 댁에서 하룻밤 자고 집으로 돌아왔습니다. 유진이가 집으로 돌아온 날은 며칠이고, 무슨 요일일까요?

4월						
일	월	화	수	목	금	토

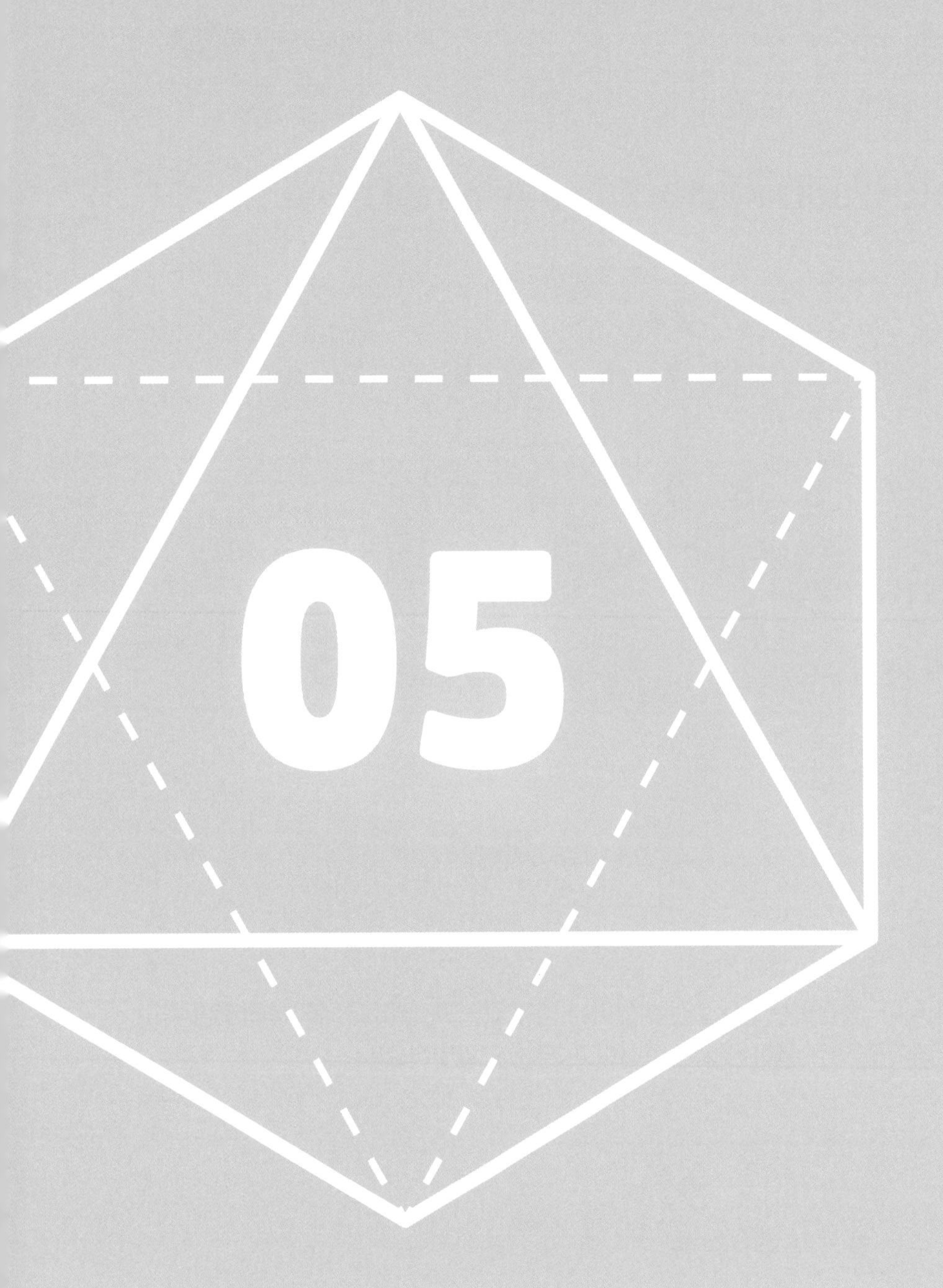

05

선 잇기 퍼즐

선 잇기 퍼즐

Math storyteller

 : 같은 모양끼리 선으로 잇는 퍼즐을 풀어 보자.

 : 선을 잇는 규칙은 뭐야?

 : 선은 가로 또는 세로로만 그을 수 있고, 빈칸 없이 모든 칸을 한 번씩만 지나야 돼.

 : 모든 모양을 이으려면 선을 어떻게 그어야 할까?

● 선을 잇는 규칙을 생각하면서 같은 모양끼리 이어 보세요.

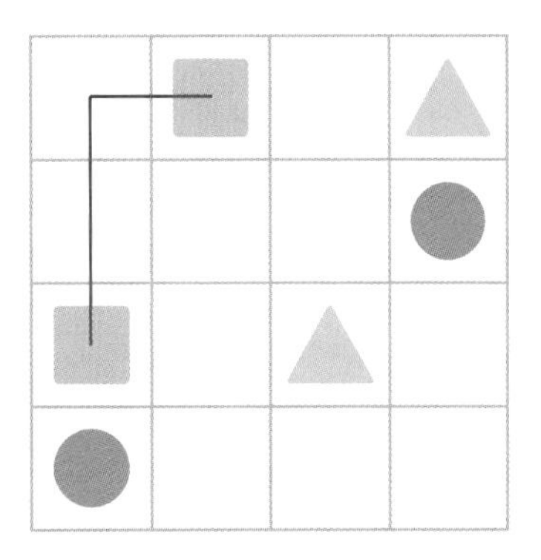

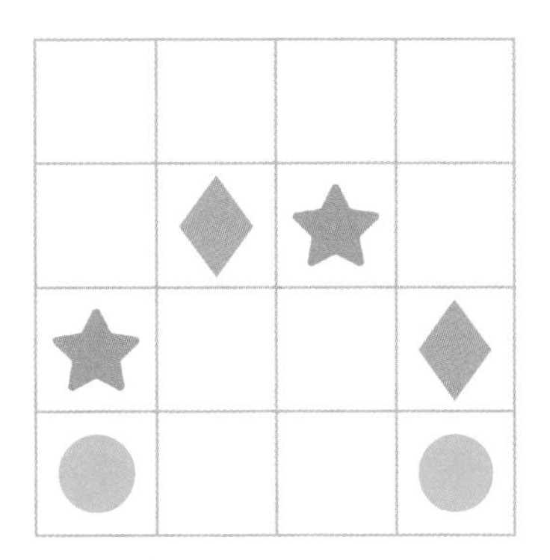

05 대표 문제 1

규칙 에 따라 같은 모양끼리 선으로 이어 보세요.

규칙

- 선은 가로 또는 세로로만 긋습니다.
- 선은 한 칸에 한 번만 지납니다.
- 선이 지나지 않은 빈칸이 있으면 안됩니다.

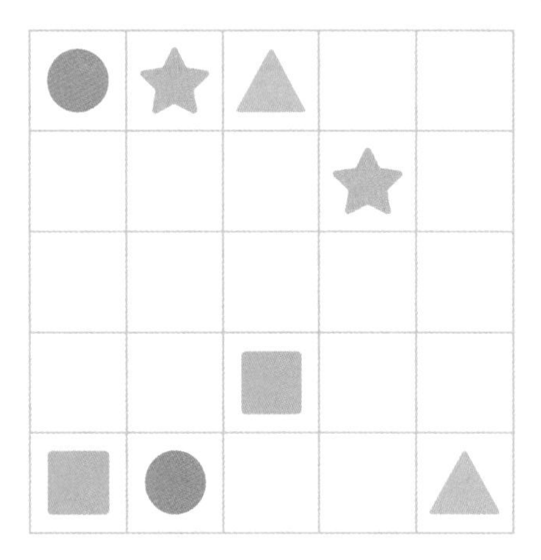

같은 것 잇기

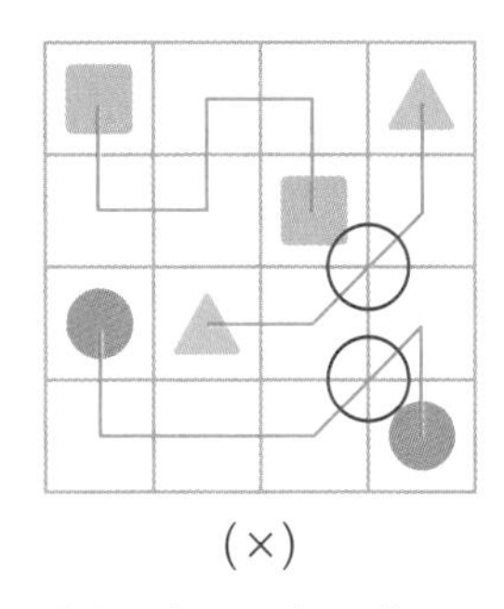

(×)

1. 선은 가로 또는 세로로만 긋습니다.

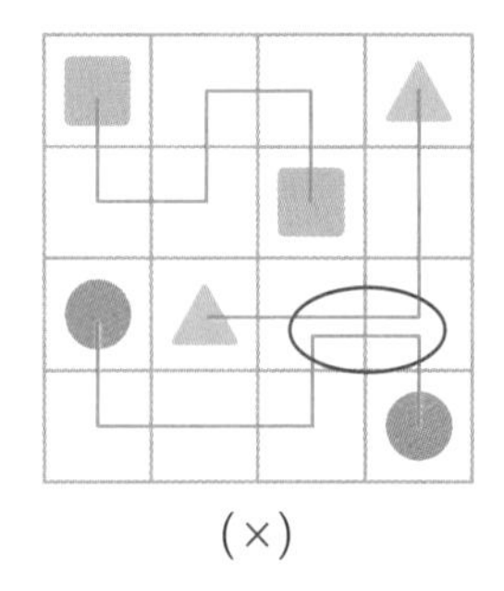

(×)

2. 한 번 지나간 칸은 다시 지날 수 없습니다.

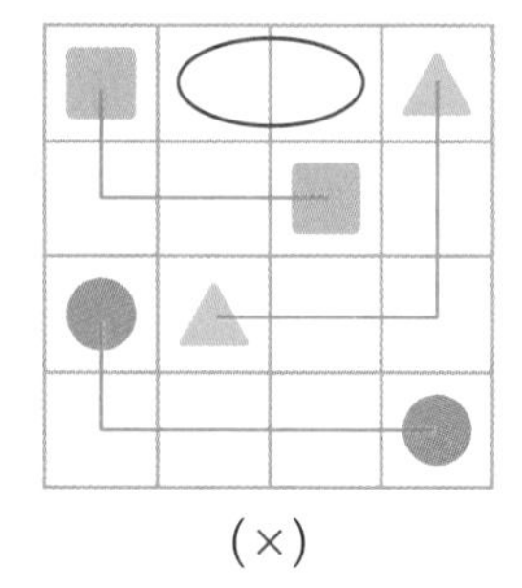

(×)

3. 빈칸이 있으면 안됩니다.

1. 선이 끊어지거나 빈칸이 생기지 않도록 주의하면서 선을 잇습니다.

예제 1

규칙 에 따라 같은 색깔의 풍선끼리 선으로 이어 보세요.

규칙

- 선은 가로 또는 세로로만 긋습니다.
- 선은 한 칸에 한 번만 지납니다.
- 선이 지나지 않은 빈칸이 있으면 안됩니다.

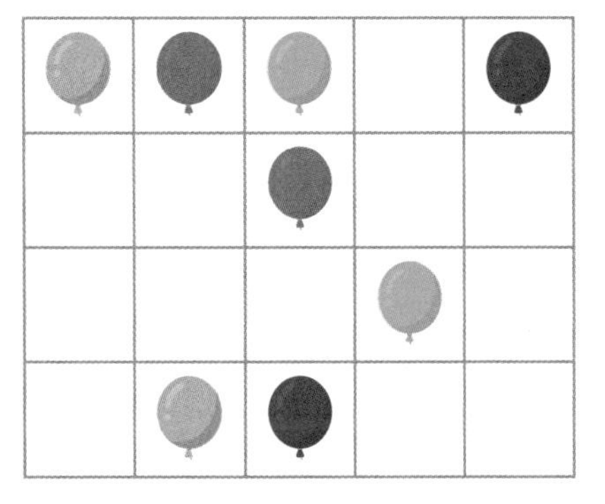

예제 2

규칙 에 따라 같은 숫자끼리 선으로 이어 보세요.

규칙

- 선은 가로 또는 세로로만 긋습니다.
- 선은 한 칸에 한 번만 지납니다.
- 선이 지나지 않은 빈칸이 있으면 안됩니다.

1				3
		2		4
	4	3	2	
1				

대표 문제 2

규칙 에 따라 선을 그어 1부터 8까지의 수를 순서대로 연결해 보세요.

규칙

- 선은 가로 또는 세로로만 긋습니다.
- 선은 한 칸에 한 번만 지납니다.
- 선이 지나지 않은 빈칸이 있으면 안됩니다.

1				
	4		7	5
		8		
2				
		3		6

길 만들기

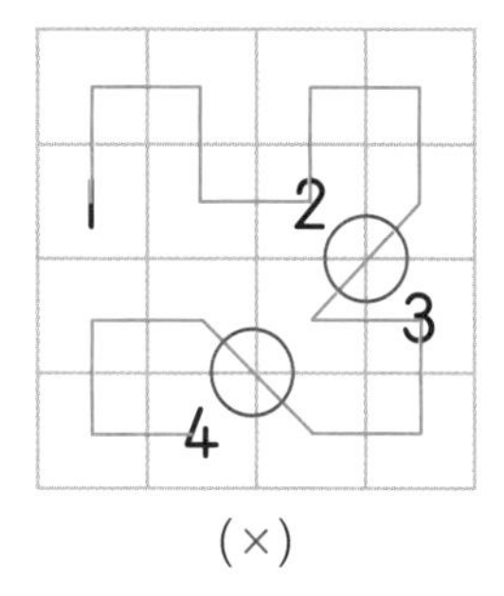

(×)

1. 선은 가로 또는 세로로만 긋습니다.

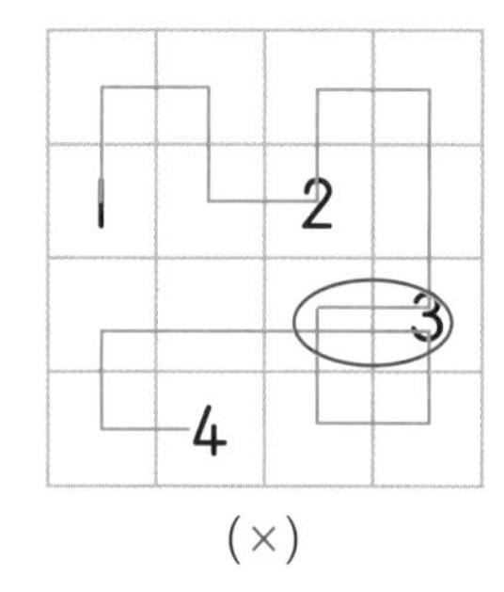

(×)

2. 한 번 지나간 칸은 다시 지날 수 없습니다.

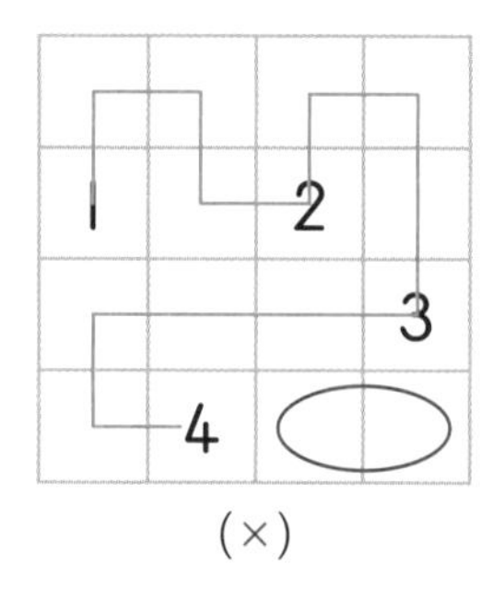

(×)

3. 빈칸이 있으면 안됩니다.

1. 수의 순서대로 빈칸이 생기지 않도록 주의하면서 선을 잇습니다.

2. 모퉁이 부분은 반드시 ㄱ, ㄴ 등의 모양으로 꺾어서 갑니다.

예제 1

출발부터 도착까지 선을 가로 또는 세로로만 그어 모든 칸을 한 번씩만 지나가는 길을 그려 보세요. 단, 폭탄이 있는 칸은 지나갈 수 없습니다.

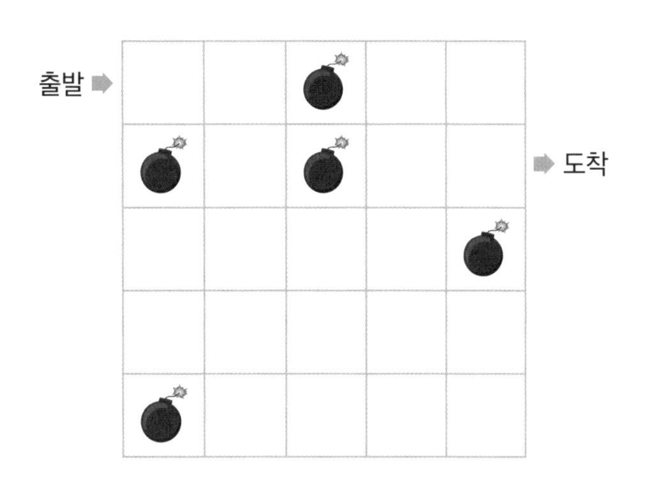

예제 2

강아지가 가로 또는 세로로만 길을 가며 모든 칸을 한 번씩만 지나 집으로 가도록 1부터 5까지의 수를 순서대로 연결해 보세요. 단, 나무가 있는 칸은 지나갈 수 없습니다.

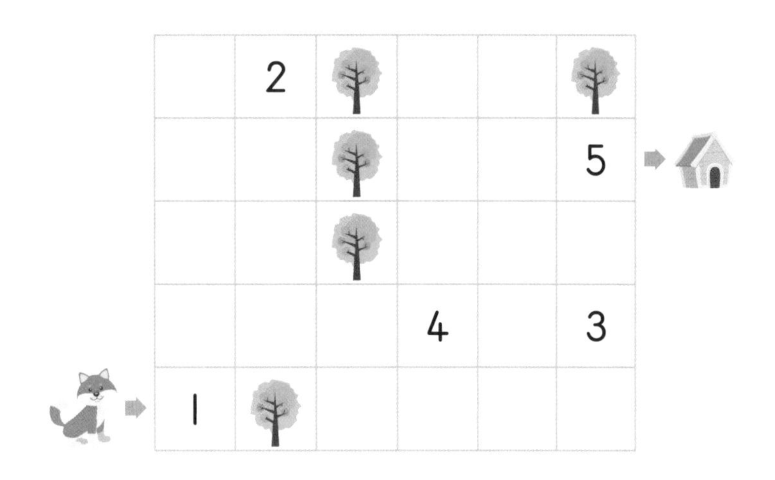

05 확인 문제

1 규칙 에 따라 같은 색깔의 구슬끼리 선으로 이어 보세요.

규칙

- 선은 가로 또는 세로로만 긋습니다.
- 선은 한 칸에 한 번만 지납니다.
- 선이 지나지 않은 빈칸이 있으면 안됩니다.

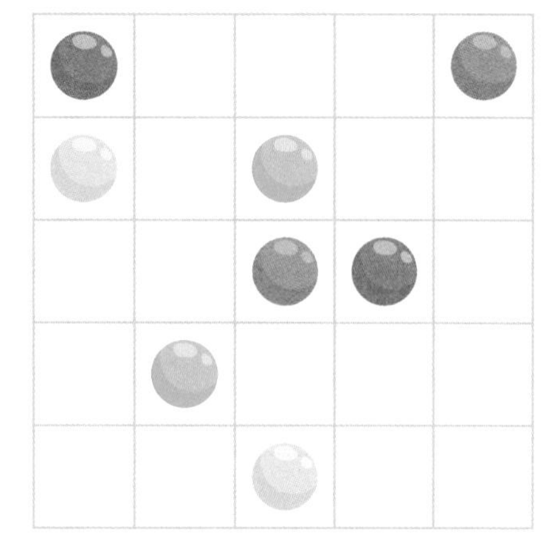

2 규칙 에 따라 선을 그어 1부터 5까지의 수를 순서대로 연결해 보세요.

규칙

- 선은 가로 또는 세로로만 긋습니다.
- 선은 한 칸에 한 번만 지납니다.
- 선이 지나지 않은 빈칸이 있으면 안됩니다.

1				5
	4			3
	2			

3 규칙 에 따라 동물과 먹이를 짝지어 선으로 이어 보세요.

규칙

- 선은 가로 또는 세로로만 긋습니다.
- 선은 한 칸에 한 번만 지납니다.
- 선이 지나지 않은 빈칸이 있으면 안됩니다.

4 출발부터 도착까지 선을 가로 또는 세로로만 그어 모든 칸을 한 번씩만 지나가는 길을 그려 보세요. 단, 바위가 있는 칸은 지나갈 수 없습니다.

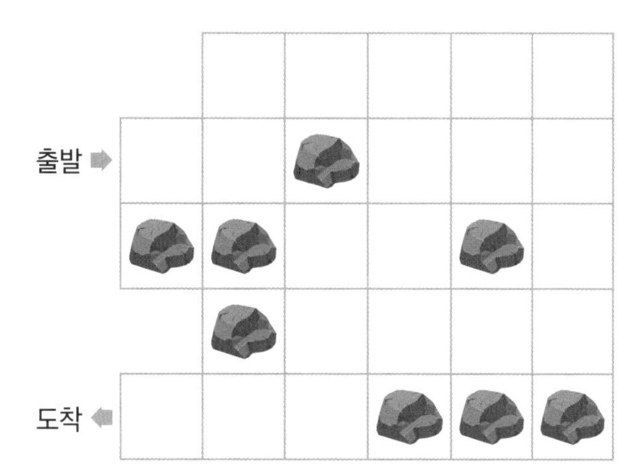

5 규칙 에 따라 1부터 10까지의 수를 순서대로 연결하여 출발부터 도착까지 가는 길을 그려 보세요.

규칙

- 선은 가로 또는 세로로만 긋습니다.
- 선은 한 칸에 한 번만 지납니다.
- 모든 칸을 지나지 않아도 됩니다.

출발 ↓

1	6	5	6	
2	3	4	7	6
3	6	5	8	9
4	7	6	5	10
	6	9	8	9

10 ➡ 도착

6 다람쥐가 가로 또는 세로로 길을 가며 모든 칸을 한 번씩만 지나 도토리를 가지러 가도록 1부터 6까지의 수를 순서대로 연결해 보세요. 단, 나무가 있는 칸은 지나갈 수 없습니다.

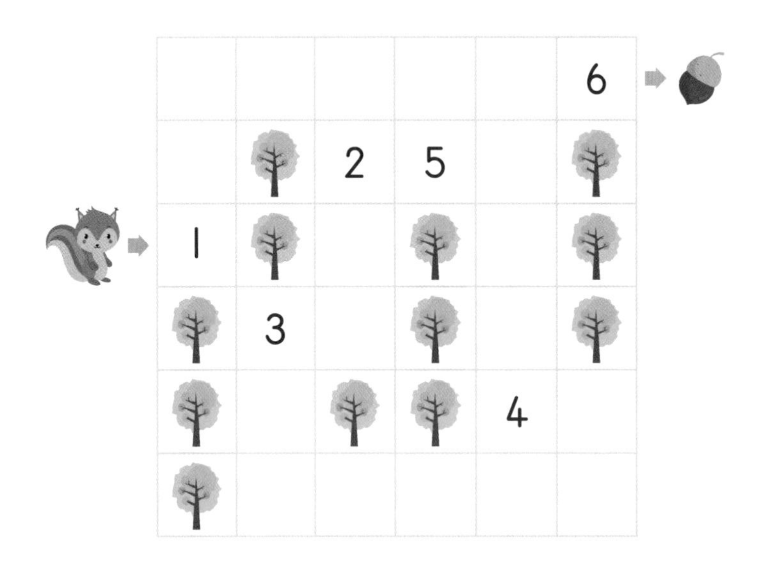

7 규칙 에 따라 같은 모양끼리 선으로 이어 보세요.

규칙

- 선은 한 칸에 한 번만 지납니다.
- 선이 지나지 않은 빈칸이 있으면 안됩니다.

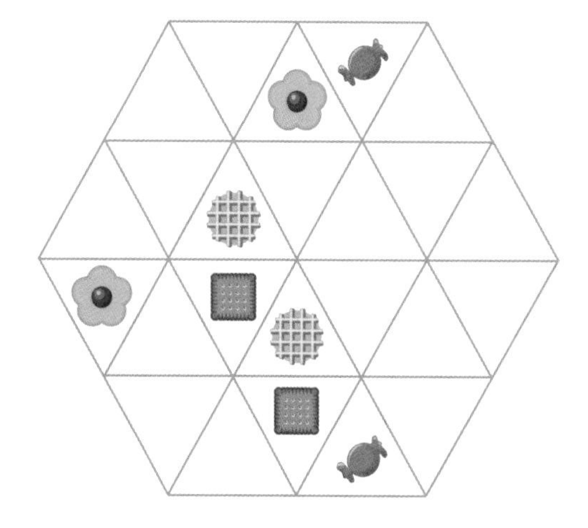

8 규칙 에 따라 선을 그어 1부터 5까지의 수를 순서대로 연결해 보세요.

규칙

- 선은 한 칸에 한 번만 지납니다.
- 선이 지나지 않은 빈칸이 있으면 안됩니다.
- 색칠된 칸은 지나갈 수 없습니다.

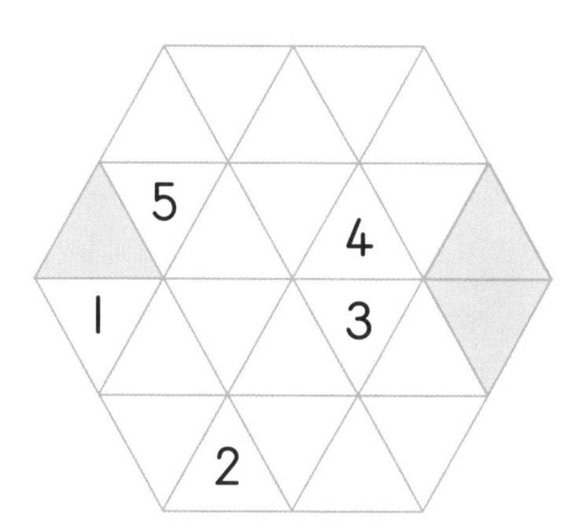

1 빈칸에 퍼즐 조각을 놓아 출발부터 도착까지 길이 연결되도록 만들려고 합니다. 빈칸에 알맞은 퍼즐 조각의 번호를 써넣으세요. 단, 조각은 돌리거나 뒤집어서 놓을 수 없습니다.

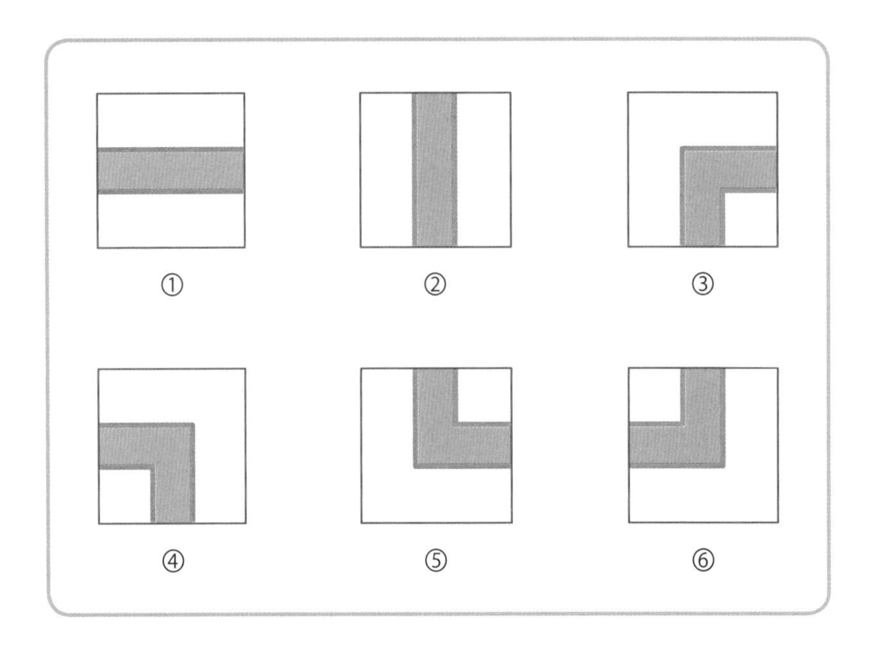

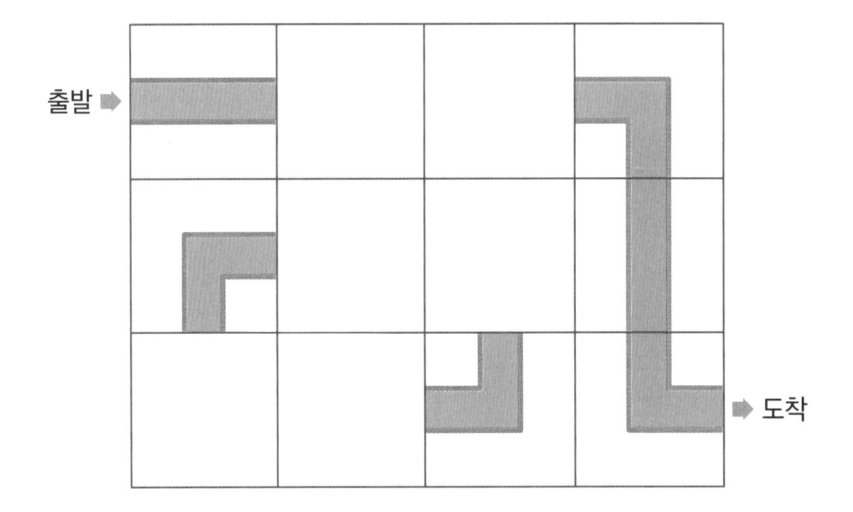

● 규칙 에 따라 관계있는 것끼리 선으로 이어 보세요.

규칙

- 선은 가로 또는 세로로만 긋습니다.
- 선은 한 칸에 한 번만 지납니다.
- 선이 지나지 않은 빈칸이 있으면 안됩니다.

			일	2	
	사				
		이		3	둘
하나		4			셋
넷			삼		

● 출발부터 도착까지 선을 가로 또는 세로로만 그어 모든 칸을 한 번씩만 지나가는 길을 그립니다. 폭탄이 있는 칸은 지나갈 수 없는데 모든 칸을 지나려면 폭탄을 하나 더 놓아야 합니다. 폭탄을 놓아야 하는 칸에 색칠해 보세요.

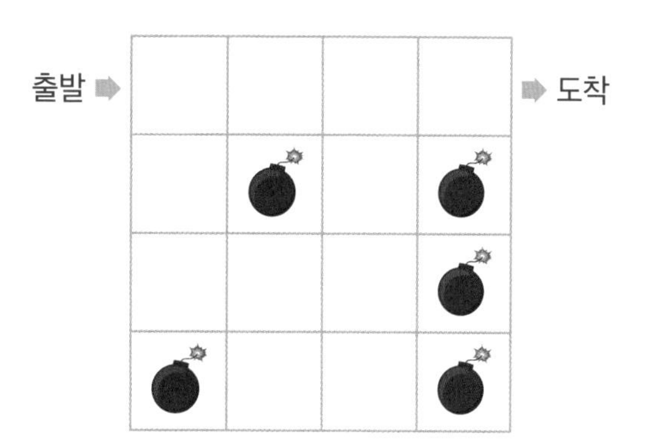

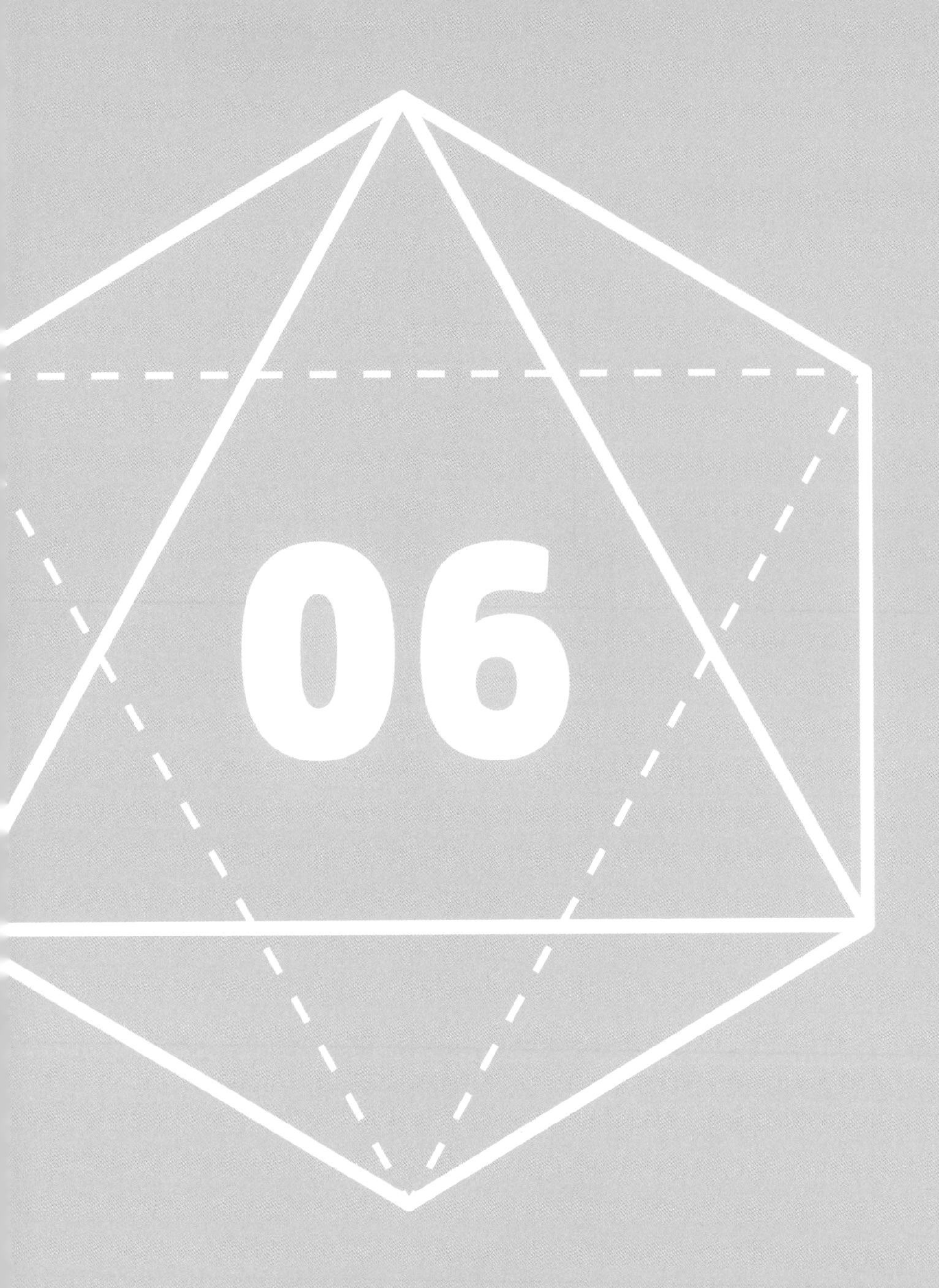

이동 경로

이동 경로

Math storyteller

 : 예원아, 우리 사다리 타기를 해서 선물을 뽑아 보자.

 : 사다리 타기는 어떻게 하는 거야?

 : 사다리 위쪽의 세로줄을 하나 골라. 고른 세로줄을 따라 아래로 내려가다가 가로줄이 있으면 가로줄을 따라가고, 다시 세로줄을 만나면 아래로 내려가는 것을 반복하는 거야.

 : 나는 2번을 골랐어. 무슨 선물을 받게 될까?

● 지호, 예원, 민서, 수아가 사다리 타기를 합니다. 네 친구가 받게 되는 선물은 각각 무엇일까요?

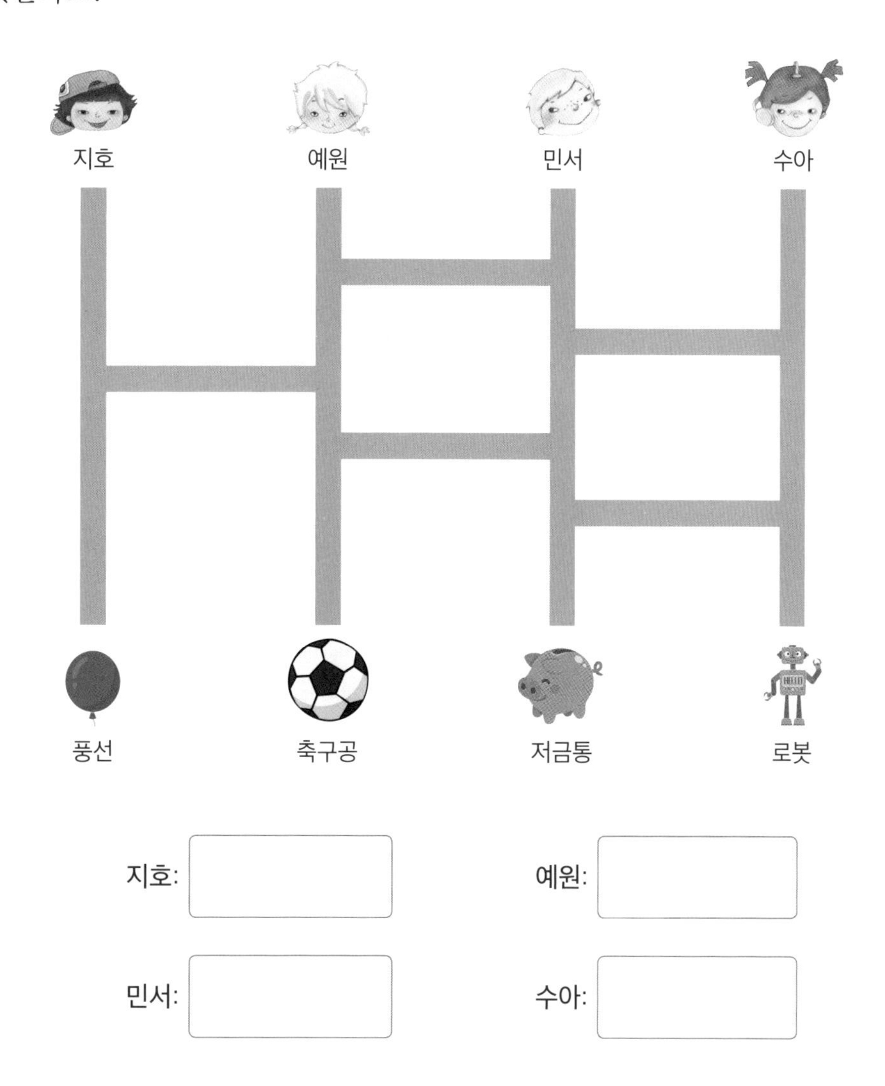

지호: ☐ 예원: ☐

민서: ☐ 수아: ☐

06 대표 문제 1

세로줄을 따라 내려가다 가로줄을 만나면 가로로 가면서 가장 아래까지 내려가는 것을 사다리 타기라고 합니다. 사다리 타기를 하여 같은 모양끼리 만나도록 점선으로 표시된 곳 중 1군데에 선을 그어 보세요.

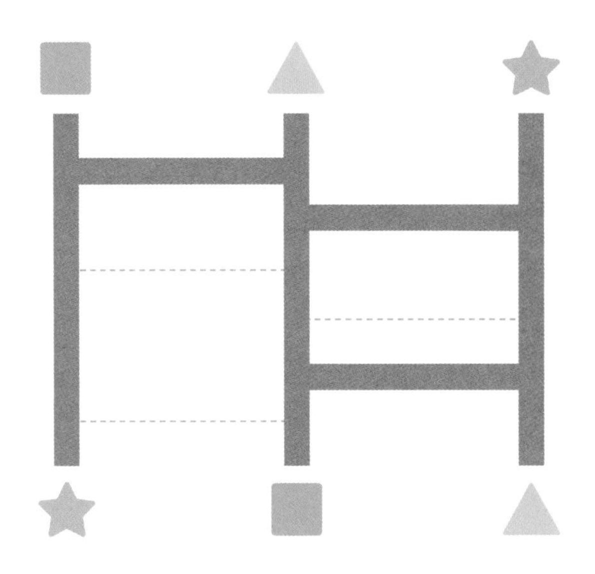

사다리 타기

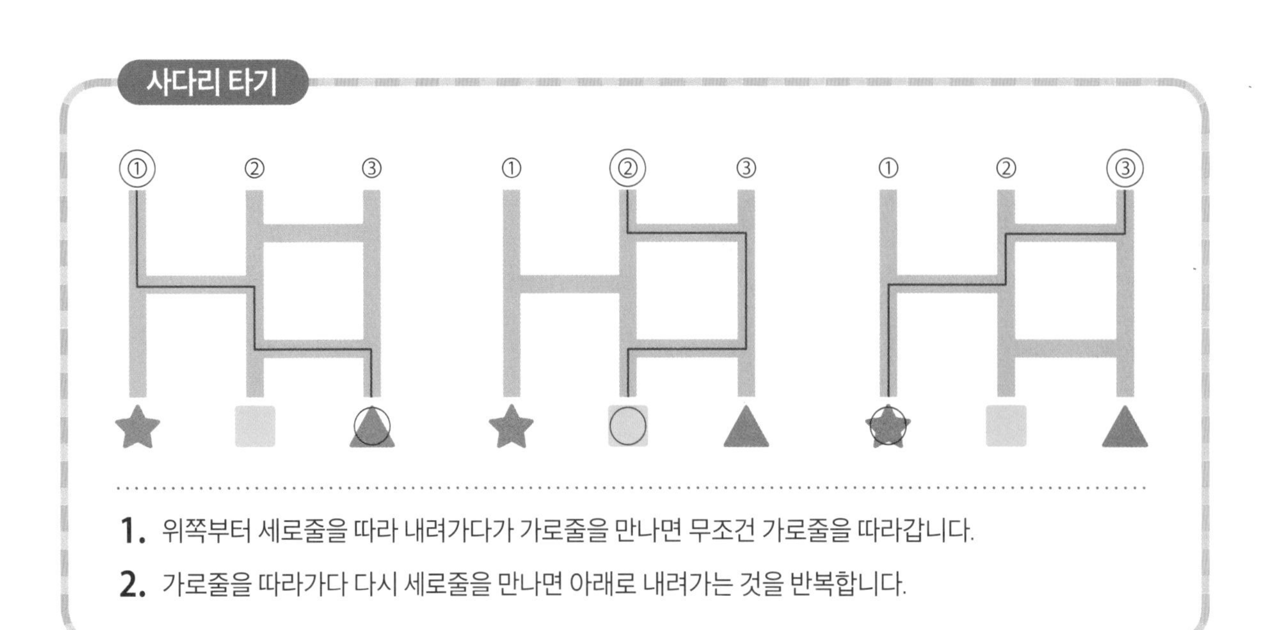

1. 위쪽부터 세로줄을 따라 내려가다가 가로줄을 만나면 무조건 가로줄을 따라갑니다.
2. 가로줄을 따라가다 다시 세로줄을 만나면 아래로 내려가는 것을 반복합니다.

예제 1

다람쥐가 사다리 타기를 하여 도토리를 가지려면 몇 번을 골라야 할까요?

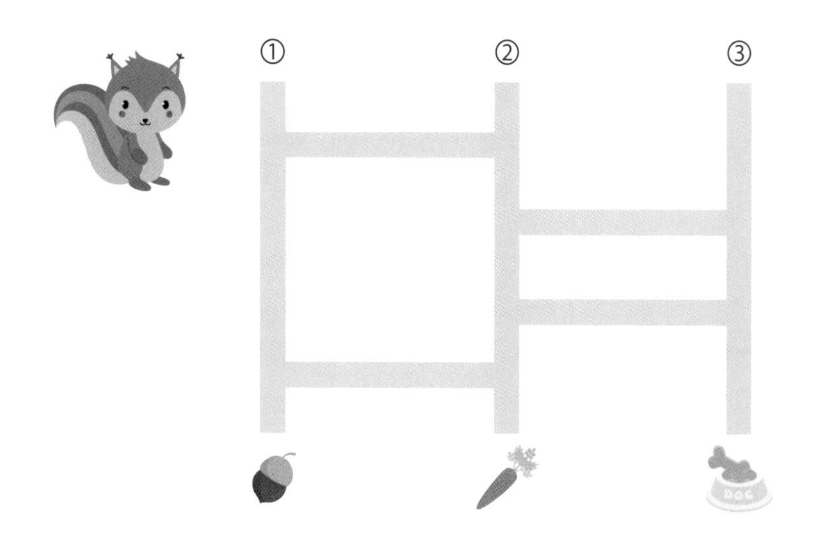

예제 2

사다리 타기를 하여 관계있는 것끼리 만나도록 합니다. 점선으로 표시된 곳 중 1군데에 가로선을 그어 사다리 타기를 완성해 보세요.

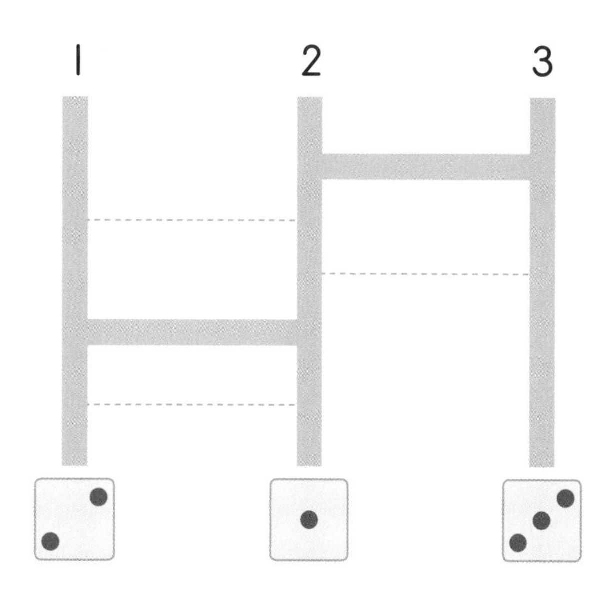

06 대표 문제 2

민아가 ●로 표시된 곳에서 다음과 같은 방향으로 움직였습니다. 민아가 도착한 곳은 어디일까요?

> 민아: 나는 동쪽으로 3칸 가고, 남쪽으로 1칸 갔어.
> 그리고 서쪽으로 2칸 간 다음 다시 남쪽으로 2칸 갔어.

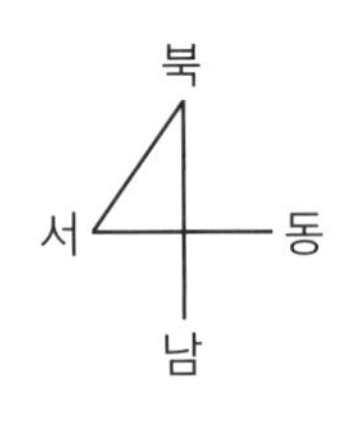

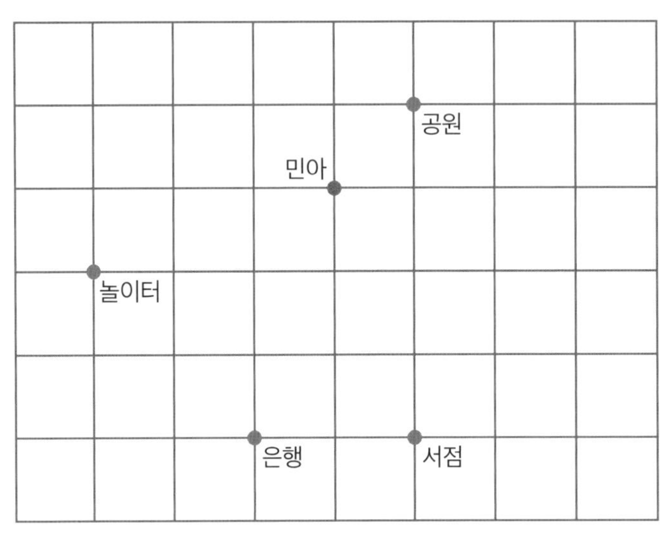

규칙에 따라 이동하기

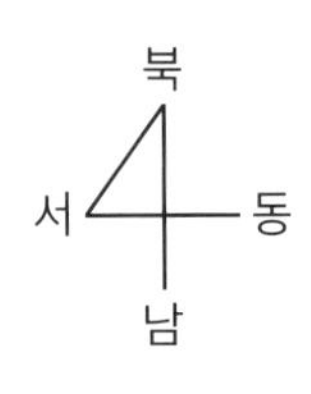

출발점에서 북쪽으로 2칸, 서쪽으로 3칸 간 곳에 도착했습니다.

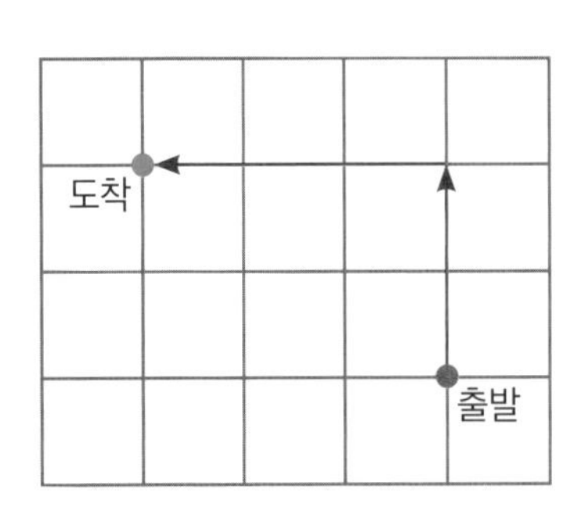

➡ 도착점에서 동쪽으로 3칸, 남쪽으로 2칸 가면 다시 출발점입니다.

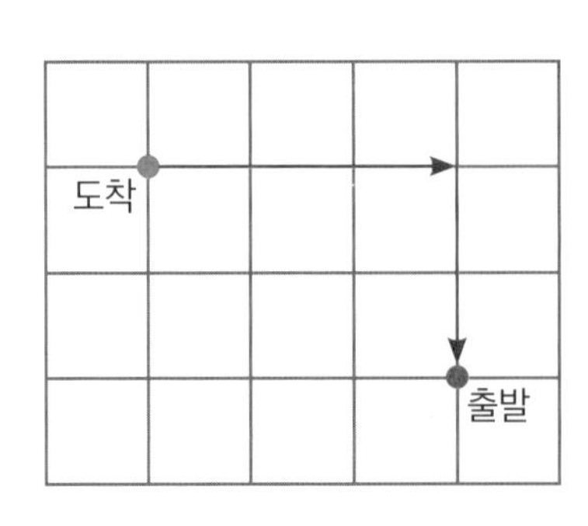

1. 출발점에서 규칙에 따라 도착점까지 갈 때는 규칙을 빠뜨리지 않도록 주의합니다.
2. 도착점에서 반대로 출발한 곳을 찾을 때는 왔을 때의 규칙과 반대 방향으로 갑니다.

예제 1

토끼가 출발점에서 규칙 대로 화살표 방향을 따라 순서대로 한 칸씩 이동하면서 미로를 빠져나가려고 합니다. 빠져나간 곳은 몇 번일까요?

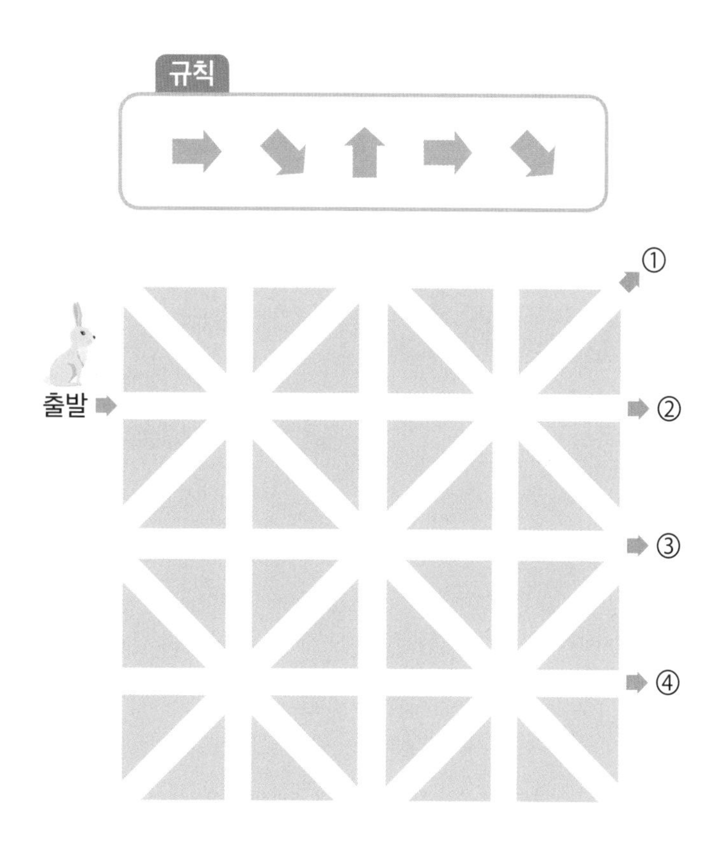

예제 2

지한이가 출발점에서 북쪽으로 1칸, 서쪽으로 3칸 갔더니 공원에 도착했습니다. 지한이가 출발한 곳을 표시해 보세요.

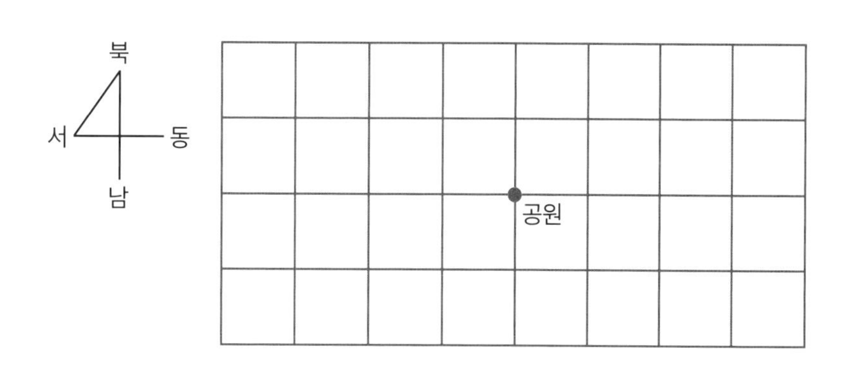

06 확인 문제

1 각 번호에서 사다리 타기를 합니다. 사다리를 타면서 지나간 나무는 각각 몇 그루인지 도착한 곳에 써넣으세요.

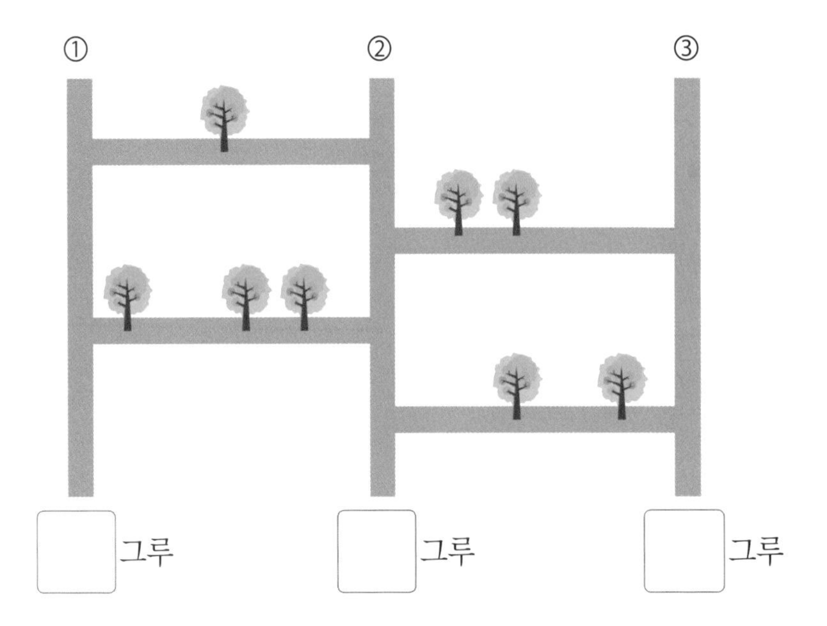

2 사다리를 타고 내려가 지우는 파란색, 준서는 노란색, 채아는 빨간색 풍선을 가지려고 합니다. 세 친구는 각각 몇 번을 골라야 할까요?

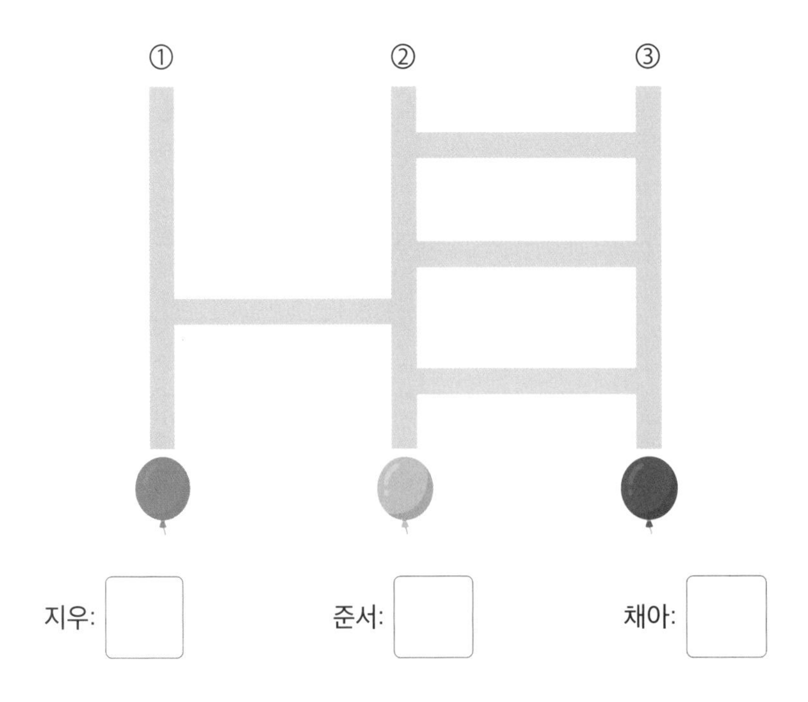

지우: 준서: 채아:

3 하마, 사자, 여우가 각각 화살표를 따라 순서대로 한 칸씩 움직였을 때 빠져나가는 곳에 동물의 이름을 써넣으세요.

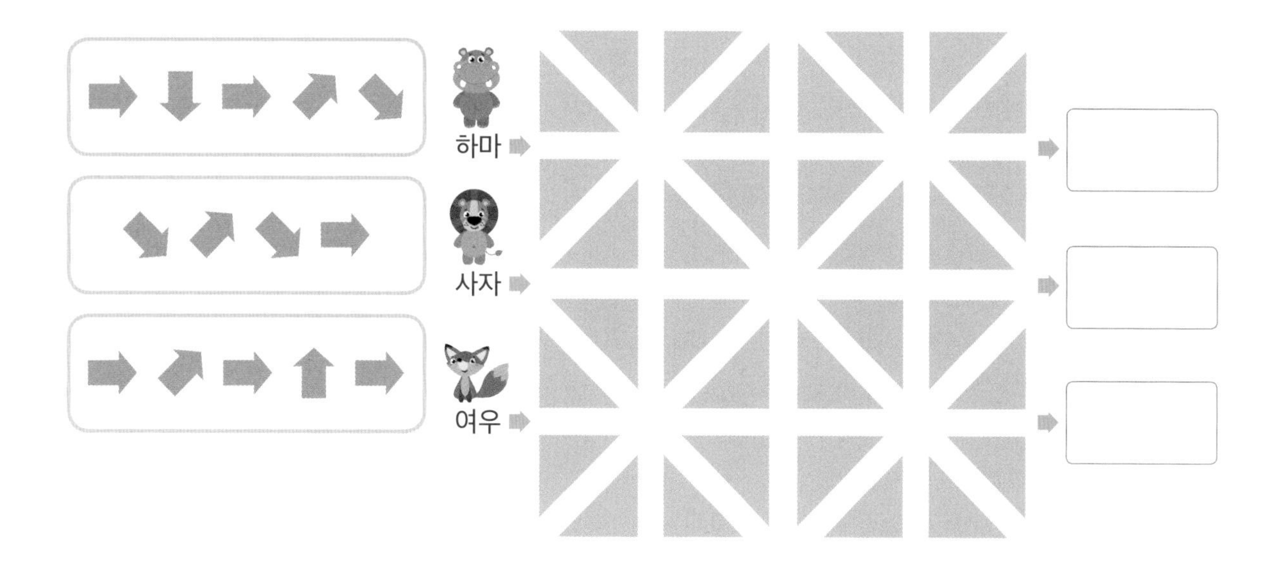

4 ㉠, ㉡, ㉢ 중 한 곳에 가로줄을 그으면 사다리를 타고 내려갔을 때 같은 모양끼리 만납니다. 가로줄을 그어야 하는 곳의 기호를 써 보세요.

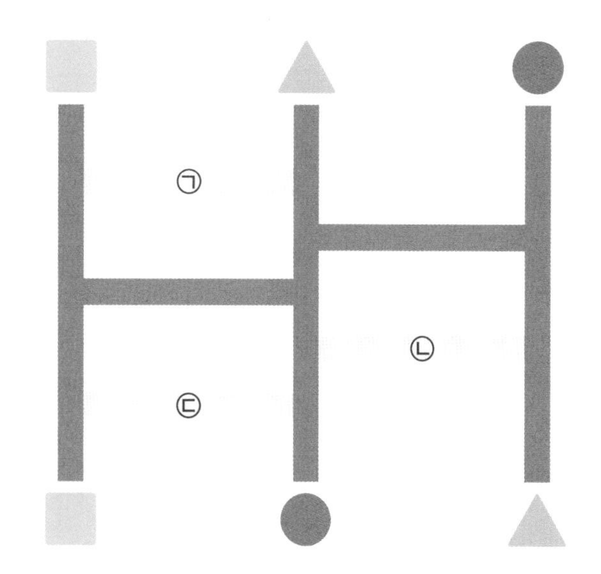

5 사다리 위쪽에 있는 수에서 사다리를 타고 내려가면서 더하기와 빼기를 합니다. 도착한 곳에 알맞은 수를 써넣으세요.

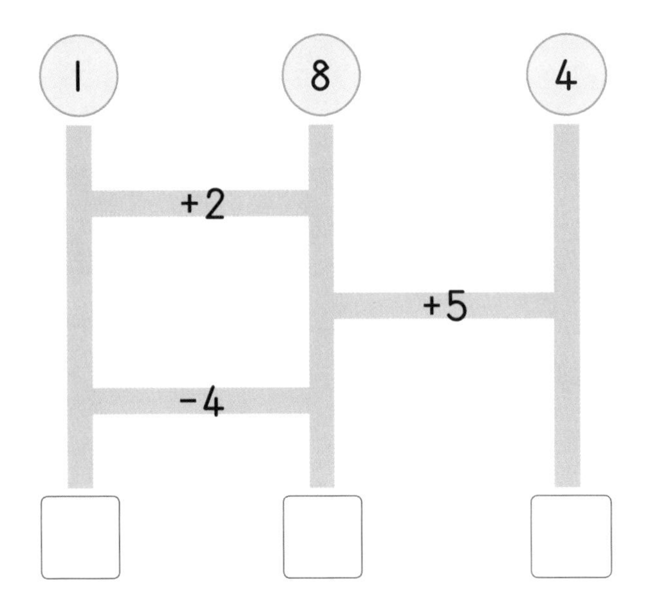

6 승기는 출발점에서 동쪽으로 2칸 간 다음, 남쪽으로 1칸, 서쪽으로 4칸 갔습니다. 승기가 도착한 곳은 어디일까요?

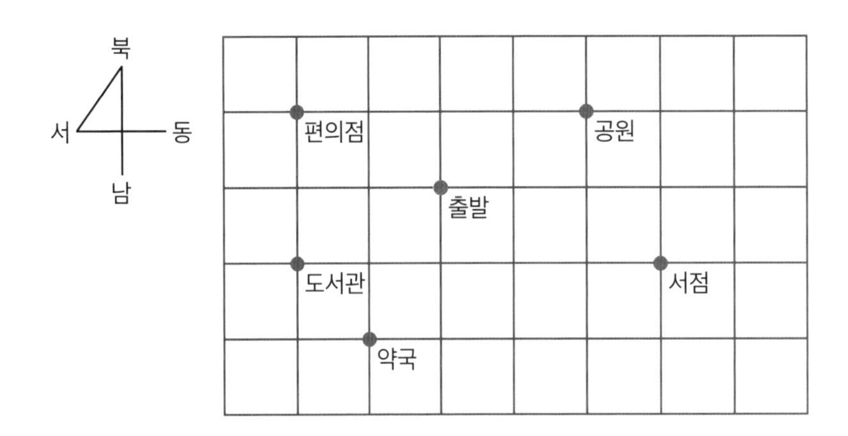

7 다음 사다리에서 가로줄 하나를 지운 다음 사다리를 타고 내려가면 친구들이 각자 자신의 집으로 갈 수 있습니다. 지워야 하는 가로줄 하나에 ╳표 하세요.

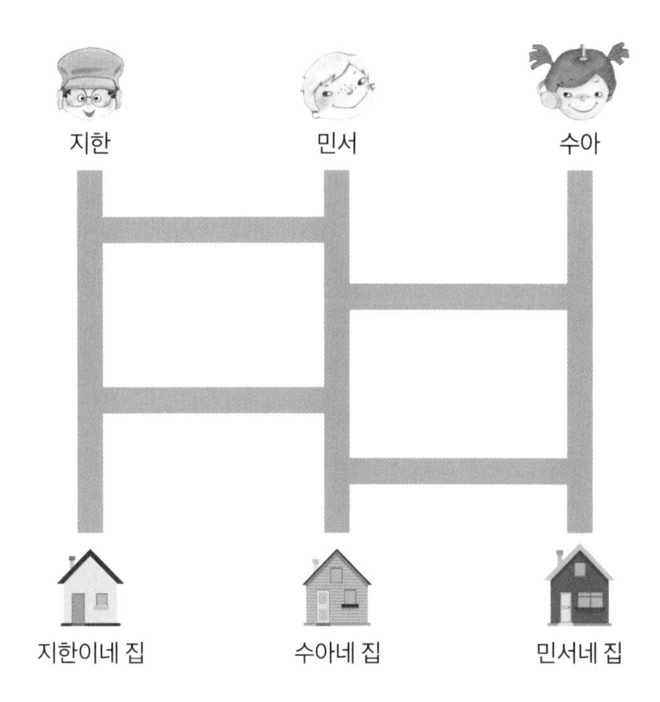

8 현수가 동쪽으로 3칸, 남쪽으로 1칸, 서쪽으로 1칸 이동했더니 문구점에 도착했습니다. 현수가 출발한 칸을 찾아 색칠해 보세요.

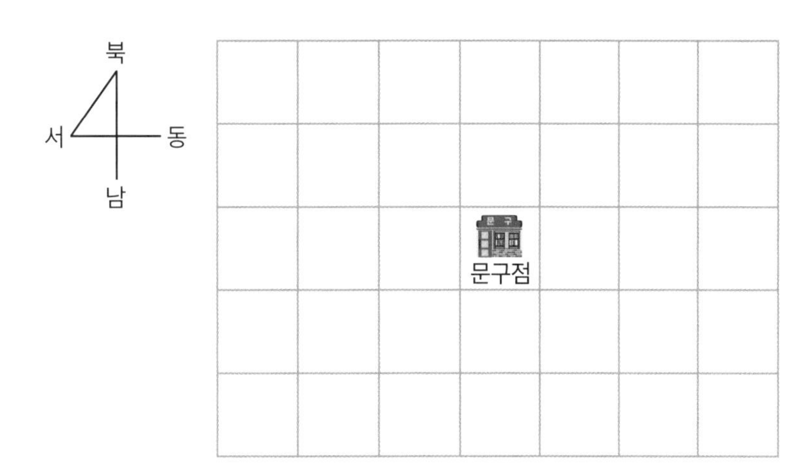

06 심화 문제

1 친구들이 하는 말을 읽고, 진영이네 집이 있는 칸에 색칠해 보세요.

- 민호: 공원에서 동쪽으로 2칸, 남쪽으로 2칸 가면 우리 집이야.
- 진영: 우리 집에서 북쪽으로 1칸, 동쪽으로 3칸 가면 민호네 집이야.

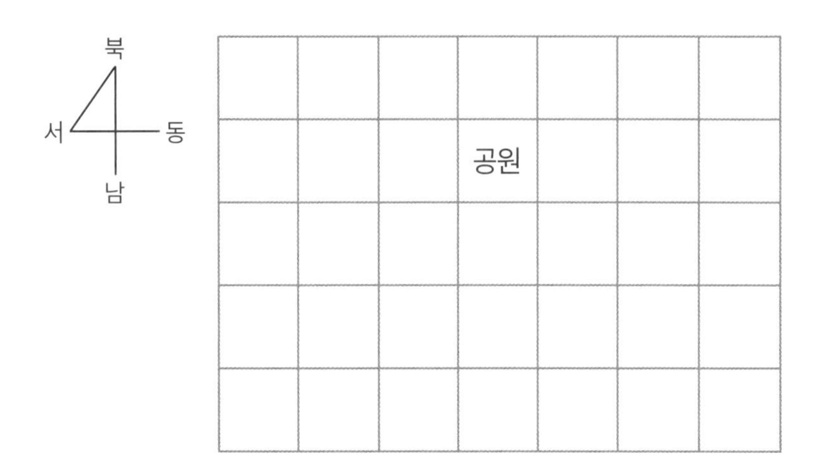

2 규칙 에 따라 출발점에서 한 칸씩 이동할 때 도착하는 곳은 몇 번일까요?

규칙

●: ➡ 방향으로 한 칸 이동 ●: ⬆ 방향으로 한 칸 이동

●: ⬅ 방향으로 한 칸 이동 ●: ⬇ 방향으로 한 칸 이동

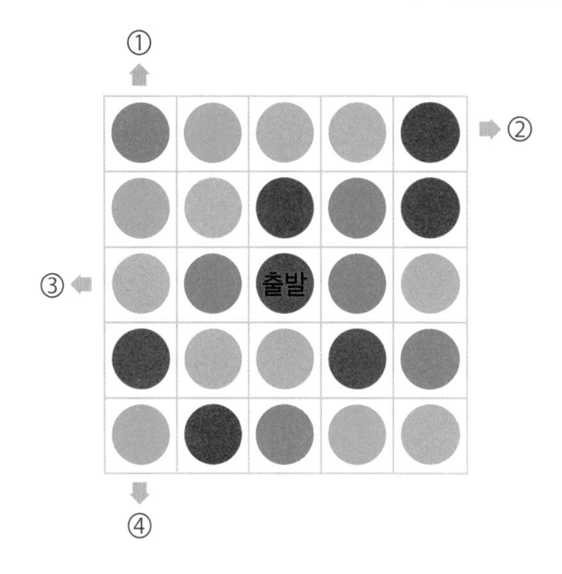

● 색칠된 칸에서 시작하여 오른쪽, 왼쪽, 위쪽, 아래쪽으로 1 큰 수 또는 1 작은 수가 있는 칸으로 한 칸씩 이동합니다. 더 이상 이동할 수 없을 때 마지막 칸에 적힌 수는 무엇일까요? 단, 한 번 지나간 칸은 다시 갈 수 없습니다.

1	3	8	9	8
2	4	7	4	7
3	2	5	6	5
1	3	4	8	3
4	5	6	9	8

● ㉠에서 출발하여 선을 따라 3칸 간 곳에 ○를 그립니다. 지나간 선을 다시 지날 수 있다면 아래에 그린 곳을 포함하여 ○를 모두 몇 군데 그릴 수 있을까요?

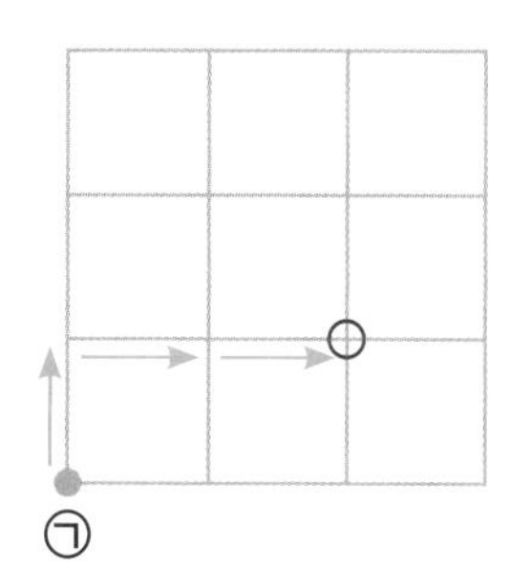

가위바위보

가위바위보

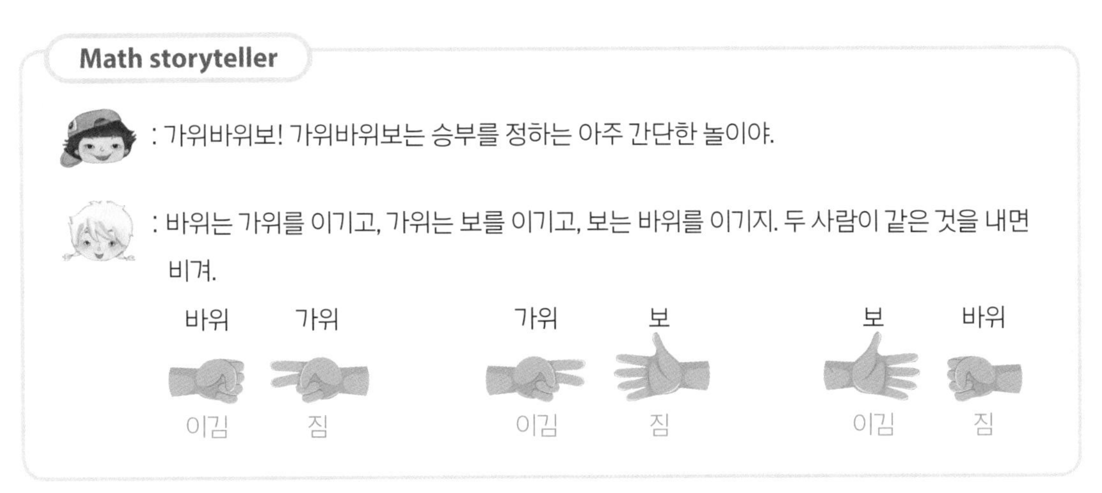

Math storyteller
: 가위바위보! 가위바위보는 승부를 정하는 아주 간단한 놀이야.
: 바위는 가위를 이기고, 가위는 보를 이기고, 보는 바위를 이기지. 두 사람이 같은 것을 내면 비겨.
바위
가위
이김
짐
가위
보
이김
짐
보
바위
이김
짐

● 지호와 예원이가 가위바위보를 했습니다. 물음에 답하세요.

(1) 지호가 가위를 냈습니다. 예원이가 이겼다면 예원이는 무엇을 냈을까요?

(2) 지호가 보를 냈습니다. 예원이가 졌다면 예원이는 무엇을 냈을까요?

(3) 지호가 가위 또는 보를 내려고 합니다. 예원이가 지지 않으려면 무엇을 내야 할까요?

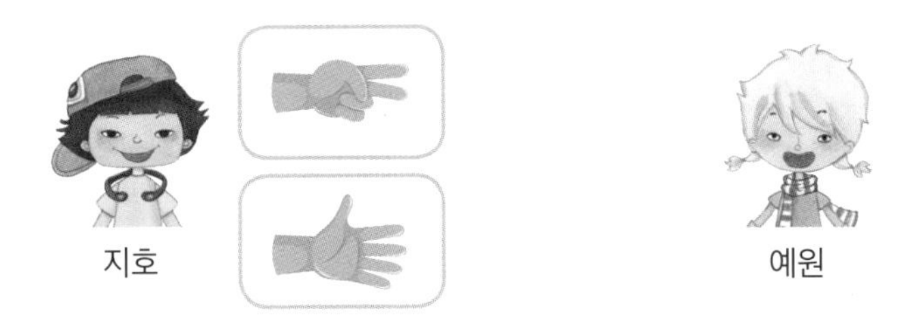

07 대표 문제 1

민서와 지연이가 가위바위보를 하여 규칙 대로 사탕을 가져가기로 했습니다. 민서가 바위를 내고 사탕을 1개를 가져갔습니다. 알맞은 말에 ○표 하고, 빈칸에 알맞은 수를 써넣으세요.

규칙

- 이기면 사탕 3개를 가져갑니다.
- 비기면 사탕 2개를 가져갑니다.
- 지면 사탕 1개를 가져갑니다.

민서 

지연이는 (바위 , 가위 , 보)를 내고 사탕을 ☐개 가져갔습니다.

나는 사탕을 1개 가져갔으니까
가위바위보를 해서 진거야.
민서

가위바위보

지호와 예원이가 가위바위보를 합니다.

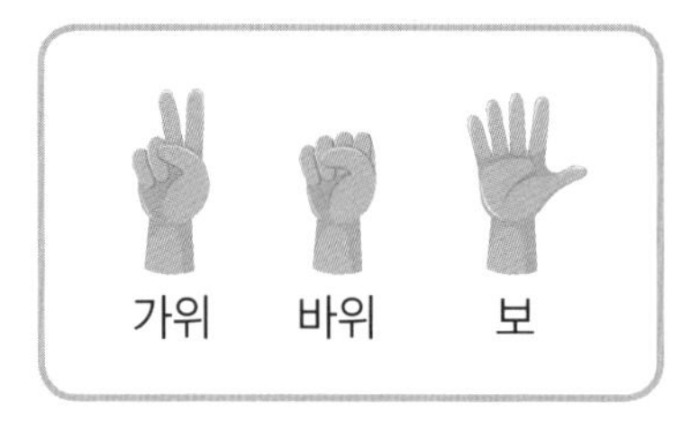

지호가 바위를 내서 이겼다면 예원이는 (바위 , 가위 , 보)를 내서 (이겼습니다 , 졌습니다).

지호가 보를 내서 비겼다면 예원이는 (바위 , 가위 , 보)를 내서 (이겼습니다 , 비겼습니다).

1. 두 사람이 가위바위보를 하여 한 사람이 이겼다면 상대방은 반드시 집니다. 반대로 한 사람이 졌다면 상대방은 반드시 이깁니다.
2. 두 사람이 가위바위보를 하여 한 사람이 비겼다면 상대방도 비깁니다.

예제 1

서하와 지우가 가위바위보를 하여 규칙 대로 구슬을 가져가기로 했습니다. 서하가 가위를 내고, 지우가 보를 냈다면 서하와 지우가 가져간 구슬은 각각 몇 개일까요?

규칙

- 이기면 구슬 3개를 가져갑니다.
- 비기면 구슬 2개를 가져갑니다.
- 지면 구슬 1개를 가져갑니다.

서하	
지우	

서하: ☐ 개　　지우: ☐ 개

예제 2

지예와 수호가 가위바위보를 하여 규칙 대로 카드를 가져가기로 했습니다. 가위바위보를 한 번 하고 두 사람이 가져간 카드 수가 같았습니다. 지예가 가위를 냈다면 수호는 무엇을 냈을까요?

규칙

- 이기면 카드 2장을 가져갑니다.
- 비기면 카드 1장을 가져갑니다.
- 지면 카드를 가져가지 못합니다.

지예 

07 대표 문제 2

예서와 인호가 시작칸에서 가위바위보를 하여 규칙 대로 계단 오르기 놀이를 합니다. 예서가 2번 이기고, 1번 졌다면 몇 번 계단에 있을까요?

규칙

- 이기면 1칸을 올라갑니다.
- 비기면 그대로 있습니다.
- 지면 1칸을 내려갑니다.

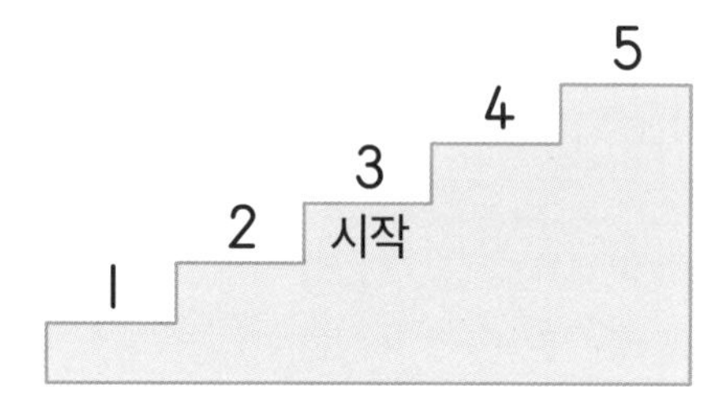

계단 오르기

가위바위보를 하여 이기면 2칸 올라가고, 지면 1칸 내려오고, 비기면 그대로 있습니다.
지호가 1번 이기고, 1번 비기고, 1번 졌을 때, 지호가 있는 위치를 알아봅시다.

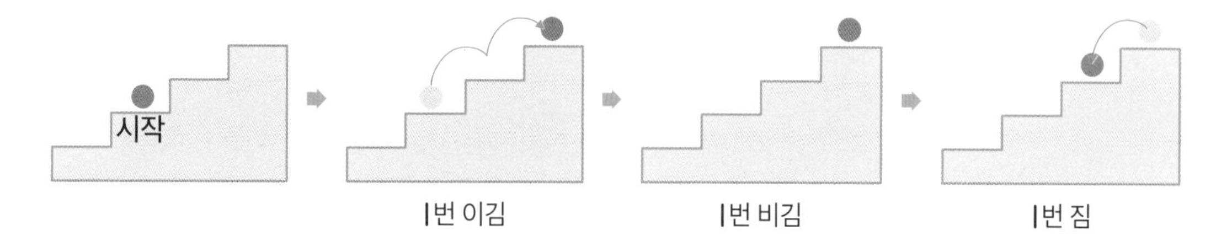

1번 이김 1번 비김 1번 짐

1. 계단을 오르내리는 규칙에 따라 직접 이동한 곳을 표시해 가면서 문제를 해결합니다.

2. 가위바위보를 여러 번 했을 때 이기거나 진 순서가 바뀌어도 계단을 오르내린 결과는 같습니다.

예제 1

민아와 태오가 가위바위보를 하여 이기면 계단을 2칸 올라가고, 비기면 1칸 올라가고, 지면 그대로 있기로 했습니다. 민아가 2번 비기고, 1번 졌다면 처음 있던 곳에서 계단을 몇 칸 올라갔을까요?

예제 2

현수와 은지가 계단 아래서부터 가위바위보를 하여 규칙 대로 계단 오르기를 합니다. 현수가 보를 낸다면 은지는 무엇을 내야 2번 칸에 갈 수 있을까요?

규칙

- 이기면 2칸을 올라갑니다.
- 비기면 1칸을 올라갑니다.
- 지면 그대로 있습니다.

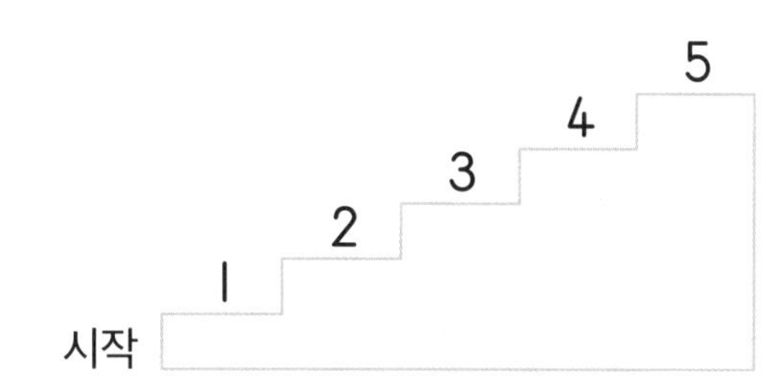

07 확인 문제

1 은호와 수빈이가 가위바위보를 했습니다. 은호가 가위를 내고 이겼다면 수빈이의 결과는 무엇인지 알맞은 말에 ○표 하세요.

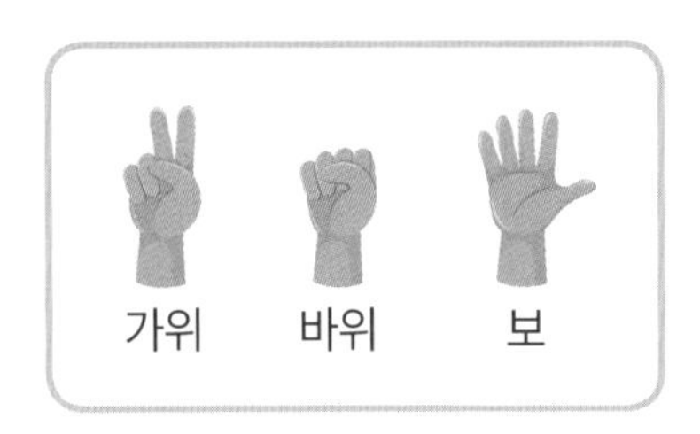

수빈이는 (바위 , 가위 , 보)를 내고 (이겼습니다 , 비겼습니다 , 졌습니다).

2 은서와 민규가 가위바위보를 5번 했습니다. 은서는 1번 이기고, 2번 비기고, 2번 졌습니다. 민규의 결과를 빈칸에 써넣으세요.

민규는 [ ] 번 이기고, [ ] 번 비기고, [ ] 번 졌습니다.

3 성우와 예은이가 가위바위보를 하여 규칙 대로 계단 오르기를 하고 있습니다. 가위바위보를 한 번 했더니 성우가 ●로 표시된 칸에 도착했습니다. 예은이가 바위를 냈다면 성우는 무엇을 냈을까요?

4 민지와 승우가 가위바위보를 하여 규칙 대로 구슬을 가져갑니다. 가위바위보를 2번 했는데 민지는 가위, 가위를 차례로 냈고, 승우는 보, 가위를 차례로 냈습니다. 민지와 승우는 구슬을 각각 몇 개 가져갔을까요?

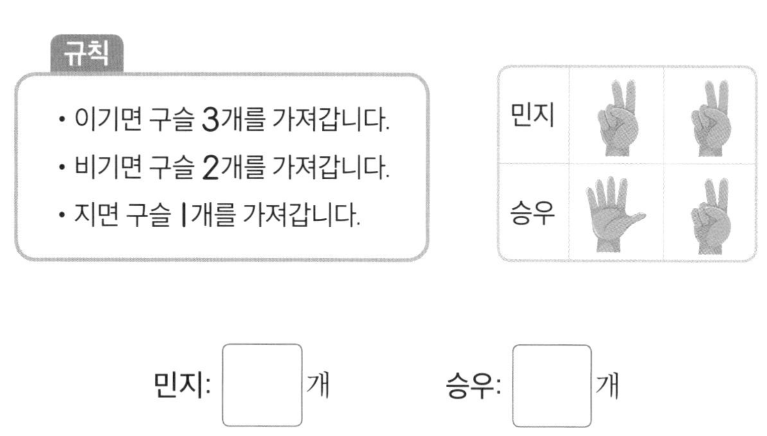

규칙
• 이기면 구슬 3개를 가져갑니다.
• 비기면 구슬 2개를 가져갑니다.
• 지면 구슬 1개를 가져갑니다.
민지
승우

민지: ☐ 개 승우: ☐ 개

07 확인 문제

5 선우와 재희가 가위바위보를 하여 계단 오르기 놀이를 합니다. 다음은 계단을 올라가는 규칙 과 가위바위보를 한 결과입니다. 물음에 답하세요.

규칙

- 이기면 3칸을 올라갑니다.
- 비기면 1칸을 올라갑니다.
- 지면 그대로 있습니다.

	1회	2회	3회
선우			
재희		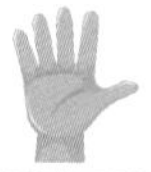	

(1) 선우가 가위바위보를 한 결과를 빈칸에 써넣으세요.

선우는 ☐ 번 이기고, ☐ 번 졌습니다.

(2) 재희가 가위바위보를 한 결과를 빈칸에 써넣으세요.

재희는 ☐ 번 이기고, ☐ 번 졌습니다.

(3) 선우와 재희는 처음 있던 곳에서 각각 몇 칸 올라갔을까요?

선우: ☐ 칸　　재희: ☐ 칸

6 지호가 동전을 던져 그림면이 나오면 시작칸에서 오른쪽으로 2칸, 숫자면이 나오면 왼쪽으로 1칸 갑니다. 동전을 3번 던져 그림면이 2번, 숫자면이 1번 나왔다면 지호가 있는 칸에 색칠해 보세요.

왼쪽			시작					오른쪽

7 가위바위보를 하여 이기면 계단을 3칸, 지면 1칸 올라갑니다. 정우와 지유가 계단 아래에서 시작하여 가위바위보를 2번 했는데 모두 정우가 이겼습니다. 정우는 지유보다 몇 칸 더 위에 있을까요?

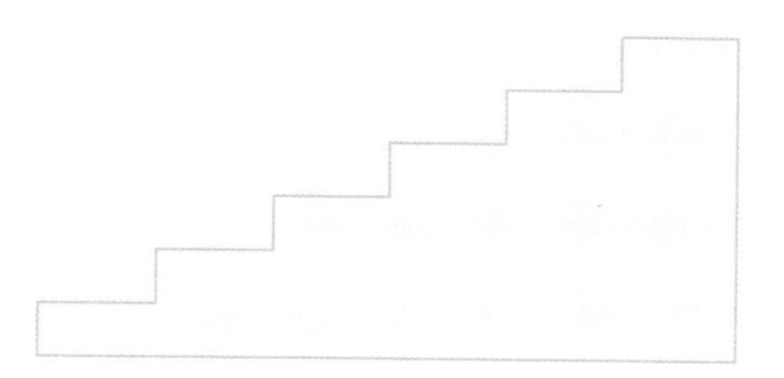

07 심화 문제

1 개구리가 계단을 올라가는 데 한 번 뛰면 2칸을 올라간 다음 1칸을 미끄러져 내려옵니다. 개구리가 3번 뛰었다면 처음 있던 곳에서 몇 칸을 올라갔을까요?

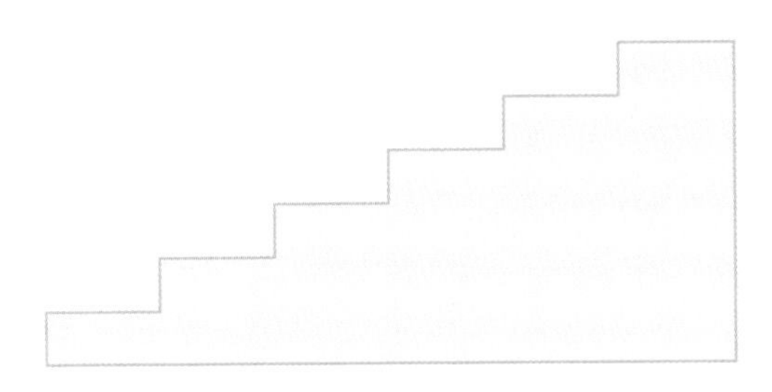

2 지안이와 주원이가 다음과 같은 방법으로 계단을 올랐습니다. 두 사람이 모두 3번 올라갔을 때, 주원이는 지안이보다 몇 칸 더 위에 있을까요?

- 지안: 난 한 번에 2칸씩 계단을 올라갈 거야.
- 주원: 난 한 번에 3칸, 1칸을 번갈아 가며 올라갈 거야.

- 윤하와 준서가 다음과 같이 양끝 칸에 서 있고, 가위바위보를 하여 이기면 상대방쪽으로 1칸 가고, 지면 그대로 있습니다. 두 사람이 색칠된 칸에서 처음 만났다면 윤하는 몇 번 이기고, 몇 번 졌을까요? 단, 가위바위보를 하여 비긴 적은 없습니다.

윤하			준서

윤하는 ☐ 번 이기고, ☐ 번 졌습니다.

- 가위바위보를 하여 바위로 이기면 1점, 가위로 이기면 2점, 보로 이기면 3점을 얻고, 비기거나 지면 점수를 얻지 못합니다. 가위바위보를 한 결과가 다음과 같다면 아진이는 몇 점일까요?

	1회	2회	3회
아진	보	가위	바위
예성	가위	보	가위

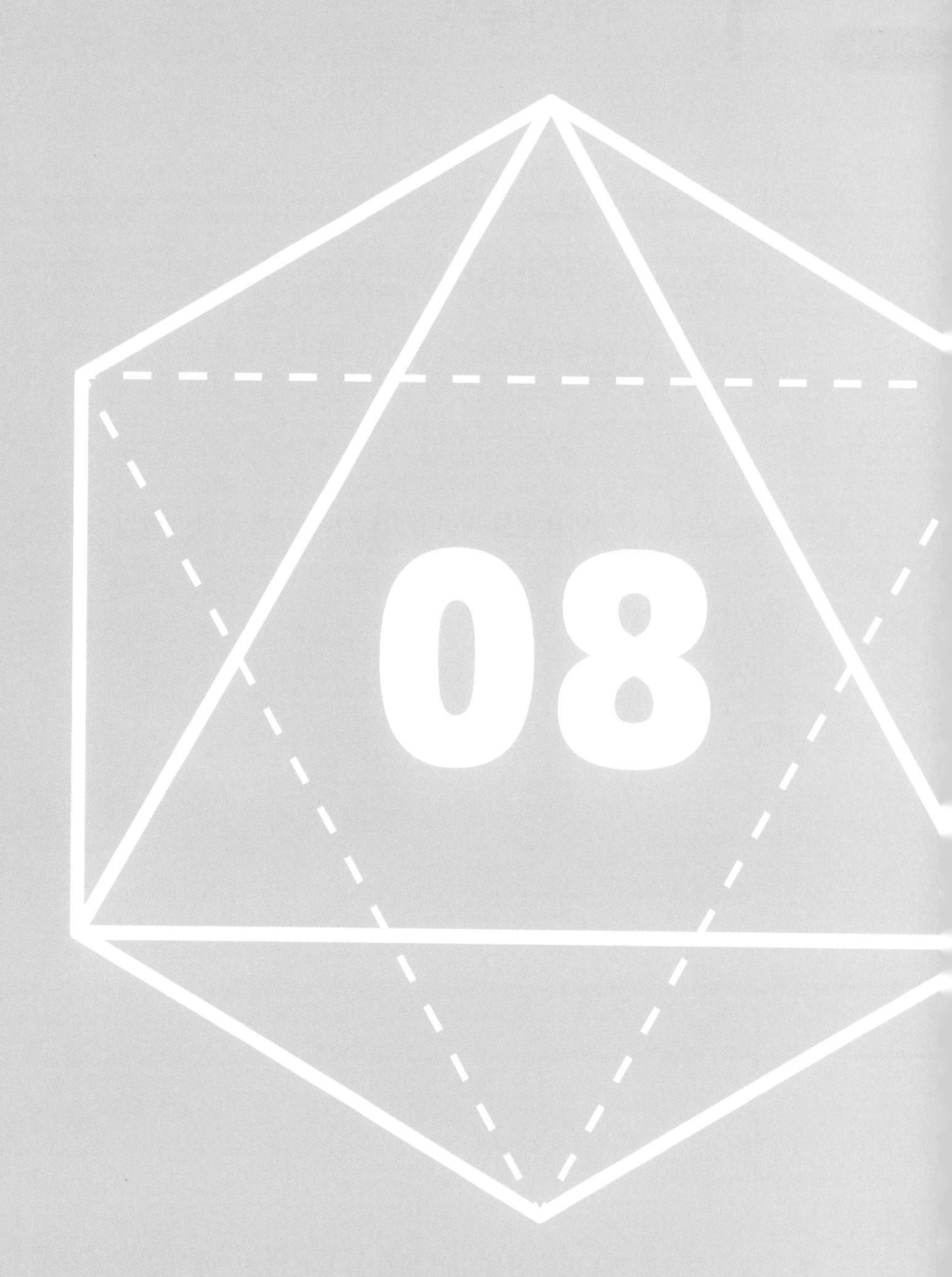

리뷰

전체와 부분

자른 조각의 모양

1. 큰 모양을 작은 조각 여러 개로 자를 수 있습니다.
2. 자른 조각을 찾을 때는 테두리의 꺾이는 부분과 크기를 관찰하여 찾습니다.

1. 세모 모양의 색종이를 선을 따라 잘랐습니다. 자른 조각이 아닌 것에 ╳표 하세요.

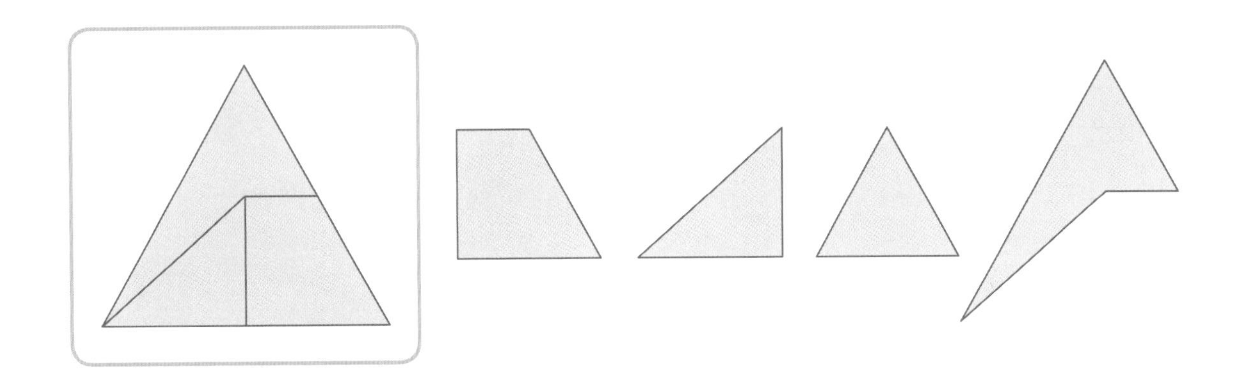

2. 네모 모양의 색종이를 선을 따라 잘랐습니다. 색종이에서 왼쪽 조각을 찾아 색칠해 보세요.

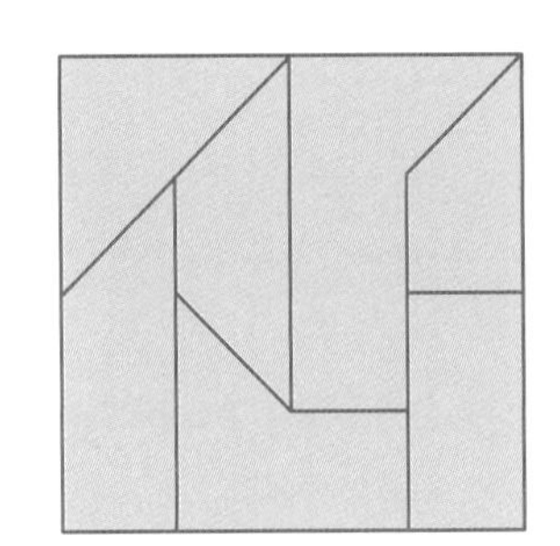

조각 퍼즐

1. 그림 조각을 맞출 때는 조각의 끊어진 부분의 위치를 살펴보고, 연결되는 그림을 예상하여 알맞은 조각을 찾습니다.
2. 조각의 특징적인 부분을 찾아 연결되는 조각을 찾습니다.

1. 여우 퍼즐의 빈 곳에 들어갈 조각에 ○표 하세요.

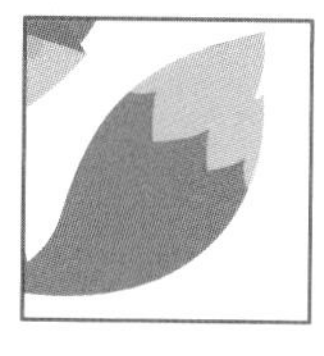

2. 빈 곳에 들어갈 조각의 번호를 써넣어 자동차 퍼즐을 완성해 보세요.

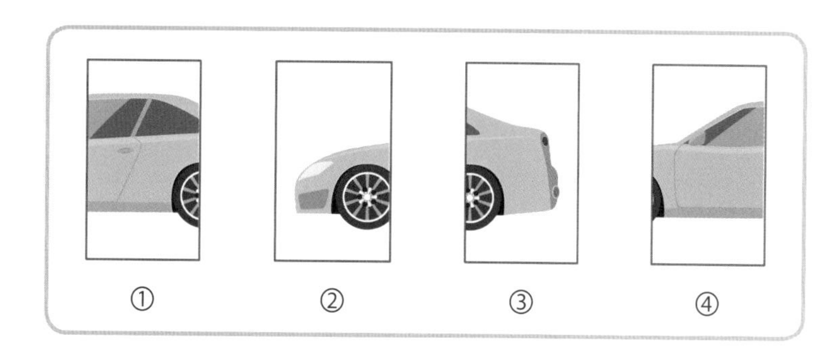

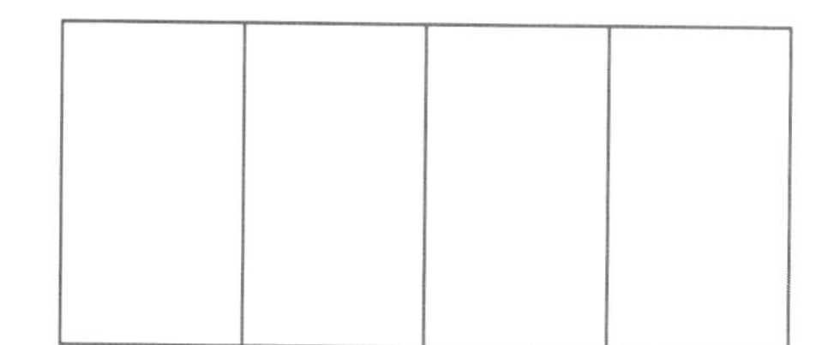

모양 겹치기

겹친 모양 찾기

1. 도형의 꺾인 부분이나 길이를 보고 겹쳐진 모양을 찾습니다.

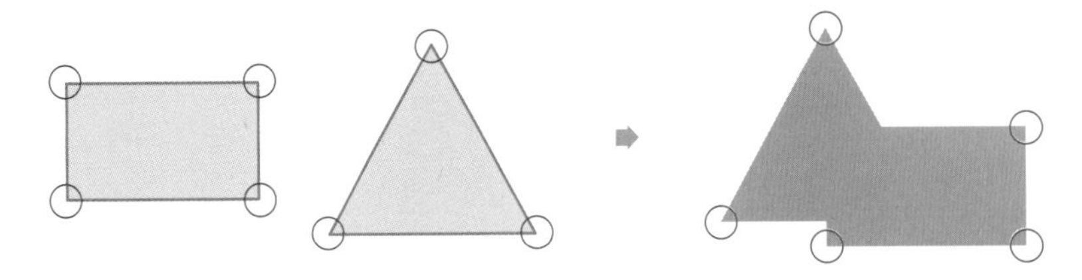

2. 겹쳐진 모양에서 원래 모양을 예상하여 그려 봅니다.

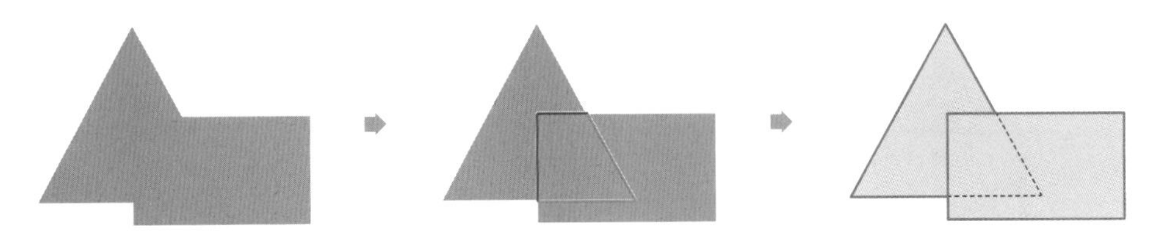

1. 다음 도형 2개를 서로 겹쳐서 만들 수 있는 모양이 아닌 것 2개를 찾아 모두 ╳표 하세요.

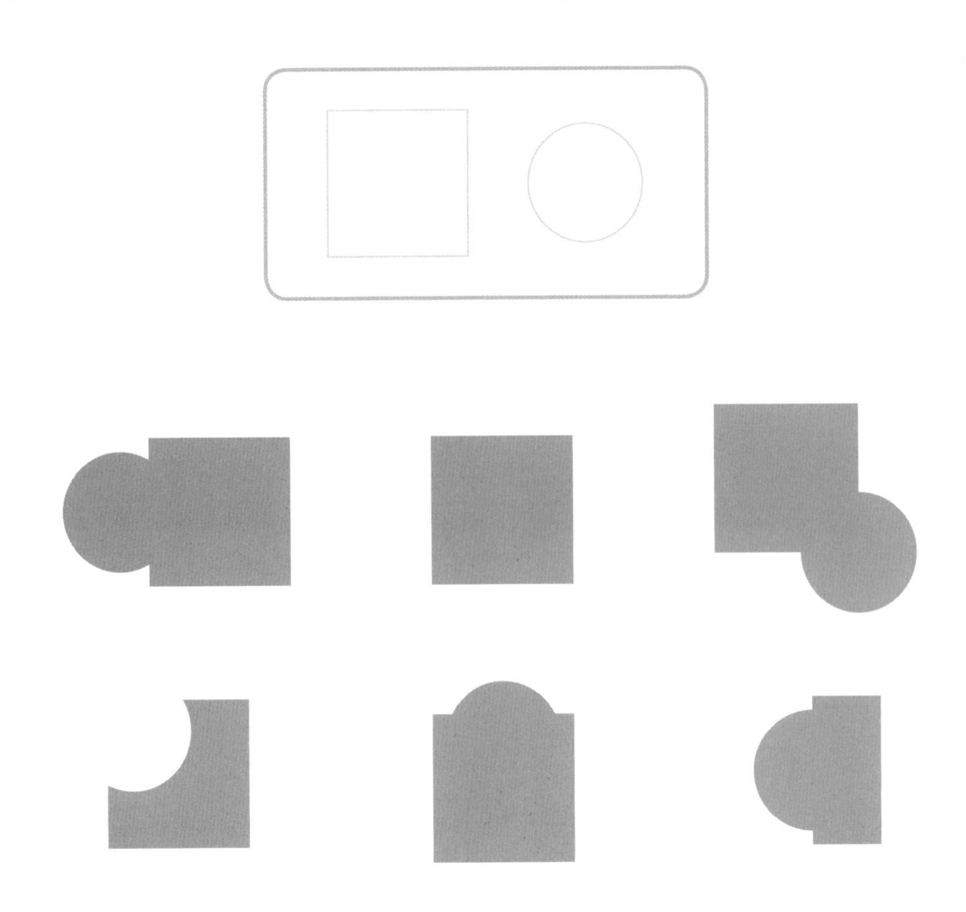

투명한 종이 겹치기

투명한 두 종이를 겹친 그림을 그릴 때는

1. ①의 모양대로 똑같이 색칠한 다음, 그 위에 ②의 모양을 겹쳐서 색칠합니다.

①

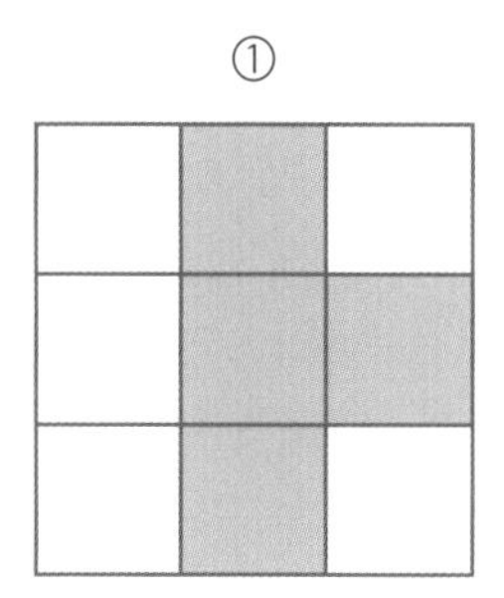

②

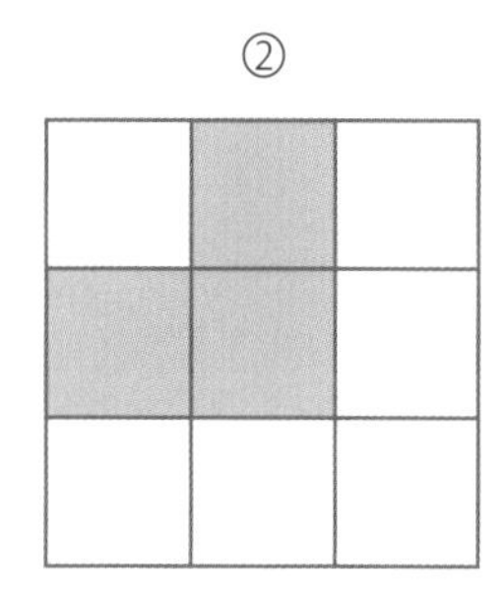

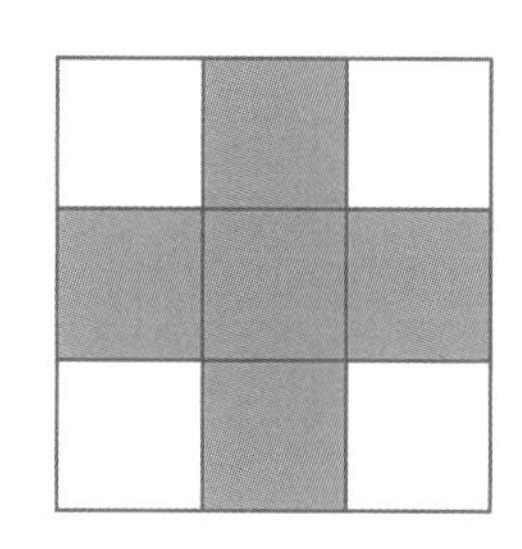

1. 다음은 투명한 종이에 그린 그림입니다. 두 종이를 완전히 포개었을 때 만들어지는 그림을 그려 보세요. 단, 종이는 돌리거나 뒤집어서 겹치지 않습니다.

2. 다음은 투명한 종이에 색칠한 것입니다. 두 종이를 완전히 포개었을 때, 9칸 중 색칠되지 않은 칸은 몇 칸일까요? 단, 종이는 돌리거나 뒤집어서 겹치지 않습니다.

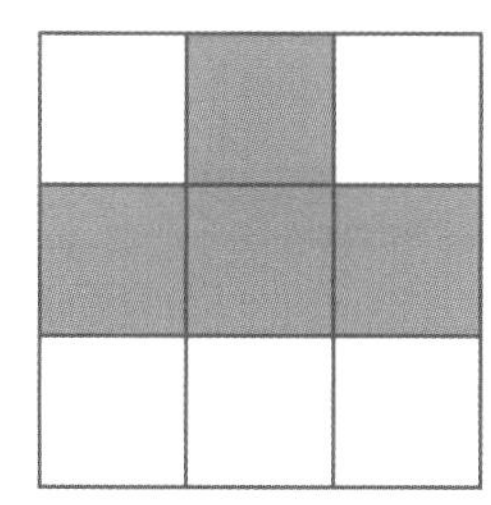

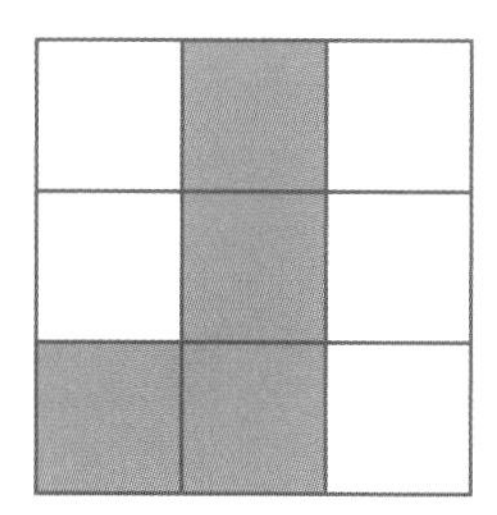

3 길이와 들이 비교

끝이 다른 길이 비교

1. 길이나 키를 비교할 때는 한쪽 끝을 맞추어야 합니다.

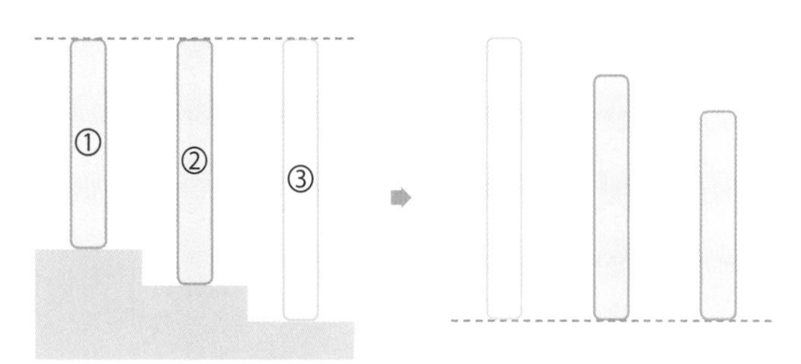

아래쪽 끝의 위치가 서로 다르므로 위쪽 끝을 맞추어 비교합니다.

1. 높이가 가장 높은 집부터 차례로 번호를 써 보세요.

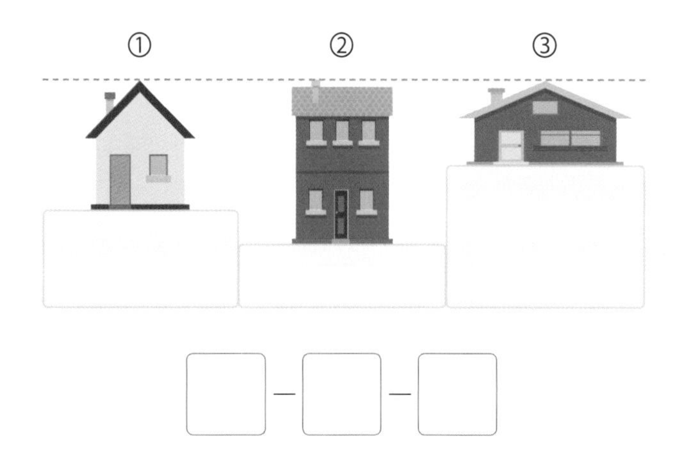

☐ — ☐ — ☐

2. 길이가 두 번째로 짧은 막대를 고르세요.

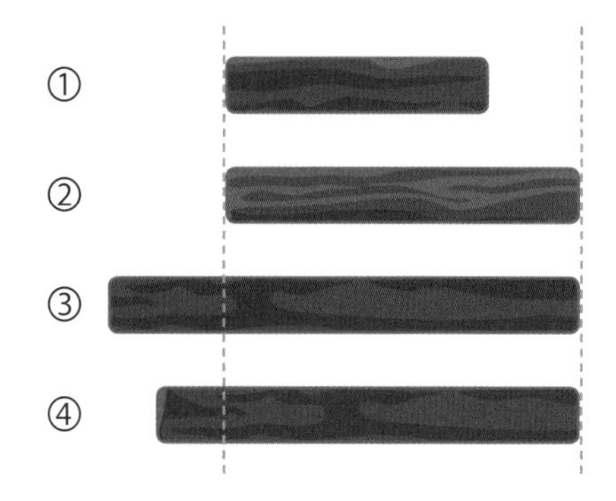

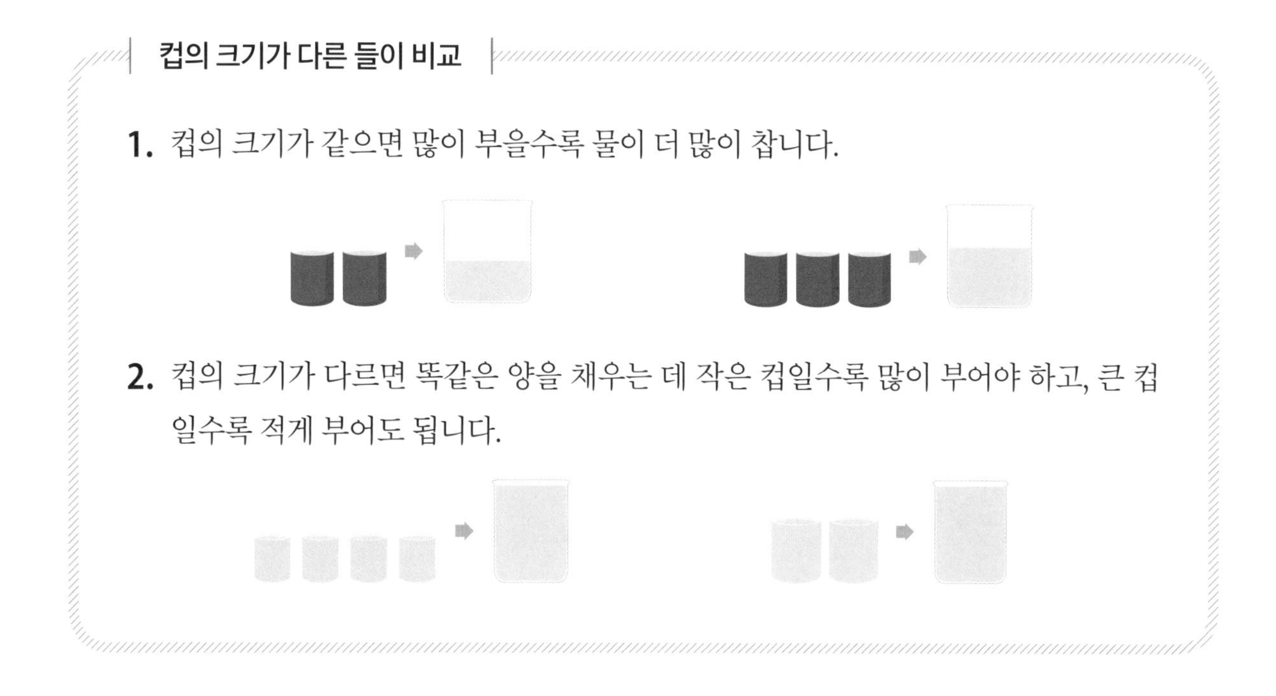

컵의 크기가 다른 들이 비교

1. 컵의 크기가 같으면 많이 부을수록 물이 더 많이 찹니다.

2. 컵의 크기가 다르면 똑같은 양을 채우는 데 작은 컵일수록 많이 부어야 하고, 큰 컵일수록 적게 부어도 됩니다.

1. 컵에 물을 가득 담아 ㉠ 물병에 3번 부었더니 물병이 가득 찼습니다. 같은 컵에 물을 가득 담아 ㉡ 물병에 4번, ㉢ 물병에 2번 부었더니 물병이 가득 찼습니다. 가장 큰 물병의 기호를 써 보세요.

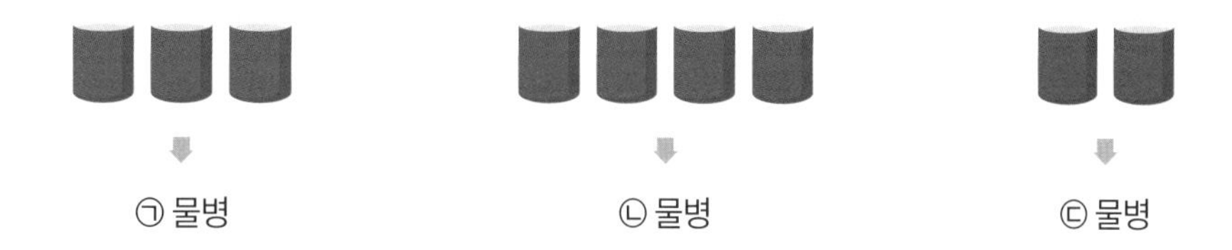

2. 지호, 민서, 수아는 같은 양이 들어 있는 주스 한 병과 서로 크기가 다른 컵을 하나씩 가지고 있습니다. 지호는 컵으로 2번, 민서는 1번, 수아는 4번 가득 따라 주스를 모두 마셨습니다. 가장 큰 컵을 가진 친구부터 이름을 써 보세요.

4 달력

달력 관찰하기

1. 1주일은 7일이고, 1주일마다 같은 요일이 반복됩니다.
2. 일요일, 월요일, 화요일, 수요일, 목요일, 금요일, 토요일로 모두 7개의 요일이 있습니다.
3. 달력 날짜를 세로로 보았을 때 가장 위쪽에 있는 날짜가 그 달의 첫째 □요일입니다.

1. 9월 달력을 보고 물음에 답하세요.

9월						
일	월	화	수	목	금	토
		1	2	3	4	5
6	7	8	9	10	11	12
13	14	15	16	17	18	19
20	21	22	23	24	25	26
27	28	29	30			

(1) 이 달의 첫째 월요일은 며칠일까요?

(2) 9월 25일은 무슨 요일일까요?

(3) 오늘이 9월 둘째 토요일이라면 내일은 며칠일까요?

날짜가 지워진 달력

1. 달력에서 왼쪽으로 한 칸 가면 전날이므로 날수가 1 작아지고, 오른쪽으로 한 칸 가면 다음 날이므로 날수가 1 커집니다.
2. 달력에서 위로 한 칸 가면 1주일 전이므로 날수가 7 작아지고, 아래로 한 칸 가면 1주일 후이므로 날수가 7 커집니다.

1. 달력의 날짜가 지워져 있습니다. 이 달의 1일과 30일은 각각 무슨 요일일까요?

10월

일	월	화	수	목	금	토
		6	7	8		
11	12			15	16	17
18	19		21			24

1일: ☐ 요일

30일: ☐ 요일

2. 달력 아랫부분이 찢어졌습니다. 윤서의 생일이 3월 21일이라면 윤서의 생일은 무슨 요일일까요?

3월

일	월	화	수	목	금	토
	1 삼일절	2	3	4	5	6
7	8	9	10	11	12	13

5 선 잇기 퍼즐

같은 것 잇기

1. 선은 가로 또는 세로로만 긋습니다.
2. 선은 한 칸에 한 번만 지납니다.
3. 선이 지나지 않은 빈칸이 있으면 안됩니다.

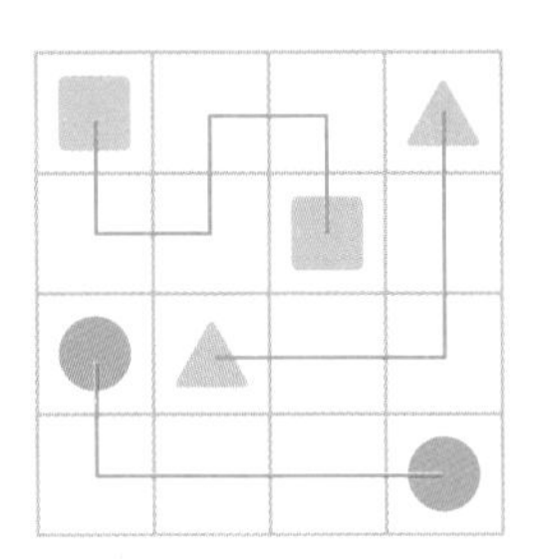

1. 규칙 에 따라 같은 모양끼리 선으로 이어 보세요.

규칙

- 선은 가로 또는 세로로만 긋습니다.
- 선은 한 칸에 한 번만 지납니다.
- 선이 지나지 않은 빈칸이 있으면 안됩니다.

(1)

(2)

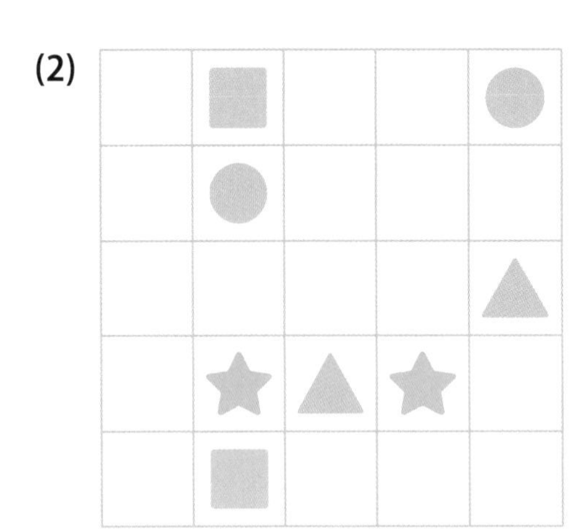

길 만들기

1. 선은 1부터 수의 순서대로 가로 또는 세로로만 긋습니다.
2. 선은 한 칸에 한 번만 지납니다.
3. 선이 지나지 않은 빈칸이 있으면 안됩니다.

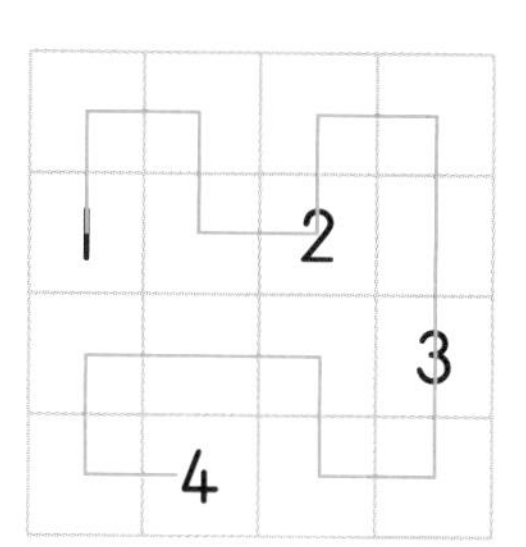

1. 다람쥐가 가로 또는 세로로만 길을 가며 모든 칸을 한 번씩만 지나 도토리가 있는 곳까지 가도록 1부터 5까지의 수를 순서대로 연결해 보세요. 단, 나무가 있는 칸은 지나갈 수 없습니다.

(1)

1				
	2			
			3	
	5		4	

(2)

		1		
		2		
			4	
	3			
5				

리뷰 

6 이동 경로

사다리 타기

1. 위쪽부터 세로줄을 따라 내려가다가 가로줄을 만나면 무조건 가로줄을 따라갑니다.

2. 가로줄을 따라가다 다시 세로줄을 만나면 아래로 내려가는 것을 반복합니다.

1. 지호가 사다리 타기를 하여 사탕을 고르려면 몇 번을 골라야 할까요?

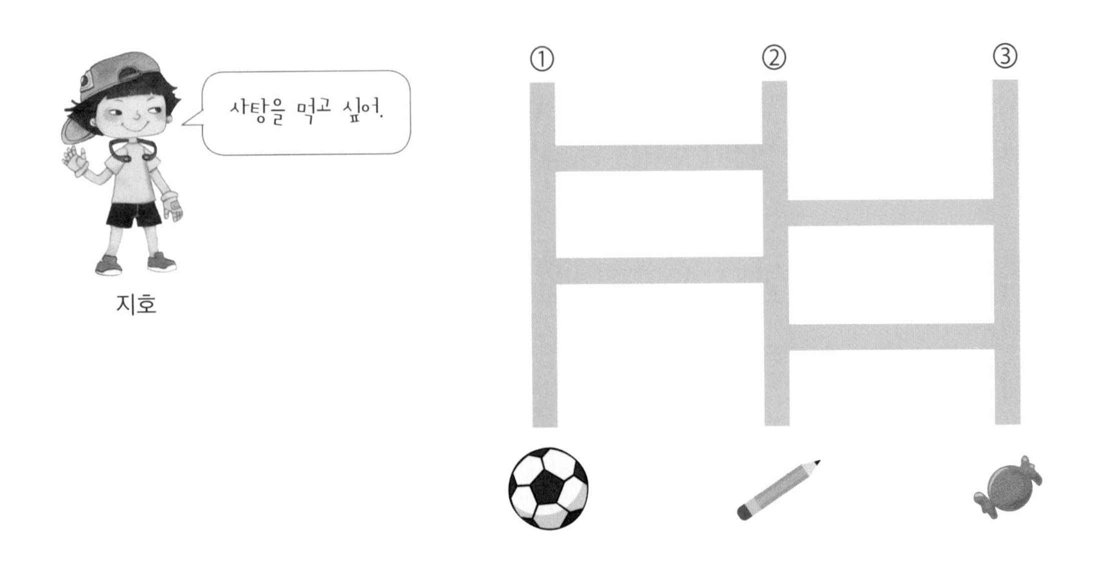

2. 사다리 타기를 하여 관계있는 것끼리 만나도록 가로줄을 하나만 더 그어 보세요.

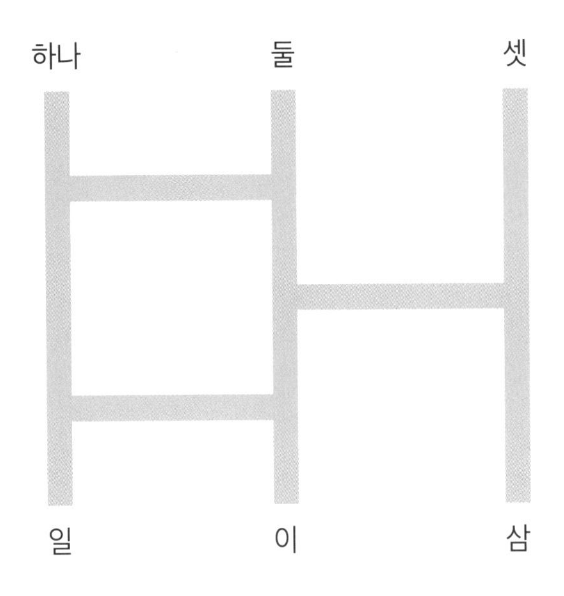

규칙에 따라 이동하기

1. 출발점에서 규칙에 따라 도착점까지 갈 때 규칙을 빠뜨리지 않도록 주의합니다.

2. 도착점에서 반대로 출발한 곳을 찾을 때는 왔을 때의 규칙과 반대 방향으로 갑니다.

1. 지한이가 있는 칸에서 규칙 대로 화살표를 따라 순서대로 한 칸씩 움직였을 때 도착하는 칸에 색칠해 보세요.

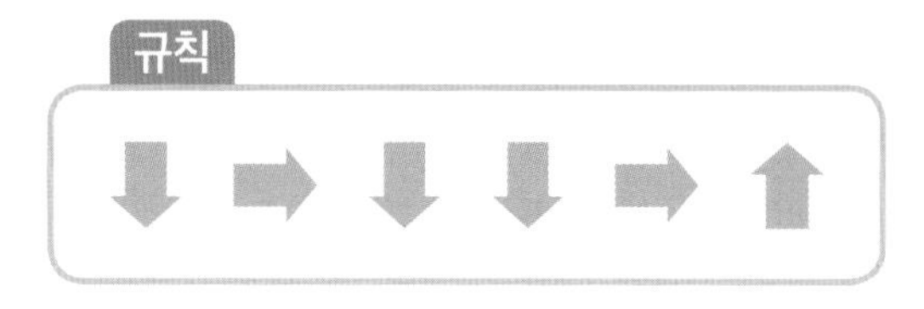

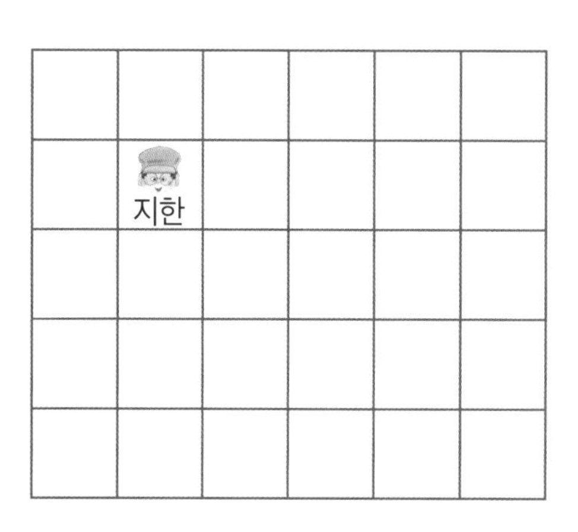

2. 연우는 집에서 출발하여 북쪽으로 2칸, 동쪽으로 3칸 가서 문구점에 도착했습니다. 연우네 집은 어디일까요?

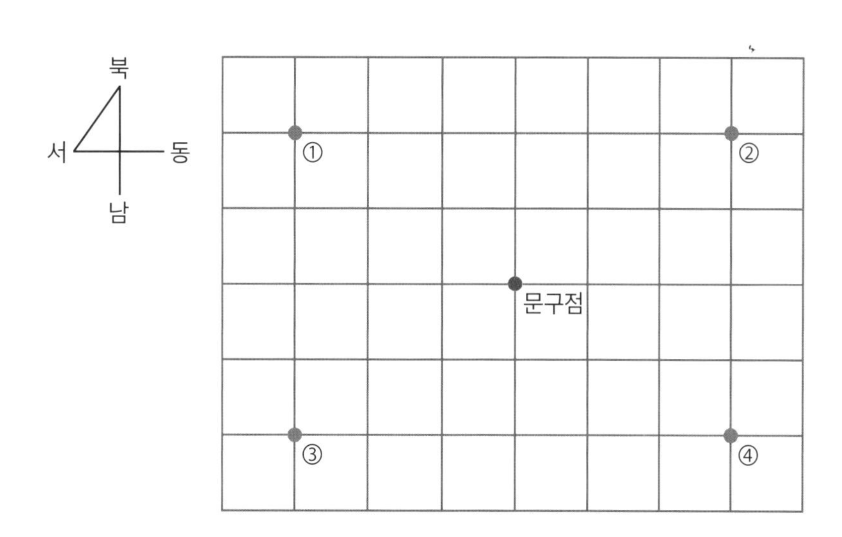

7 가위바위보

가위바위보

1. 두 사람이 가위바위보를 하여 한 사람이 이겼다면 상대방은 반드시 집니다. 반대로 한 사람이 졌다면 상대방은 반드시 이깁니다.
2. 두 사람이 가위바위보를 하여 한 사람이 비겼다면 상대방도 비깁니다.
3. 바위는 가위를 이기고, 가위는 보를 이기고, 보는 바위를 이깁니다. 두 사람이 같은 것을 내면 비깁니다.

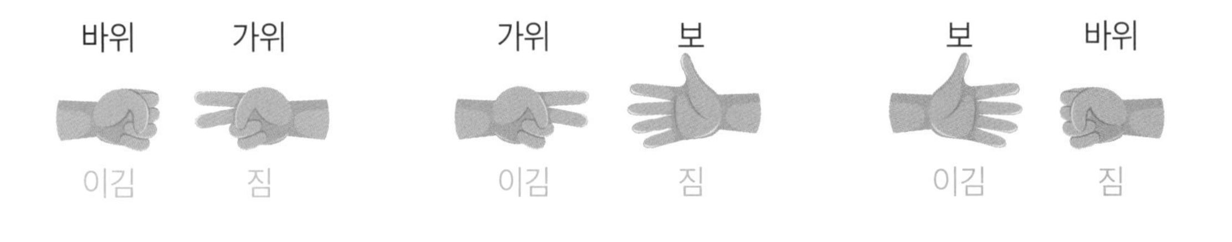

1. 서아와 주원이가 가위바위보를 하여 다음 규칙 대로 구슬을 가져갑니다. 물음에 답하세요.

규칙

- 이기면 구슬 3개를 가져갑니다.
- 비기면 구슬 2개를 가져갑니다.
- 지면 구슬 1개를 가져갑니다.

(1) 가위바위보를 한 번 하고 두 사람이 가져간 구슬 수가 같았습니다. 서아가 가위를 냈다면 주원이는 무엇을 냈을까요?

(2) 서아가 보를 내고 구슬을 3개 가져갔다면 주원이는 무엇을 내고, 구슬을 몇 개 가져갔을까요?

계단 오르기

1. 계단을 오르내리는 규칙에 따라 직접 이동한 곳을 표시하면서 문제를 해결합니다.
2. 가위바위보를 여러 번 했을 때 이기거나 진 순서가 바뀌어도 계단을 오르내린 결과는 같습니다.

가위바위보를 하여 이기면 2칸 올라가고, 비기면 그대로 있고, 지면 1칸 내려갑니다.

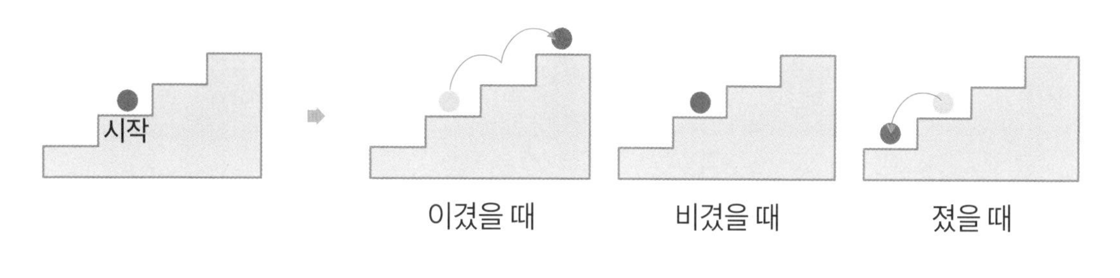

1. 민호와 지수가 시작칸에서 가위바위보를 하여 규칙 대로 계단 오르기 놀이를 합니다. 물음에 답하세요.

규칙

- 이기면 2칸을 올라갑니다.
- 비기면 그대로 있습니다.
- 지면 1칸을 내려갑니다.

(1) 민호가 1번 비기고, 1번 졌다면 민호는 몇 번 계단에 있을까요?

(2) 가위바위보를 한 번 했더니 민호가 2번 계단에 도착했습니다. 지수는 몇 번 계단에 있을까요?

Memo

정답 및 해설

영재 사고력수학 필즈

예비 초등학생을 위한

킨더 중 _ 도형·측정, 문제 해결 방법

매쓰러닝

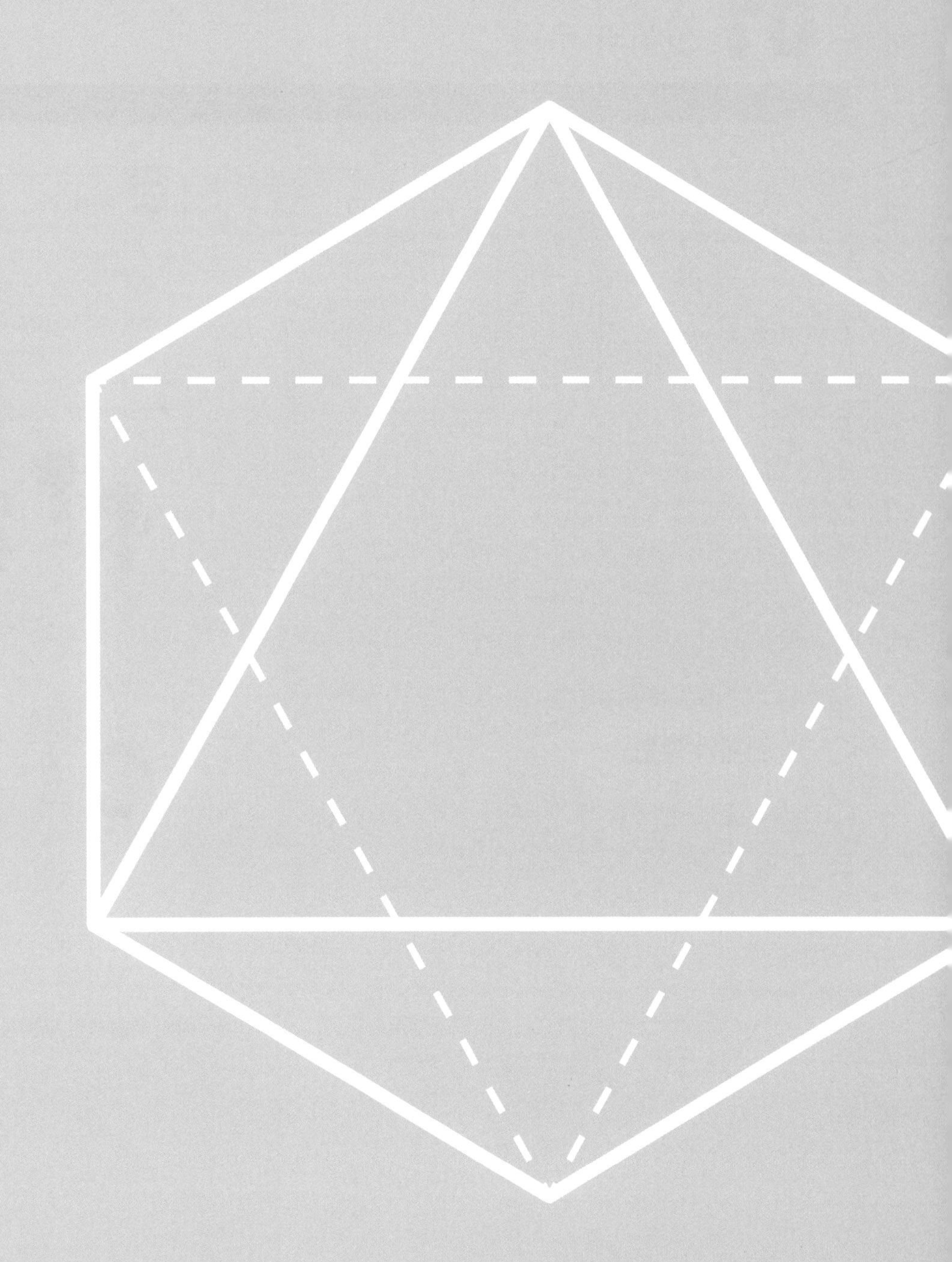

정답 및 해설

01 전체와 부분

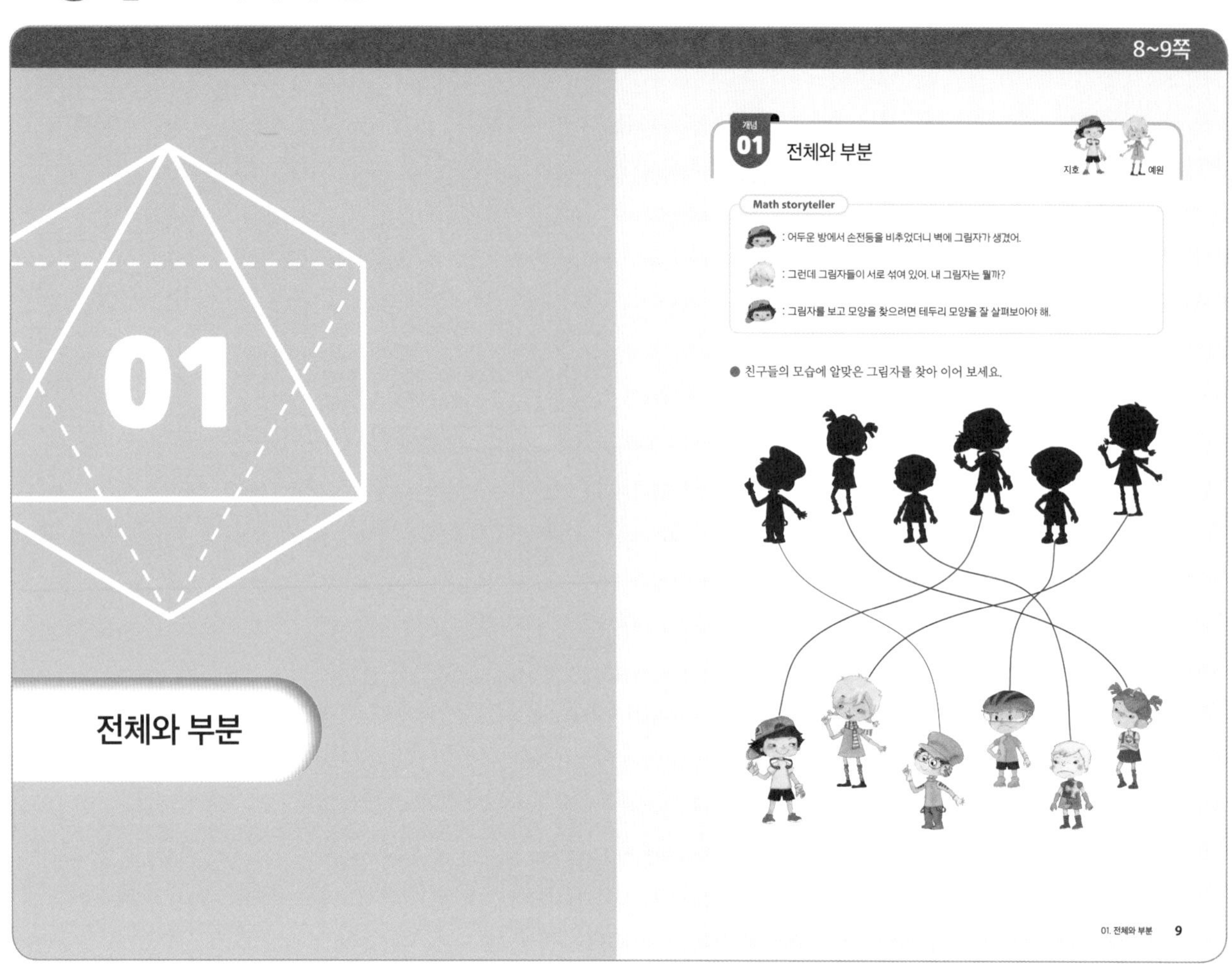

테두리의 특징적인 부분을 찾습니다.

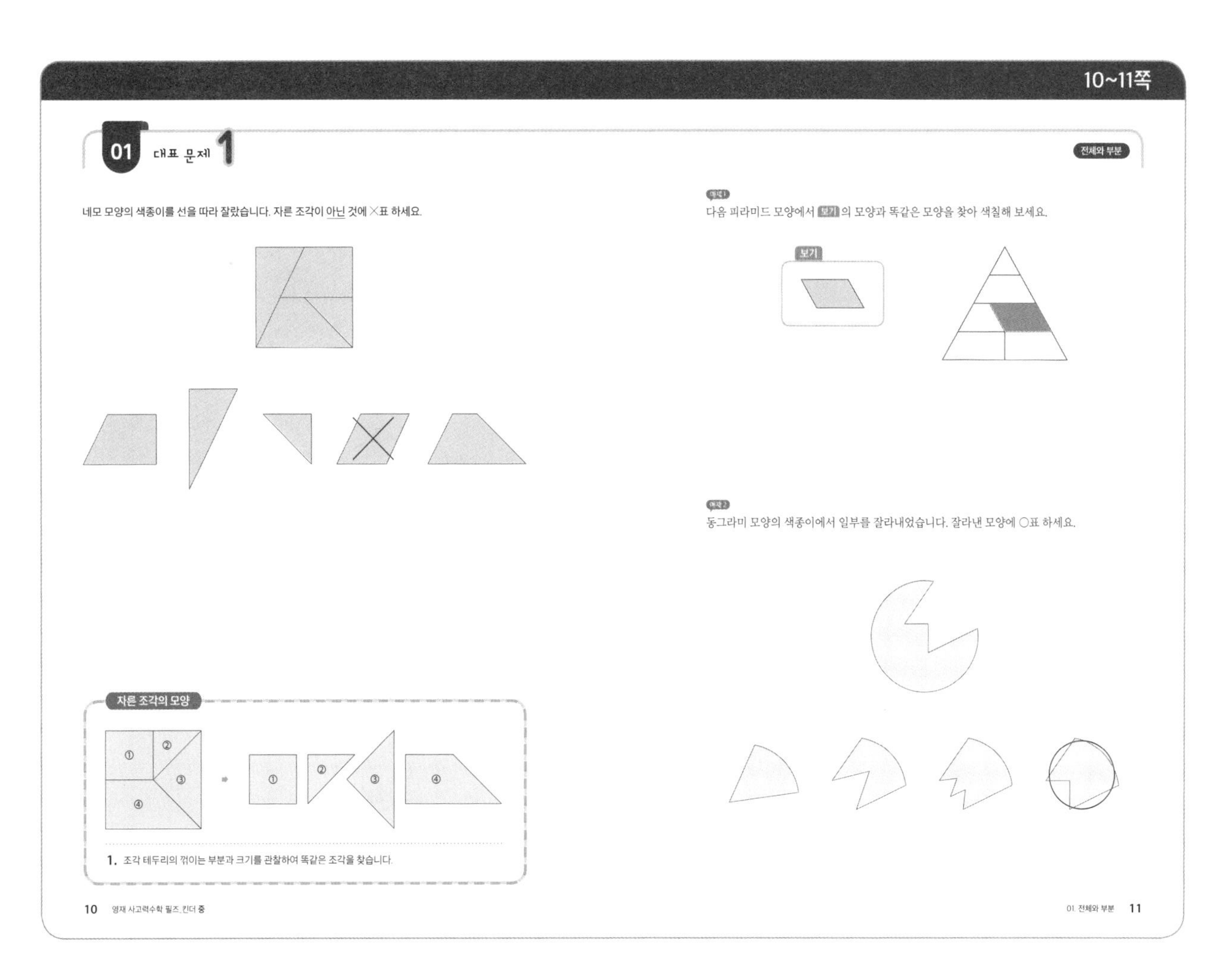

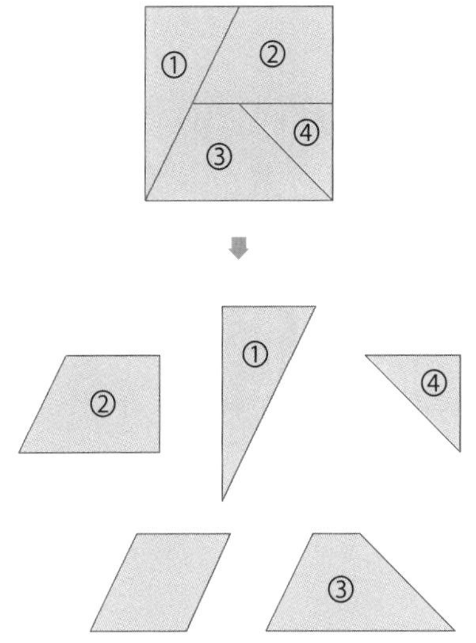

예제 2

원 모양을 그린 다음, 꺾이는 부분을 관찰하여 잘라낸 조각을 찾습니다.

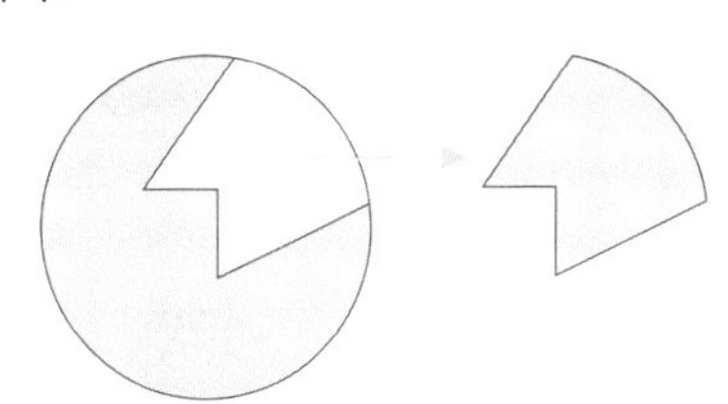

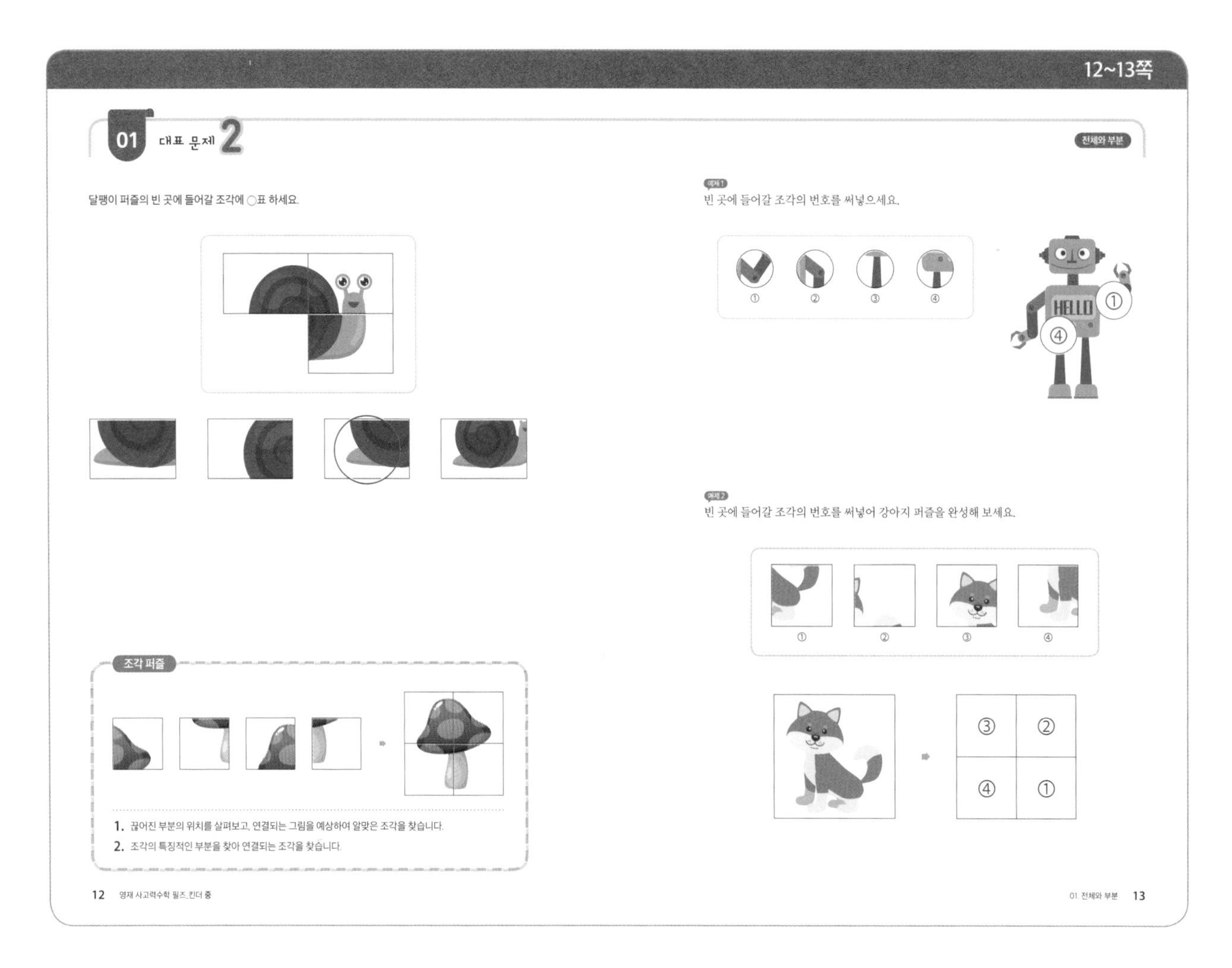

끊어진 부분과 연결되는 그림의 위치를 살펴봅니다.

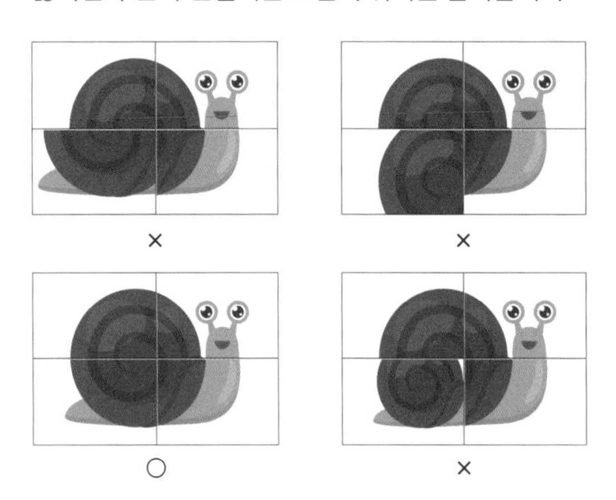

예제 1

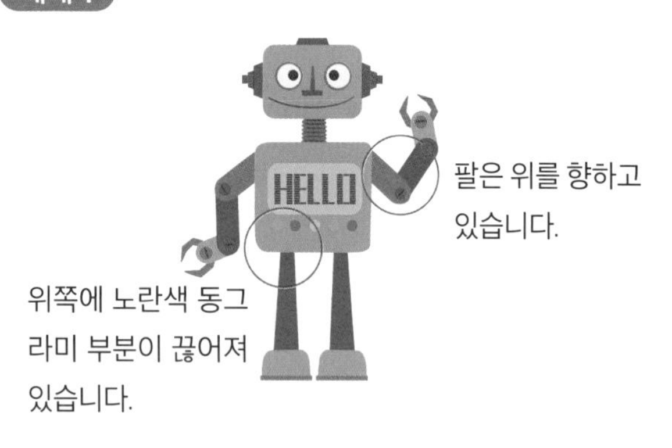

예제 2

왼쪽의 완성된 그림을 네 부분으로 나눕니다.

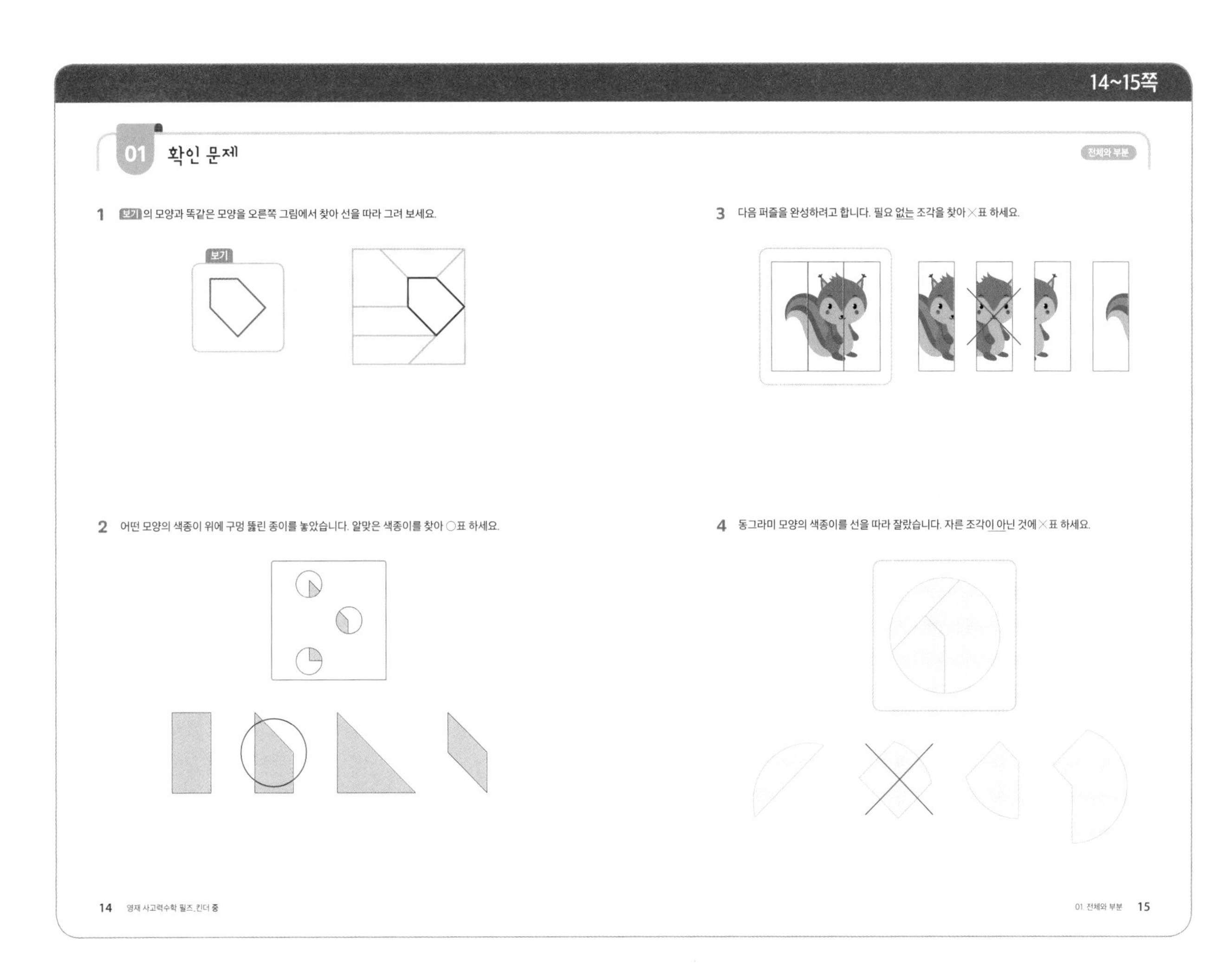

14~15쪽
01 확인 문제
전체와 부분
1 보기의 모양과 똑같은 모양을 오른쪽 그림에서 찾아 선을 따라 그려 보세요.
보기
3 다음 퍼즐을 완성하려고 합니다. 필요 없는 조각을 찾아 ×표 하세요.
2 어떤 모양의 색종이 위에 구멍 뚫린 종이를 놓았습니다. 알맞은 색종이를 찾아 ○표 하세요.
4 동그라미 모양의 색종이를 선을 따라 잘랐습니다. 자른 조각이 아닌 것에 ×표 하세요.
14 영재 사고력수학 필즈_킨더 중
01 전체와 부분 15

2 꺾인 부분을 관찰합니다.

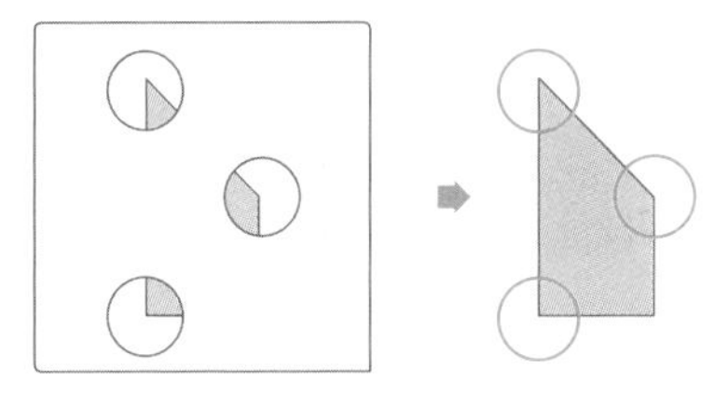

3

4

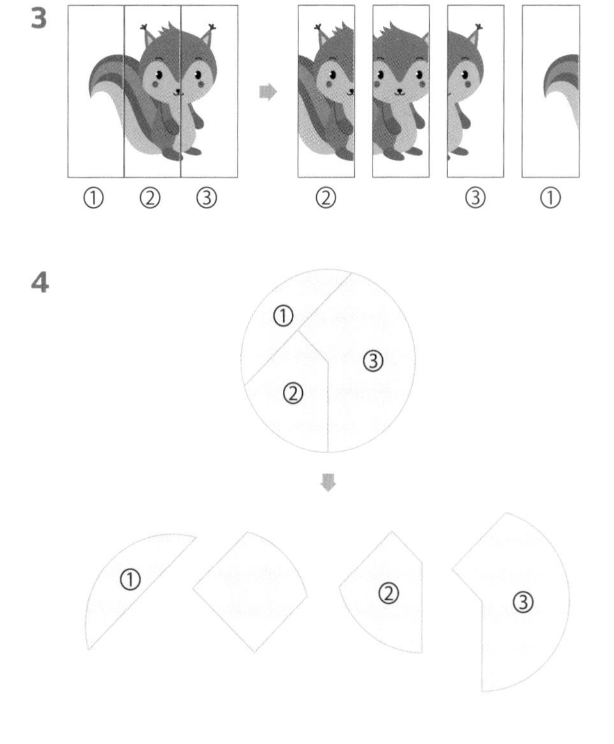

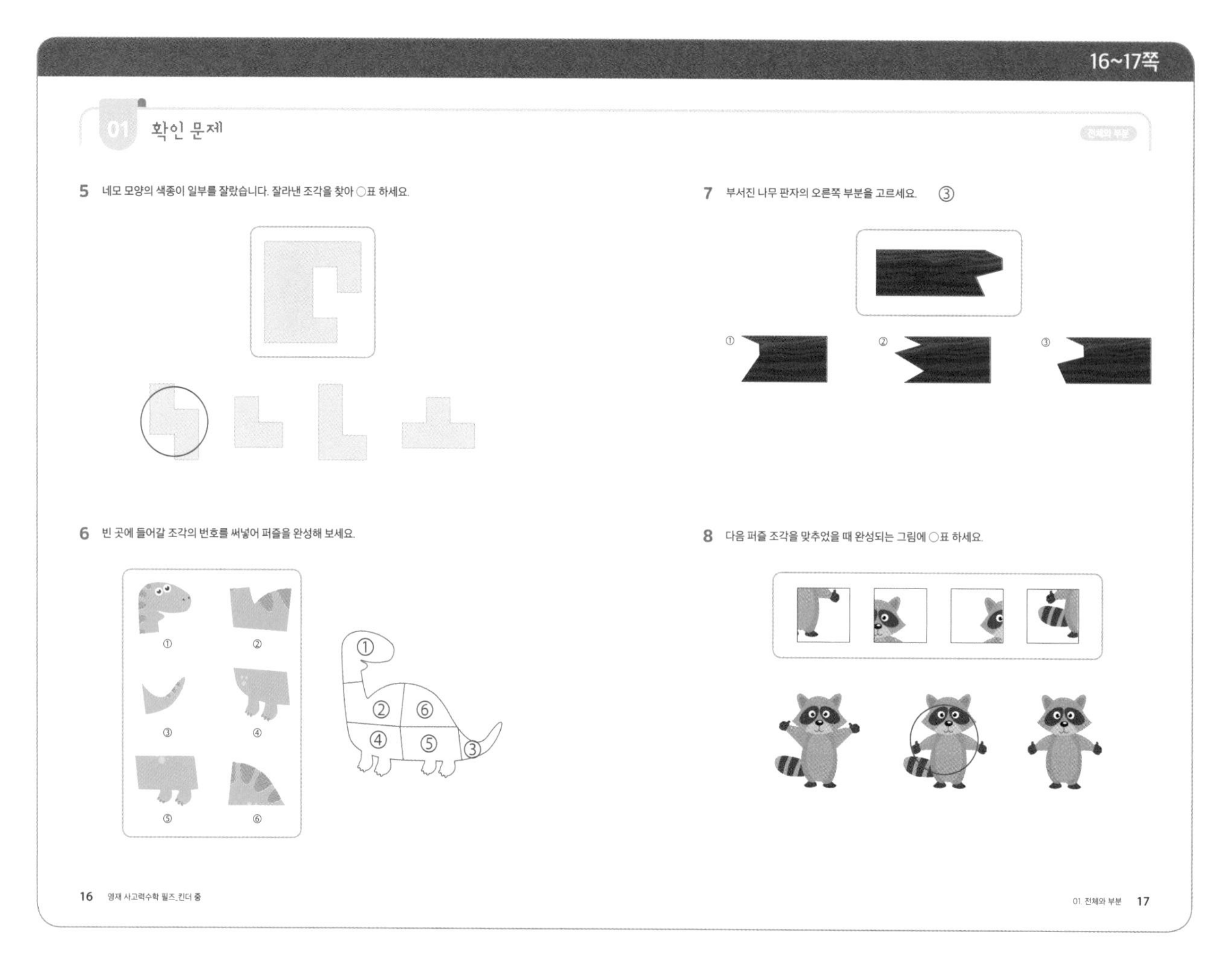

01 확인 문제
5 네모 모양의 색종이 일부를 잘랐습니다. 잘라낸 조각을 찾아 ○표 하세요.
7 부서진 나무 판자의 오른쪽 부분을 고르세요. ③
6 빈 곳에 들어갈 조각의 번호를 써넣어 퍼즐을 완성해 보세요.
8 다음 퍼즐 조각을 맞추었을 때 완성되는 그림에 ○표 하세요.
16 영재 사고력수학 필즈_킨더 중
01. 전체와 부분 17

5 네모 모양을 그린 다음 잘라낸 조각의 모양을 찾습니다.

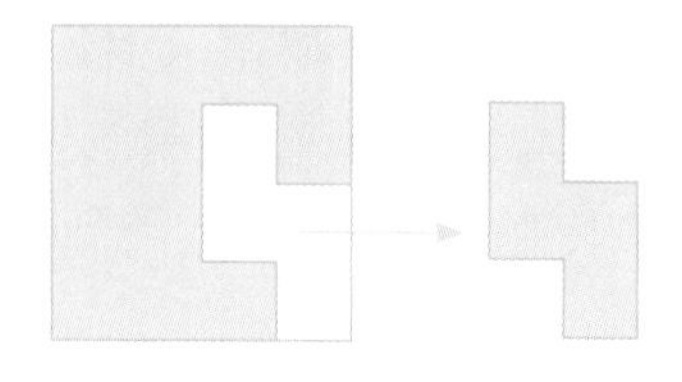

6 조각 테두리의 모양을 관찰하여 각 조각이 놓이는 자리를 찾습니다.

7 부서지기 전 나무 판자를 그린 다음 잘라낸 조각의 모양을 찾습니다.

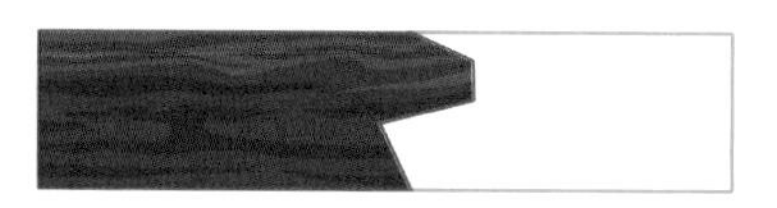

8 너구리 모양을 각각 4조각으로 나눈 다음, 주어진 조각과 나눈 부분의 모양이 같은 것을 찾습니다.

팔이 위를 향하고 있습니다.

꼬리가 없습니다.

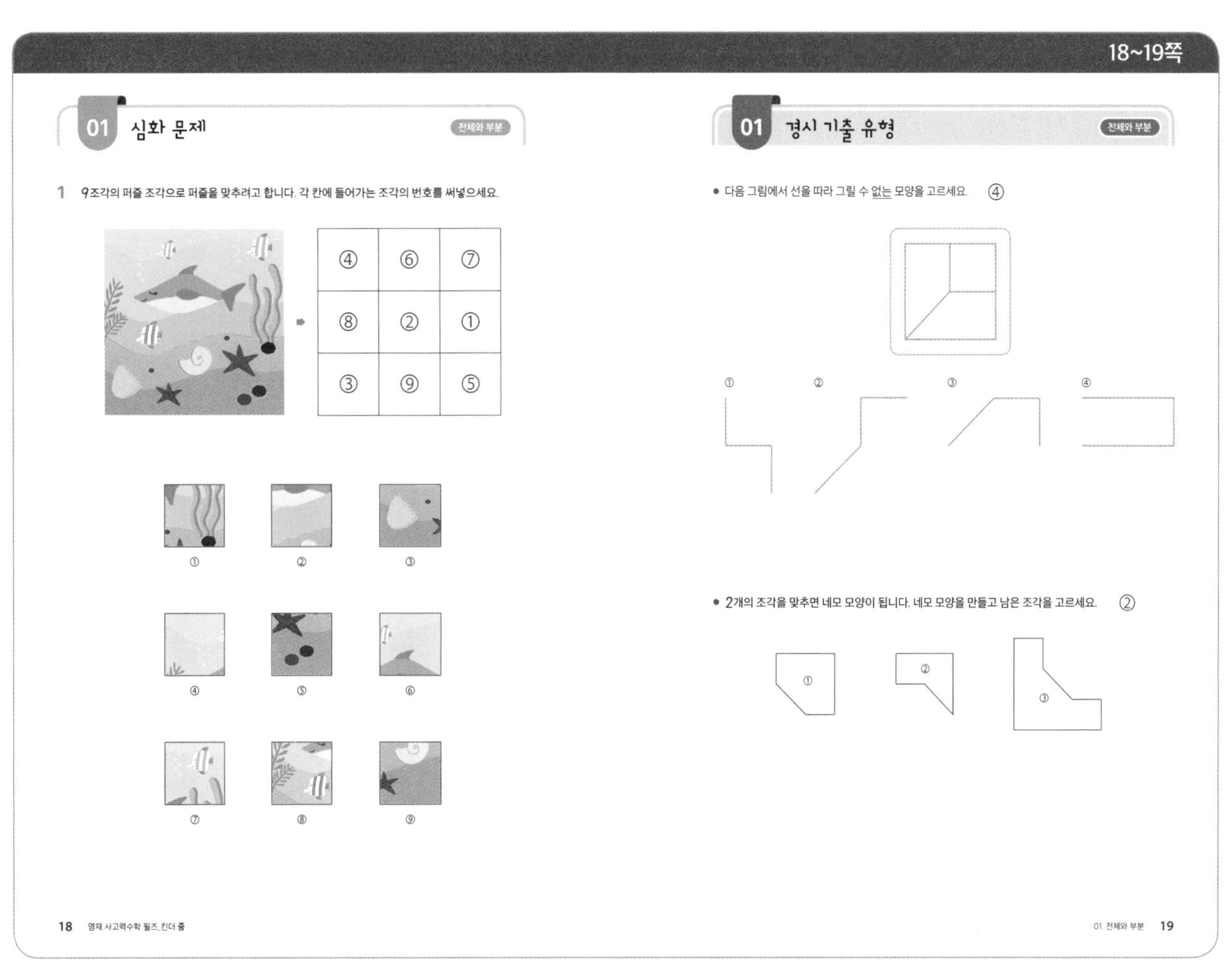

1 왼쪽의 완성된 그림을 9부분으로 나눕니다.

•

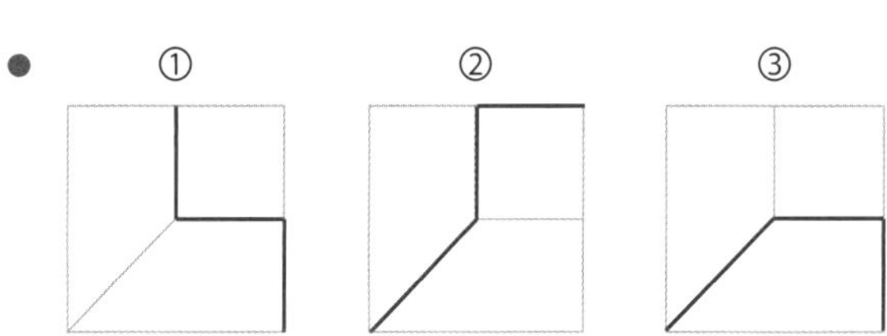

•

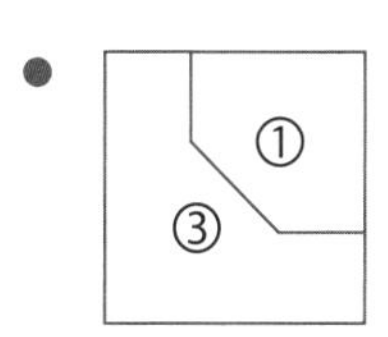

남은 조각은 ②입니다.

02 모양 겹치기

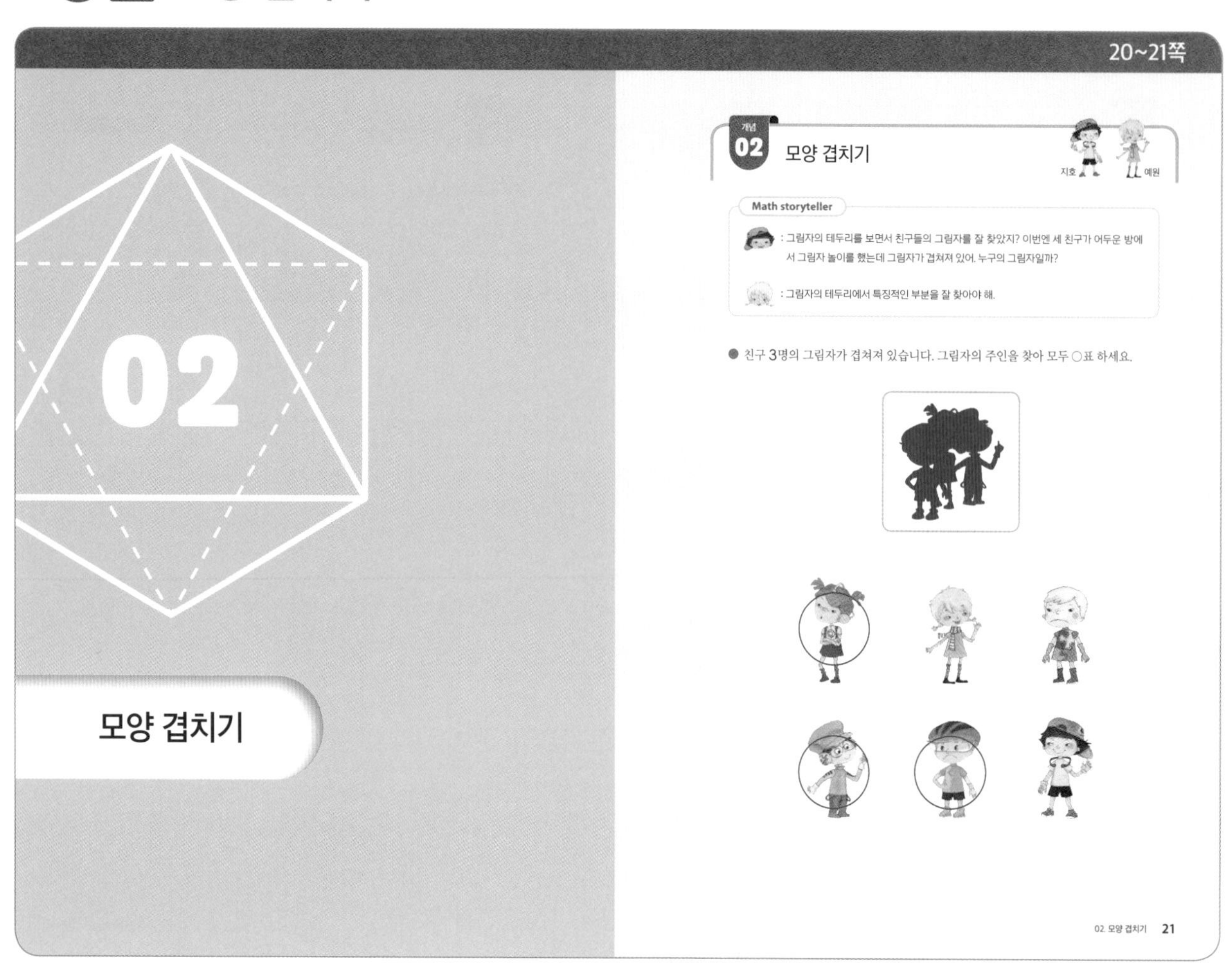

20~21쪽
02
모양 겹치기
개념 02 모양 겹치기
지호
예원
Math storyteller
: 그림자의 테두리를 보면서 친구들의 그림자를 잘 찾았지? 이번엔 세 친구가 어두운 방에서 그림자 놀이를 했는데 그림자가 겹쳐져 있어. 누구의 그림자일까?
: 그림자의 테두리에서 특징적인 부분을 잘 찾아야 해.
● 친구 3명의 그림자가 겹쳐져 있습니다. 그림자의 주인을 찾아 모두 ○표 하세요.
02. 모양 겹치기 21

테두리의 특징적인 부분을 찾습니다.

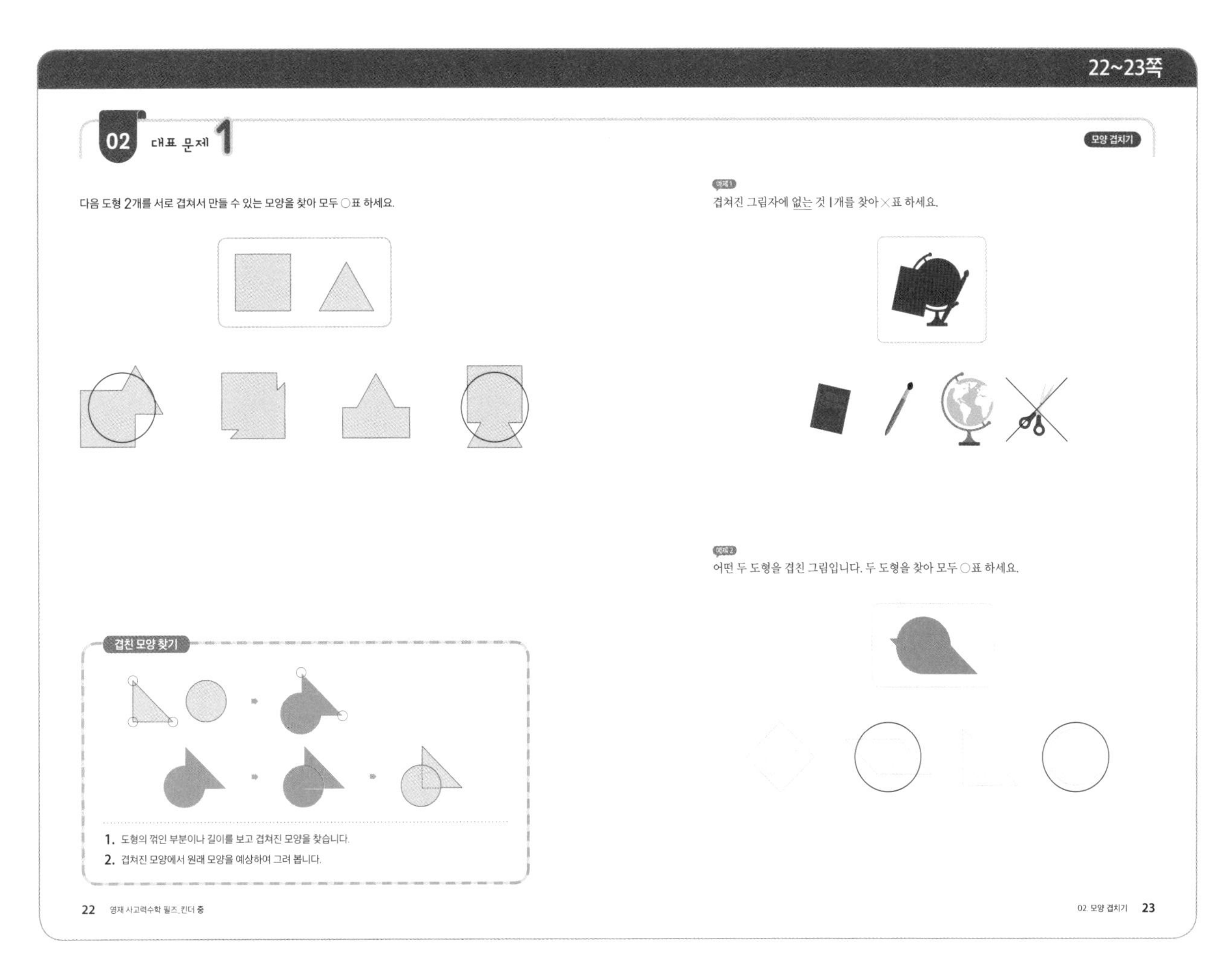
22~23쪽

02 대표 문제 1

모양 겹치기

다음 도형 2개를 서로 겹쳐서 만들 수 있는 모양을 찾아 모두 ○표 하세요.

겹친 모양 찾기

1. 도형의 꺾인 부분이나 길이를 보고 겹쳐진 모양을 찾습니다.
2. 겹쳐진 모양에서 원래 모양을 예상하여 그려 봅니다.

예제 1
겹쳐진 그림자에 없는 것 1개를 찾아 ×표 하세요.

예제 2
어떤 두 도형을 겹친 그림입니다. 두 도형을 찾아 모두 ○표 하세요.

22 영재 사고력수학 필즈 킨더 중

02. 모양 겹치기 23

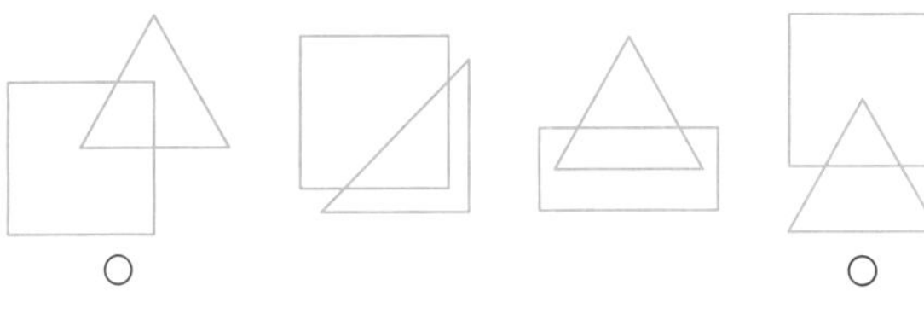

예제 1

예제 2

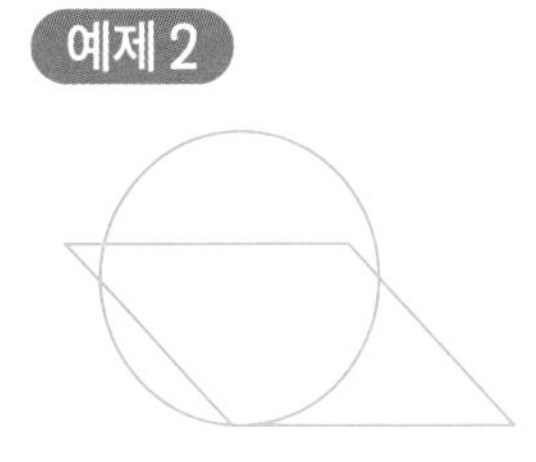

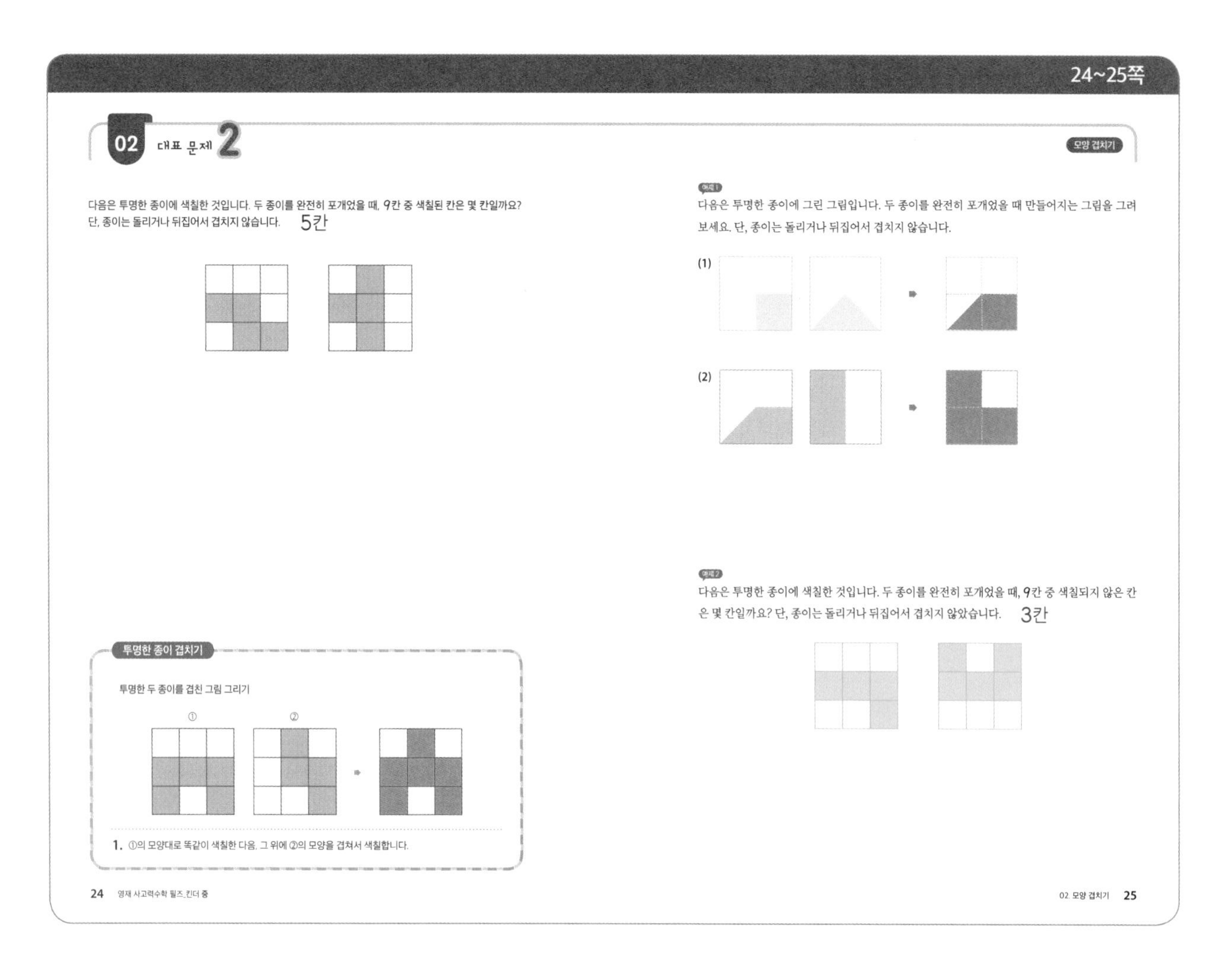

24~25쪽
02 대표 문제 2
모양 겹치기
다음은 투명한 종이에 색칠한 것입니다. 두 종이를 완전히 포개었을 때, 9칸 중 색칠된 칸은 몇 칸일까요? 단, 종이는 돌리거나 뒤집어서 겹치지 않습니다.
5칸
예제 1
다음은 투명한 종이에 그린 그림입니다. 두 종이를 완전히 포개었을 때 만들어지는 그림을 그려 보세요. 단, 종이는 돌리거나 뒤집어서 겹치지 않습니다.
(1)
(2)
예제 2
다음은 투명한 종이에 색칠한 것입니다. 두 종이를 완전히 포개었을 때, 9칸 중 색칠되지 않은 칸은 몇 칸일까요? 단, 종이는 돌리거나 뒤집어서 겹치지 않았습니다.
3칸
투명한 종이 겹치기
투명한 두 종이를 겹친 그림 그리기
①
②
1. ①의 모양대로 똑같이 색칠한 다음, 그 위에 ②의 모양을 겹쳐서 색칠합니다.
24 영재 사고력수학 필즈_킨더 중
02. 모양 겹치기 25

완전히 포갠 모양

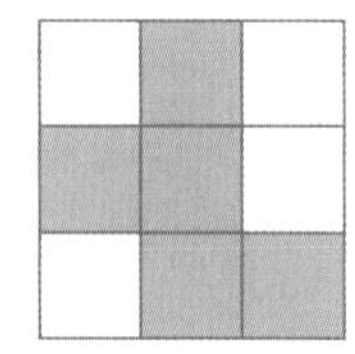

색칠된 칸은 5칸, 색칠되지 않은 칸은 4칸입니다.

예제 1

첫 번째 모양대로 똑같이 색칠한 다음, 두 번째 모양을 겹쳐서 색칠합니다.

예제 2

완전히 포갠 모양

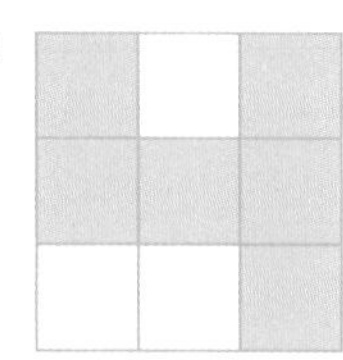

색칠된 칸은 6칸, 색칠되지 않은 칸은 3칸입니다.

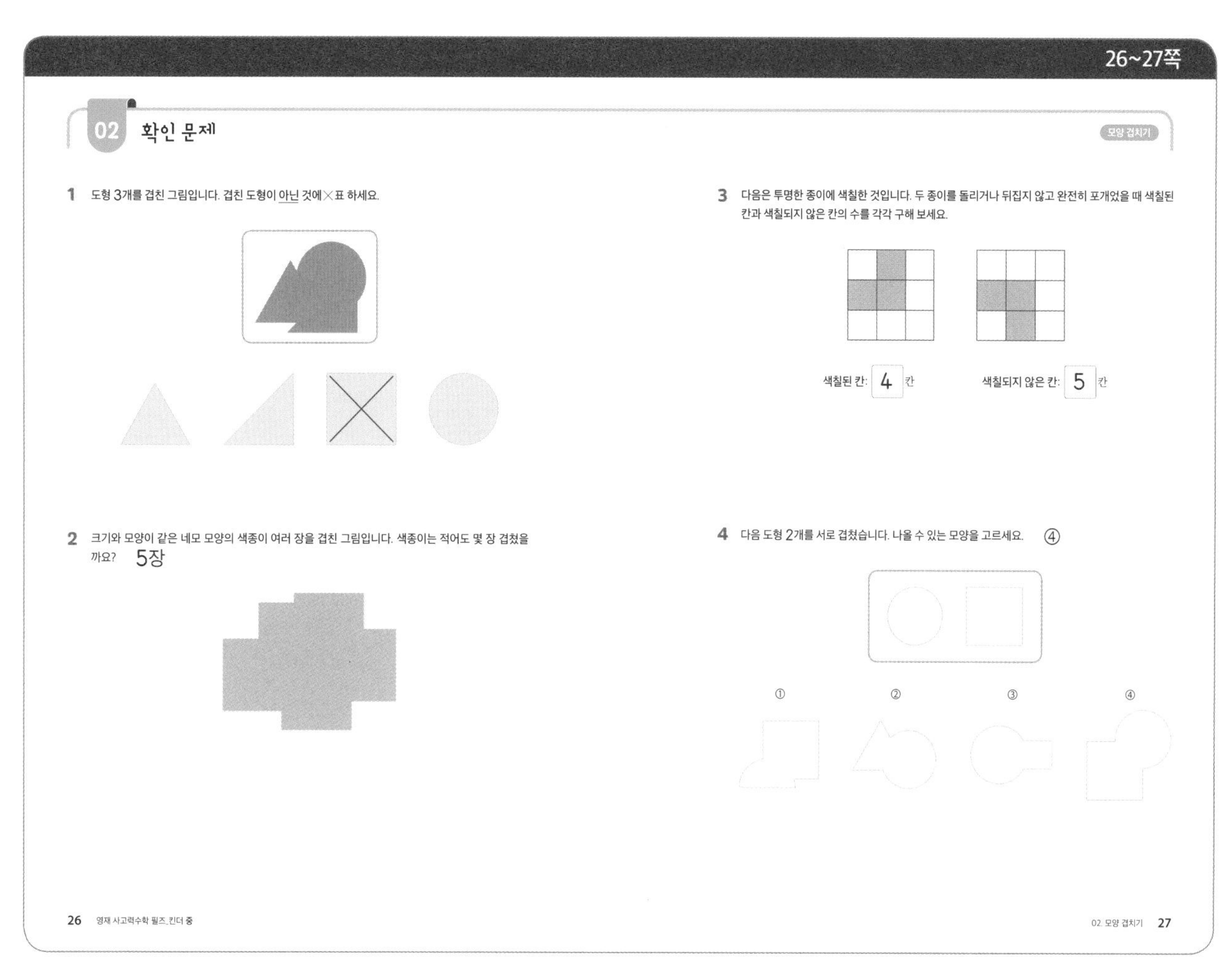
26~27쪽

02 확인 문제

모양 겹치기

1 도형 3개를 겹친 그림입니다. 겹친 도형이 아닌 것에 ×표 하세요.

2 크기와 모양이 같은 네모 모양의 색종이 여러 장을 겹친 그림입니다. 색종이는 적어도 몇 장 겹쳤을까요? 5장

3 다음은 투명한 종이에 색칠한 것입니다. 두 종이를 돌리거나 뒤집지 않고 완전히 포개었을 때 색칠된 칸과 색칠되지 않은 칸의 수를 각각 구해 보세요.

색칠된 칸: 4 칸 색칠되지 않은 칸: 5 칸

4 다음 도형 2개를 서로 겹쳤습니다. 나올 수 있는 모양을 고르세요. ④

① ② ③ ④

26 영재 사고력수학 필즈_킨더 중

02. 모양 겹치기 27

1

2

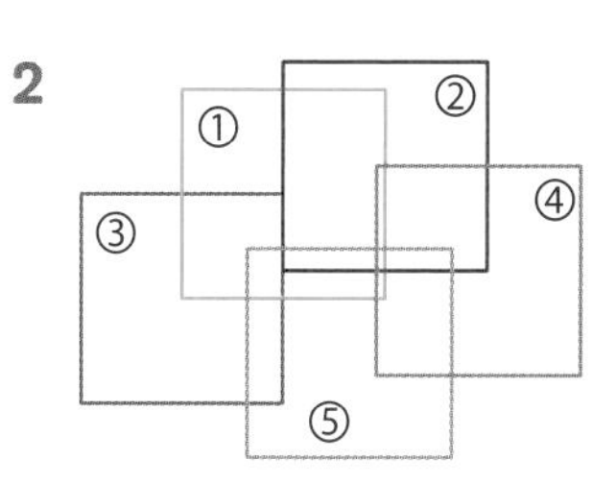

3 완전히 포갠 모양

색칠된 칸은 4칸, 색칠되지 않은 칸은 5칸입니다.

4 ① ②

③ ④

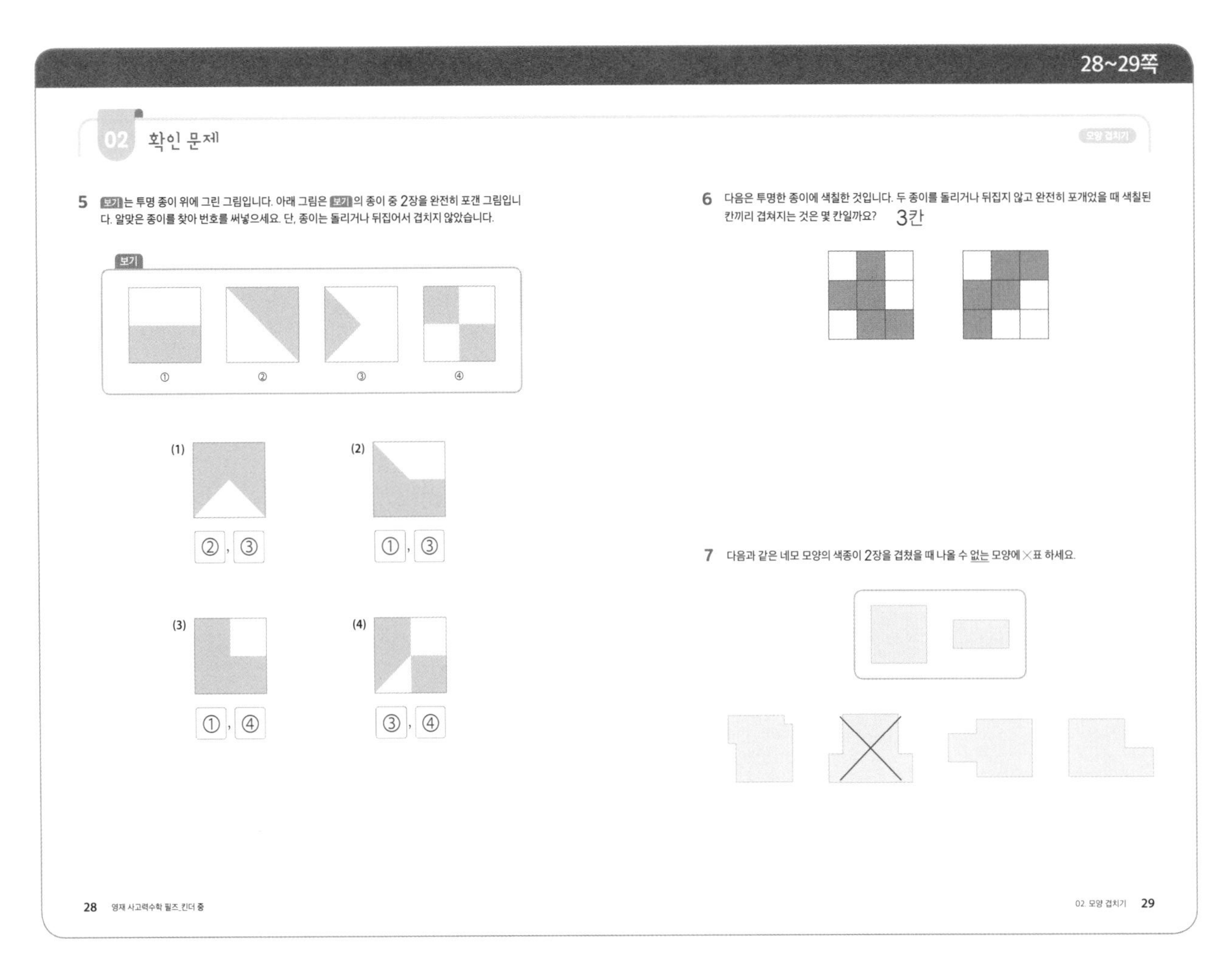
02 확인 문제

5 보기는 투명 종이 위에 그린 그림입니다. 아래 그림은 보기의 종이 중 2장을 완전히 포갠 그림입니다. 알맞은 종이를 찾아 번호를 써넣으세요. 단, 종이는 돌리거나 뒤집어서 겹치지 않았습니다.

보기 ① ② ③ ④

(1) ②, ③ (2) ①, ③ (3) ①, ④ (4) ③, ④

6 다음은 투명한 종이에 색칠한 것입니다. 두 종이를 돌리거나 뒤집지 않고 완전히 포개었을 때 색칠된 칸끼리 겹쳐지는 것은 몇 칸일까요? 3칸

7 다음과 같은 네모 모양의 색종이 2장을 겹쳤을 때 나올 수 없는 모양에 ×표 하세요.

28 영재 사고력수학 필즈_킨더 중 02. 모양 겹치기 29

5 색칠된 부분과 색칠되지 않은 부분, 색칠된 부분의 테두리를 살펴보면서 겹쳐진 종이 2장을 찾습니다.

6 1) 왼쪽 종이에 오른쪽 종이에서 색칠된 부분을 ○로 표시합니다.

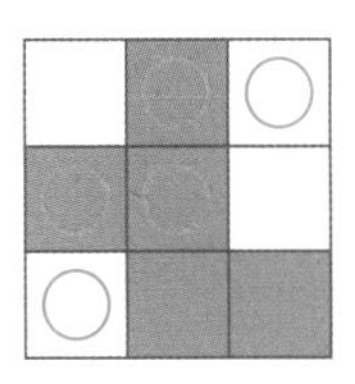

2) 색칠된 부분과 ○가 함께 있는 칸을 셉니다.

7 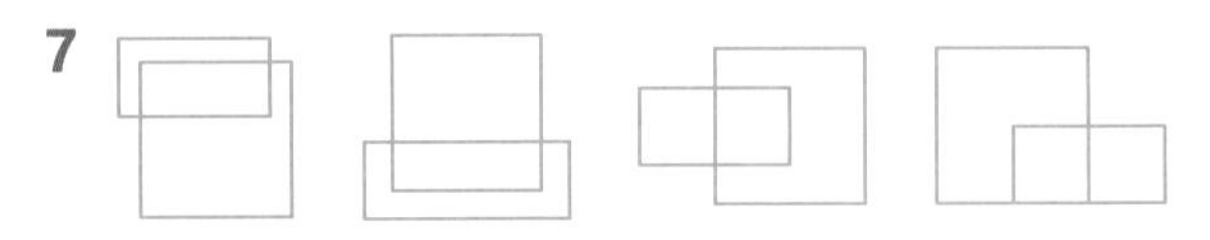

두 번째 겹친 모양은 작은 네모 모양이 주어진 모양보다 크기 때문에 나올 수 없는 모양입니다.

02 심화 문제 (모양 겹치기)

1 구멍 뚫린 종이 2장을 완전히 포개어지도록 겹치면 보기 와 같이 같은 위치에 구멍이 뚫린 곳에만 구멍이 뚫려 있게 됩니다. 물음에 답하세요. 단, 종이는 돌리거나 뒤집어서 겹치지 않습니다.

(1) 구멍 뚫린 종이 2장을 완전히 포개어지도록 겹쳤습니다. 겹친 종이에서 뚫려 있는 구멍은 몇 개일까요? 3개

(2) 숫자 종이를 가장 아래에 놓고, 그 위에 구멍 뚫린 종이 2장을 완전히 포개어지도록 겹쳤습니다. 구멍으로 보이는 숫자를 모두 써 보세요. 2, 5, 6

1	2	3
4	5	6
7	8	9

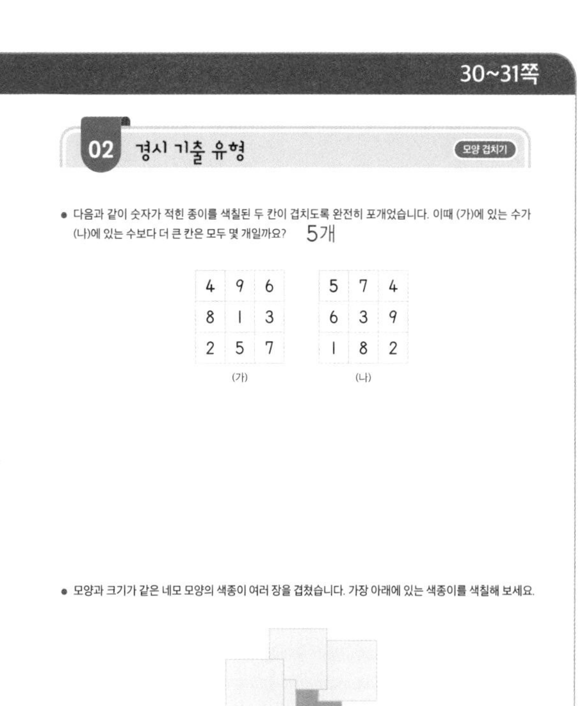
02 경시 기출 유형 (모양 겹치기)

● 다음과 같이 숫자가 적힌 종이를 색칠된 두 칸이 겹치도록 완전히 포개었습니다. 이때 (가)에 있는 수가 (나)에 있는 수보다 더 큰 칸은 모두 몇 개일까요? 5개

(가)

4	9	6
8	1	3
2	5	7

(나)

5	7	4
6	3	9
1	8	2

● 모양과 크기가 같은 네모 모양의 색종이 여러 장을 겹쳤습니다. 가장 아래에 있는 색종이를 색칠해 보세요.

1 (1) 왼쪽 종이에 오른쪽 종이에서 구멍이 뚫린 부분을 ○로 표시하고, 구멍 뚫린 부분(흰 부분)과 ○가 함께 있는 칸을 셉니다

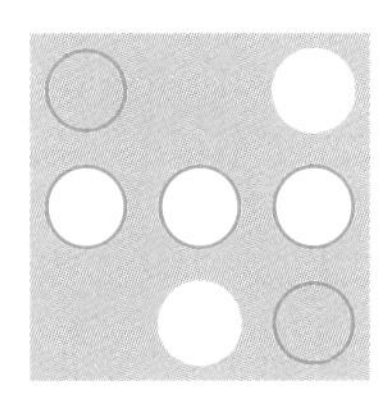

(2) 겹친 종이에서 숫자가 보이려면 구멍 뚫린 두 종이 모두 같은 위치에 구멍이 뚫려 있어야 합니다. 구멍 뚫린 부분(흰 부분)과 ○가 함께 있는 칸에 있는 숫자는 2, 5, 6입니다

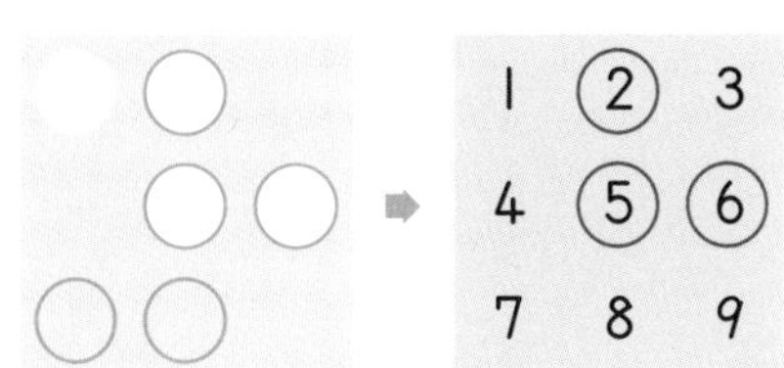

●

4/5	⑨/⑦	⑥/④
⑧/⑥	1/3	3/9
②/①	5/8	⑦/②

● 가장 위에 있는 종이부터 ①, ②, ③, ④, ⑤입니다.

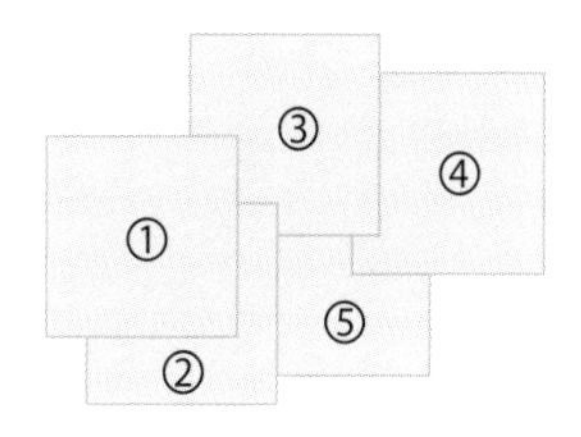

03 길이와 들이 비교

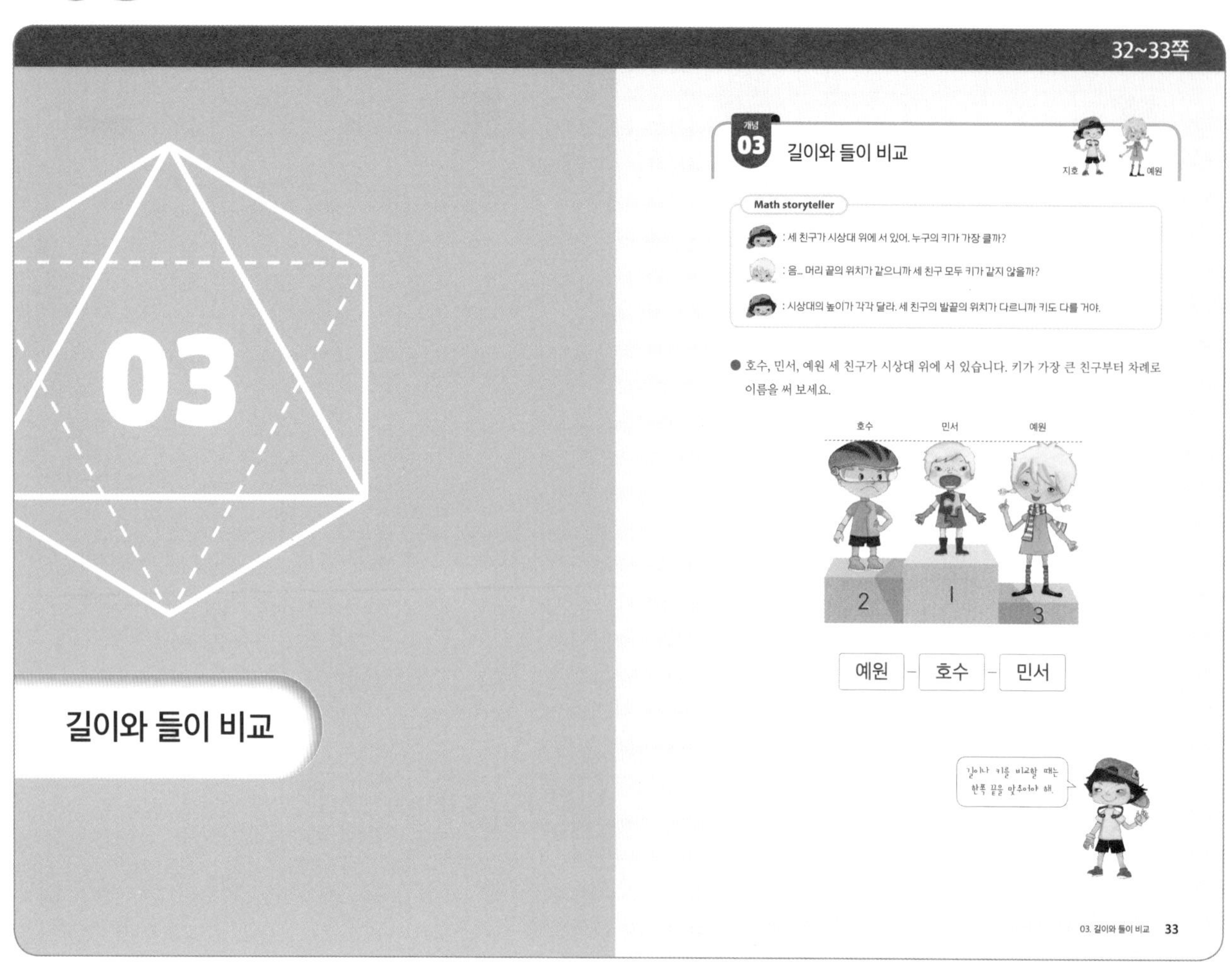

32~33쪽
03
길이와 들이 비교
개념 03 길이와 들이 비교
지호
예원
Math storyteller
: 세 친구가 시상대 위에 서 있어. 누구의 키가 가장 클까?
: 음… 머리 끝의 위치가 같으니까 세 친구 모두 키가 같지 않을까?
: 시상대의 높이가 각각 달라. 세 친구의 발끝의 위치가 다르니까 키도 다를 거야.
● 호수, 민서, 예원 세 친구가 시상대 위에 서 있습니다. 키가 가장 큰 친구부터 차례로 이름을 써 보세요.
호수
민서
예원
2
1
3
예원 - 호수 - 민서
길이나 키를 비교할 때는 한쪽 끝을 맞추어야 해
03. 길이와 들이 비교 33

세 친구가 서 있는 곳의 높이가 모두 다르므로 발끝을 기준으로 키를 비교할 수 없습니다. 머리 끝을 기준으로 키를 비교합니다.

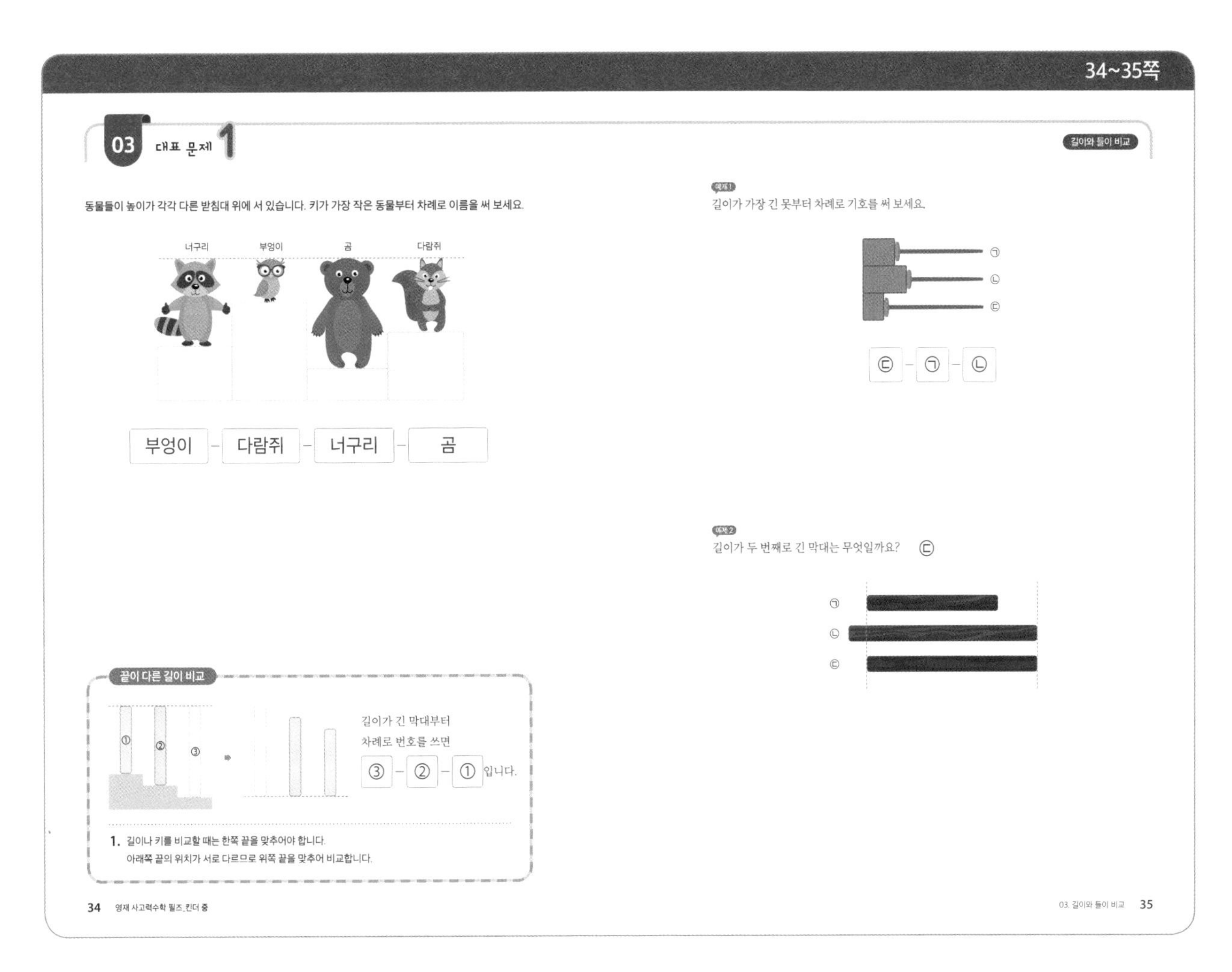
34~35쪽

03 대표 문제 1

길이와 들이 비교

동물들이 높이가 각각 다른 받침대 위에 서 있습니다. 키가 가장 작은 동물부터 차례로 이름을 써 보세요.

너구리 부엉이 곰 다람쥐

부엉이 - 다람쥐 - 너구리 - 곰

끝이 다른 길이 비교

① ② ③

길이가 긴 막대부터 차례로 번호를 쓰면 ③ - ② - ① 입니다.

1. 길이나 키를 비교할 때는 한쪽 끝을 맞추어야 합니다.
아래쪽 끝의 위치가 서로 다르므로 위쪽 끝을 맞추어 비교합니다.

34 영재 사고력수학 필즈_킨더 중

예제 1
길이가 가장 긴 못부터 차례로 기호를 써 보세요.

㉠ ㉡ ㉢

㉢ - ㉠ - ㉡

예제 2
길이가 두 번째로 긴 막대는 무엇일까요? ㉢

㉠ ㉡ ㉢

03. 길이와 들이 비교 35

머리 끝을 기준으로 키를 비교합니다.

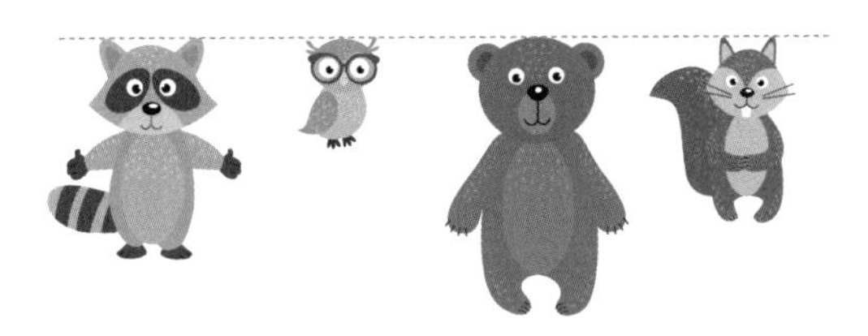

예제 1

오른쪽 끝을 기준으로 길이를 비교합니다.

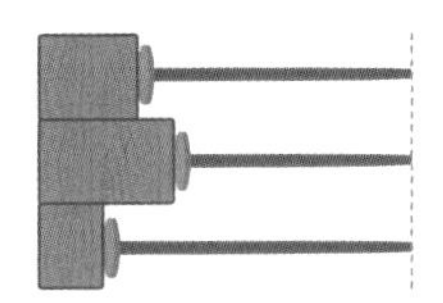

예제 2

길이가 가장 긴 막대부터 차례로 ㉡, ㉢, ㉠입니다.

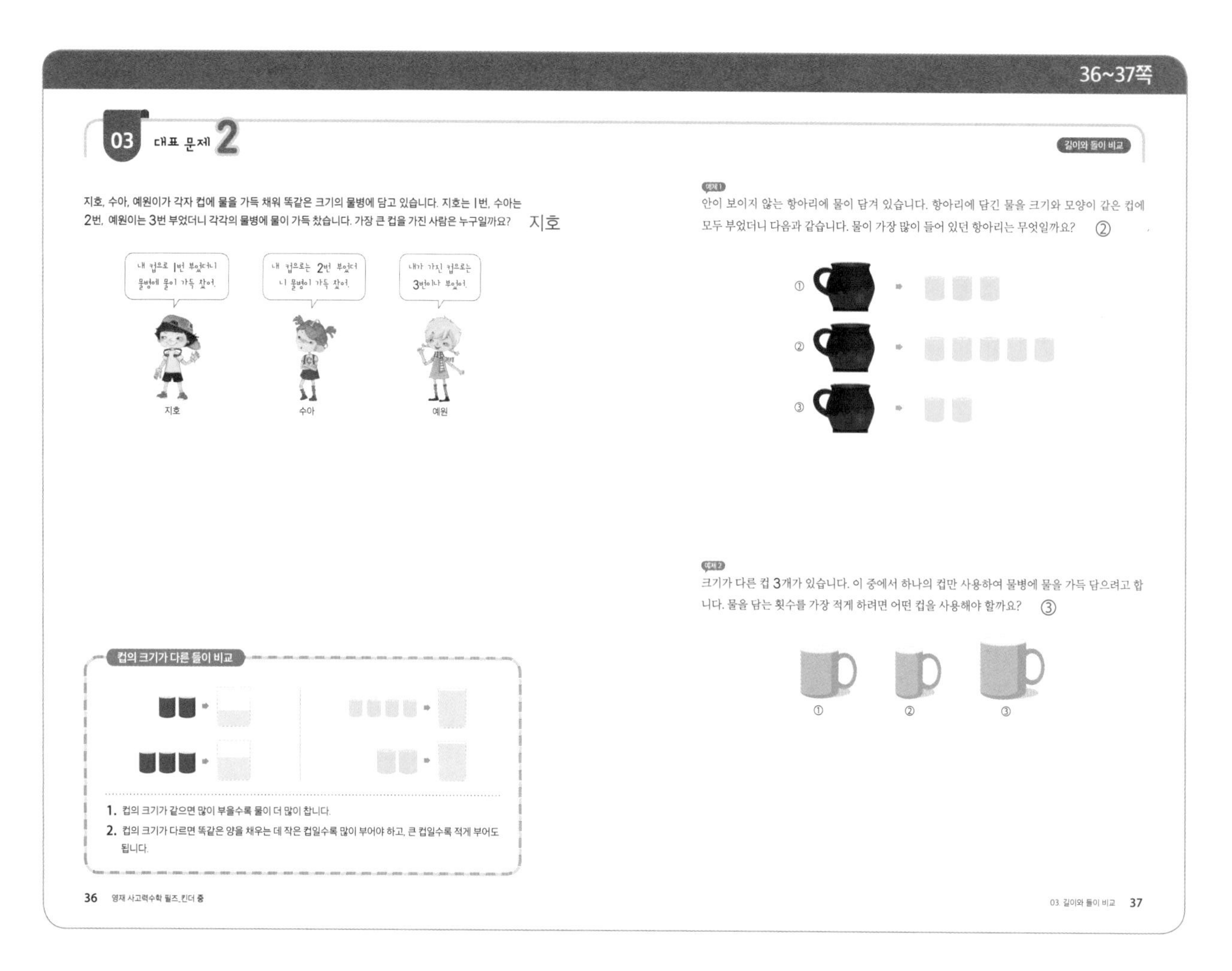
36~37쪽

03 대표 문제 2

지호, 수아, 예원이가 각자 컵에 물을 가득 채워 똑같은 크기의 물병에 담고 있습니다. 지호는 1번, 수아는 2번, 예원이는 3번 부었더니 각각의 물병에 물이 가득 찼습니다. 가장 큰 컵을 가진 사람은 누구일까요? 지호

내 컵으로 1번 부었더니 물병에 물이 가득 찼어.
내 컵으로는 2번 부었더니 물병이 가득 찼어.
내가 가진 컵으로는 3번이나 부었어.
지호
수아
예원

컵의 크기가 다른 들이 비교

1. 컵의 크기가 같으면 많이 부을수록 물이 더 많이 찹니다.
2. 컵의 크기가 다르면 똑같은 양을 채우는 데 작은 컵일수록 많이 부어야 하고, 큰 컵일수록 적게 부어도 됩니다.

36 영재 사고력수학 필즈_킨더 중

길이와 들이 비교

예제 1
안이 보이지 않는 항아리에 물이 담겨 있습니다. 항아리에 담긴 물을 크기와 모양이 같은 컵에 모두 부었더니 다음과 같습니다. 물이 가장 많이 들어 있던 항아리는 무엇일까요? ②

예제 2
크기가 다른 컵 3개가 있습니다. 이 중에서 하나의 컵만 사용하여 물병에 물을 가득 담으려고 합니다. 물을 담는 횟수를 가장 적게 하려면 어떤 컵을 사용해야 할까요? ③

03 길이와 들이 비교 37

컵의 크기가 클수록 적은 횟수로 부어도 물병이 가득 찹니다. 물병에 가득 찬 물을 부은 횟수로 나누어 보면 확인할 수 있습니다.

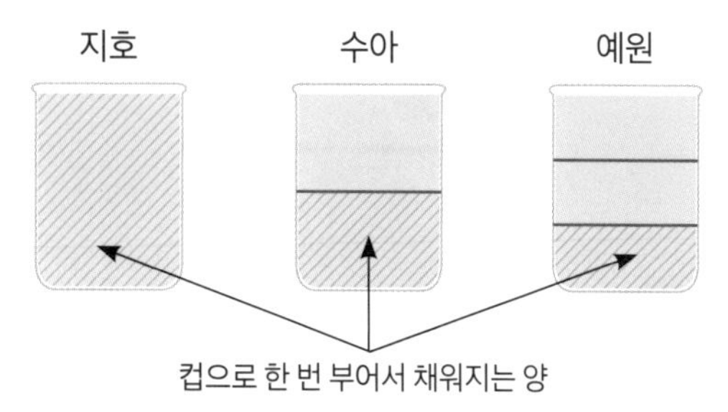

예제 1

컵의 크기가 같으면 많이 부을수록 물이 더 많이 찹니다. 크기가 같은 컵 2개를 채운 ③번 항아리의 물이 가장 적고, 컵 5개를 채운 ②번 항아리의 물이 가장 많습니다.

예제 2

물을 담는 횟수를 적게 하려면 큰 컵을 사용해야 합니다.

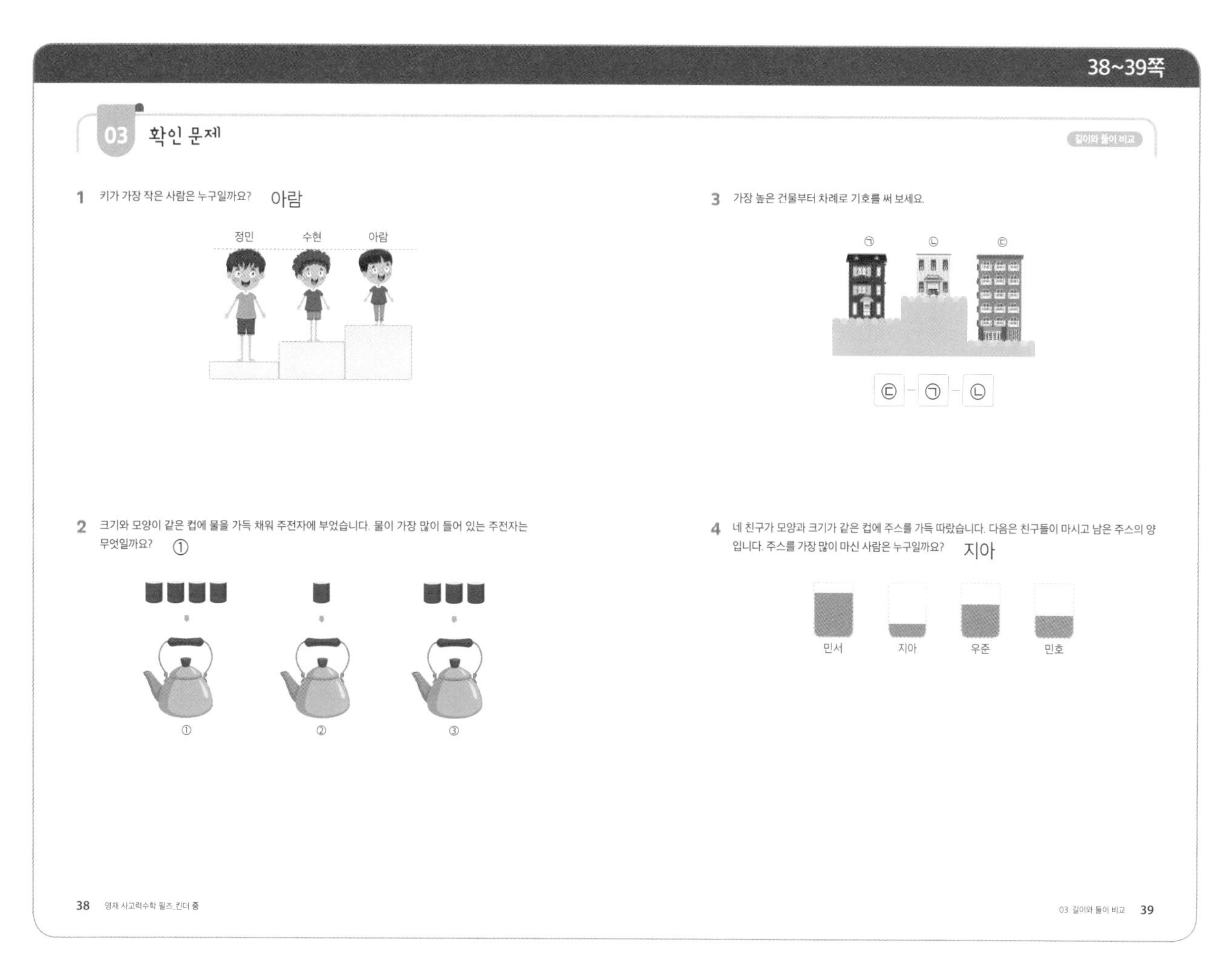
38~39쪽

03 확인 문제

길이와 들이 비교

1 키가 가장 작은 사람은 누구일까요? 아람

정민 수현 아람

2 크기와 모양이 같은 컵에 물을 가득 채워 주전자에 부었습니다. 물이 가장 많이 들어 있는 주전자는 무엇일까요? ①

① ② ③

3 가장 높은 건물부터 차례로 기호를 써 보세요.

㉠ ㉡ ㉢

㉢ - ㉠ - ㉡

4 네 친구가 모양과 크기가 같은 컵에 주스를 가득 따랐습니다. 다음은 친구들이 마시고 남은 주스의 양입니다. 주스를 가장 많이 마신 사람은 누구일까요? 지아

민서 지아 우준 민호

38 영재 사고력수학 필즈, 킨더 중

03. 길이와 들이 비교 39

2 컵의 크기가 같으면 여러 번 부을수록 물이 더 많이 찹니다.

3 **1)** 위쪽을 기준으로 비교하면 세 건물의 높이가 모두 같습니다.

2) 아래쪽을 기준으로 비교하면 ㉢, ㉠, ㉡ 순으로 높습니다.

4 **1)** 남은 양이 적을수록 많이 마셨습니다.

2) 주스를 많이 마신 사람부터 차례로 지아, 민호, 우준, 민서입니다.

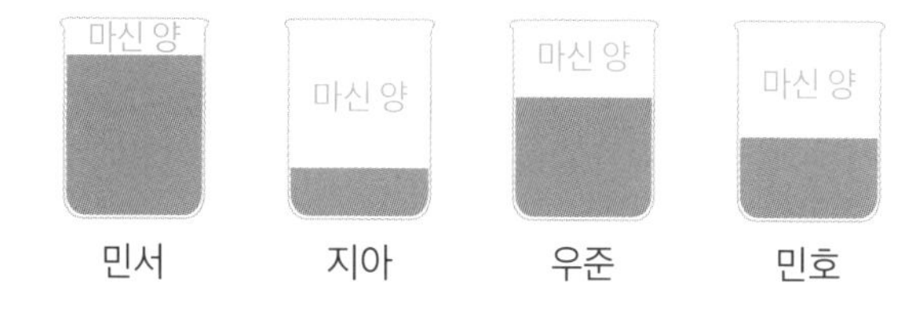

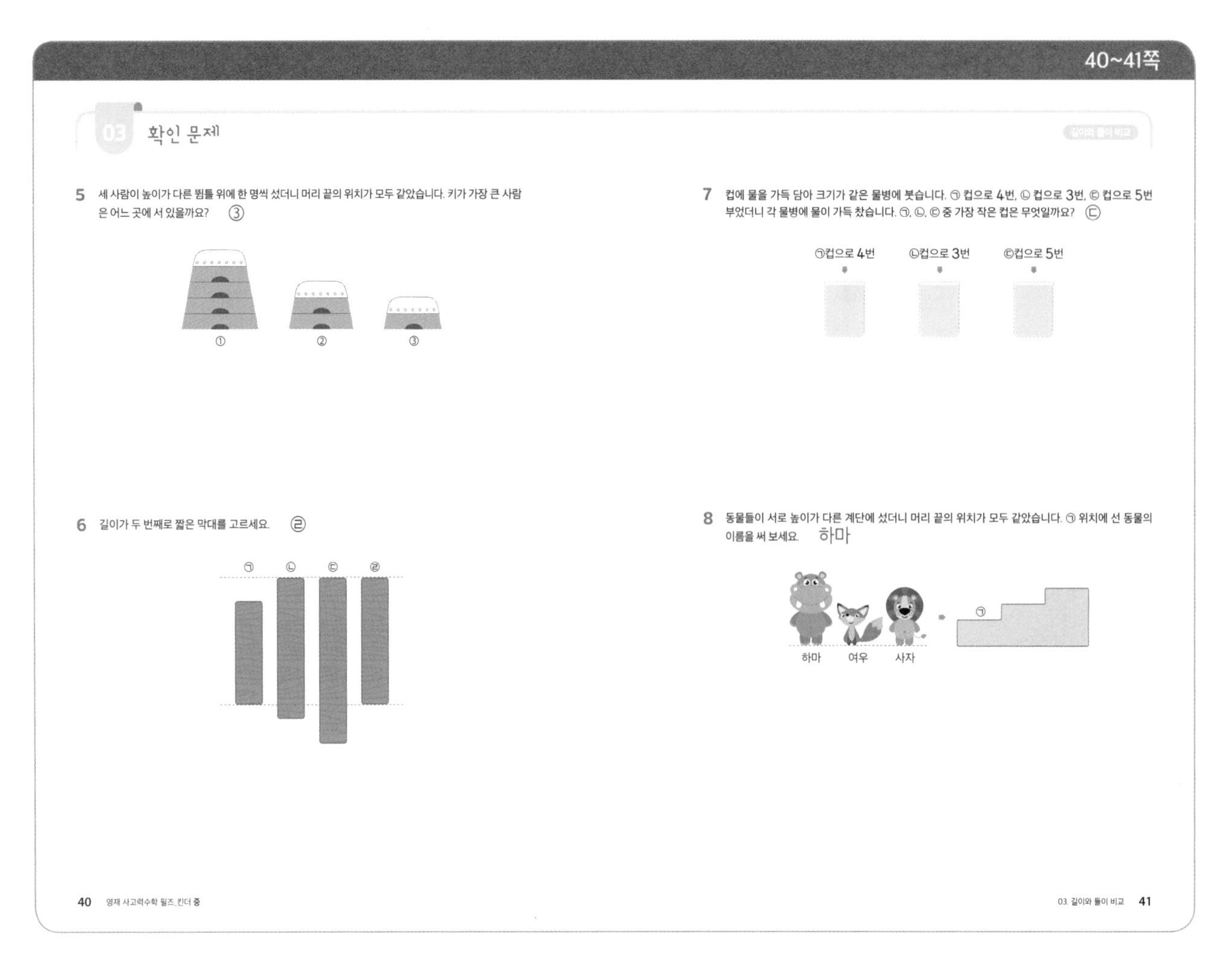
40~41쪽

03 확인 문제

5 세 사람이 높이가 다른 뜀틀 위에 한 명씩 섰더니 머리 끝의 위치가 모두 같았습니다. 키가 가장 큰 사람은 어느 곳에 서 있을까요? ③

① ② ③

6 길이가 두 번째로 짧은 막대를 고르세요. ㉣

㉠ ㉡ ㉢ ㉣

7 컵에 물을 가득 담아 크기가 같은 물병에 붓습니다. ㉠ 컵으로 4번, ㉡ 컵으로 3번, ㉢ 컵으로 5번 부었더니 각 물병에 물이 가득 찼습니다. ㉠, ㉡, ㉢ 중 가장 작은 컵은 무엇일까요? ㉢

㉠컵으로 4번 ㉡컵으로 3번 ㉢컵으로 5번

8 동물들이 서로 높이가 다른 계단에 섰더니 머리 끝의 위치가 모두 같았습니다. ㉠ 위치에 선 동물의 이름을 써 보세요. 하마

하마 여우 사자 ㉠

40 영재 사고력수학 필즈_킨더 중

03. 길이와 들이 비교 41

5 머리 끝의 위치가 모두 같으므로 가장 낮은 뜀틀 위에 서 있는 사람의 키가 가장 큽니다.

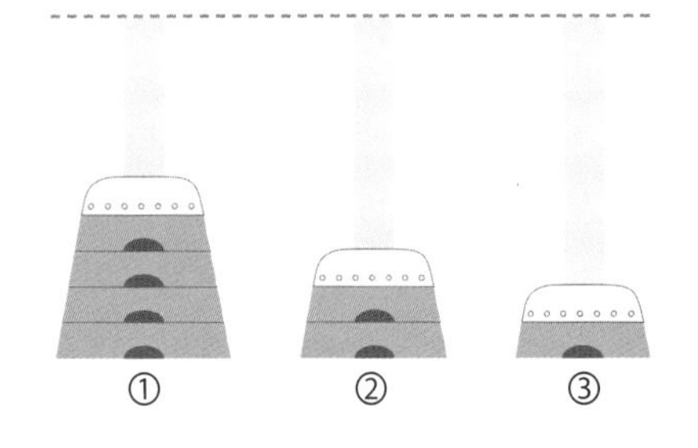

6 길이가 가장 짧은 막대부터 차례로 ㉠, ㉣, ㉡, ㉢입니다.

7 컵의 크기가 작을수록 여러 번 부어야 물병에 물을 가득 채울 수 있습니다.

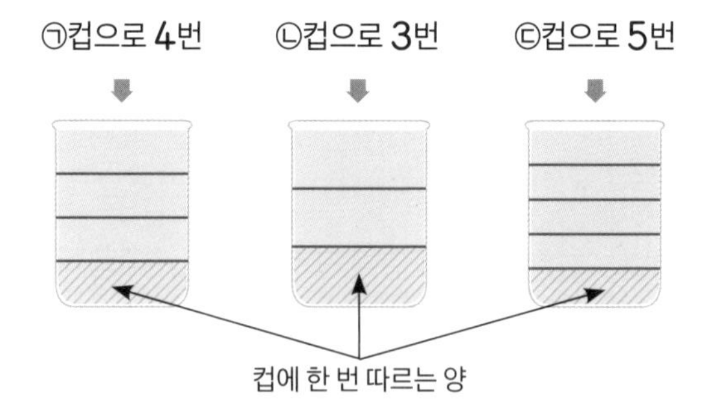

8 **1)** 키가 작은 동물부터 차례로 여우, 사자, 하마입니다.

2) 계단에 섰을 때 머리 끝의 위치가 모두 같았으므로 키가 가장 큰 동물이 가장 낮은 계단에, 키가 가장 작은 동물이 가장 높은 계단이 섰습니다. ㉠에는 키가 가장 큰 하마가 서 있습니다.

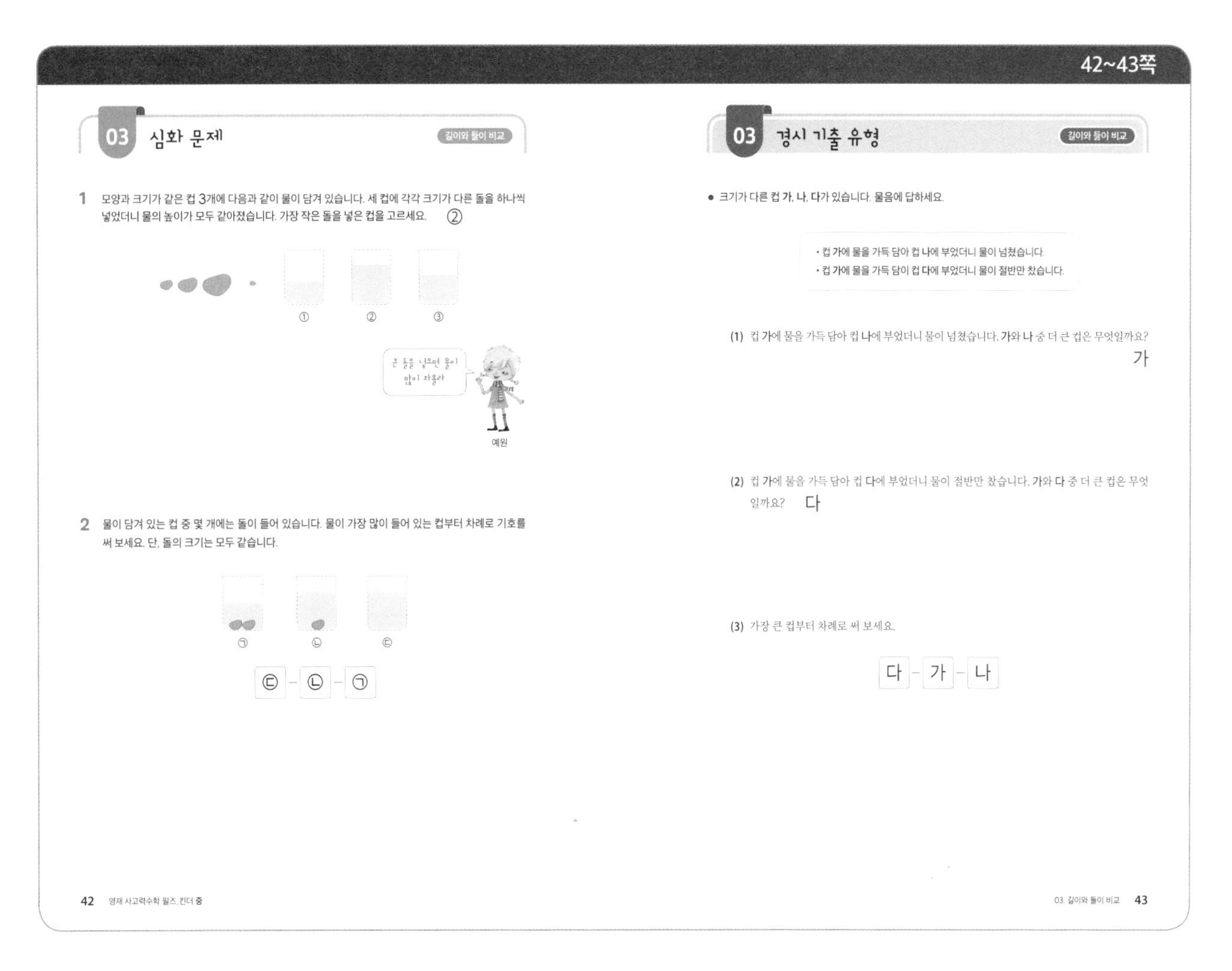
42~43쪽

03 심화 문제 (길이와 들이 비교)

1 모양과 크기가 같은 컵 3개에 다음과 같이 물이 담겨 있습니다. 세 컵에 각각 크기가 다른 돌을 하나씩 넣었더니 물의 높이가 모두 같아졌습니다. 가장 작은 돌을 넣은 컵을 고르세요. ②

① ② ③

큰 돌을 넣으면 물이 많이 차올라

예원

2 물이 담겨 있는 컵 중 몇 개에는 돌이 들어 있습니다. 물이 가장 많이 들어 있는 컵부터 차례로 기호를 써 보세요. 단, 돌의 크기는 모두 같습니다.

㉠ ㉡ ㉢

㉢ - ㉡ - ㉠

03 경시 기출 유형 (길이와 들이 비교)

● 크기가 다른 컵 **가**, **나**, **다**가 있습니다. 물음에 답하세요.

• 컵 **가**에 물을 가득 담아 컵 **나**에 부었더니 물이 넘쳤습니다.
• 컵 **가**에 물을 가득 담이 컵 **다**에 부었더니 물이 절반만 찼습니다.

(1) 컵 **가**에 물을 가득 담아 컵 **나**에 부었더니 물이 넘쳤습니다. **가**와 **나** 중 더 큰 컵은 무엇일까요? 가

(2) 컵 **가**에 물을 가득 담아 컵 **다**에 부었더니 물이 절반만 찼습니다. **가**와 **다** 중 더 큰 컵은 무엇일까요? 다

(3) 가장 큰 컵부터 차례로 써 보세요.

다 - 가 - 나

42 영재 사고력수학 필즈 킨더 중

03. 길이와 들이 비교 43

1 큰 돌을 넣을수록 물이 많이 차오르므로 물이 가장 적게 담긴 컵에 가장 큰 돌을 넣었고, 물이 가장 많이 담긴 컵에 가장 작은 돌을 넣었습니다.

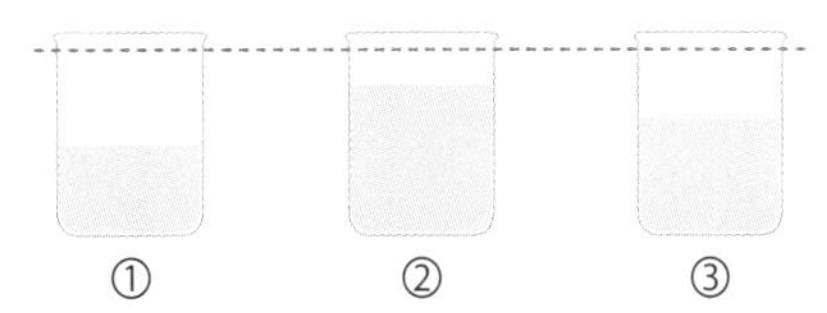

2 **1)** 돌을 빼면 물의 높이는 낮아집니다.

2) ㉡과 ㉢ 중 ㉡에 들어 있는 돌을 빼면 물이 낮아지므로 ㉡보다 ㉢에 물이 더 많이 들어 있습니다.

3) ㉠은 물의 높이도 가장 낮고, 돌도 2개 들어 있으므로 물이 가장 적게 들어 있습니다.

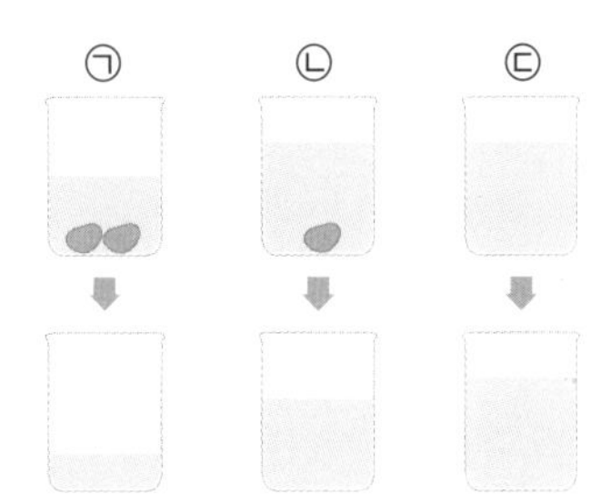

● **(1)** 컵 **가**가 컵 **나**보다 더 큽니다.

(2) 컵 **가**가 컵 **다**보다 더 작습니다.

(3) 가장 큰 컵부터 차례로 **다**, **가**, **나**입니다.

04 달력

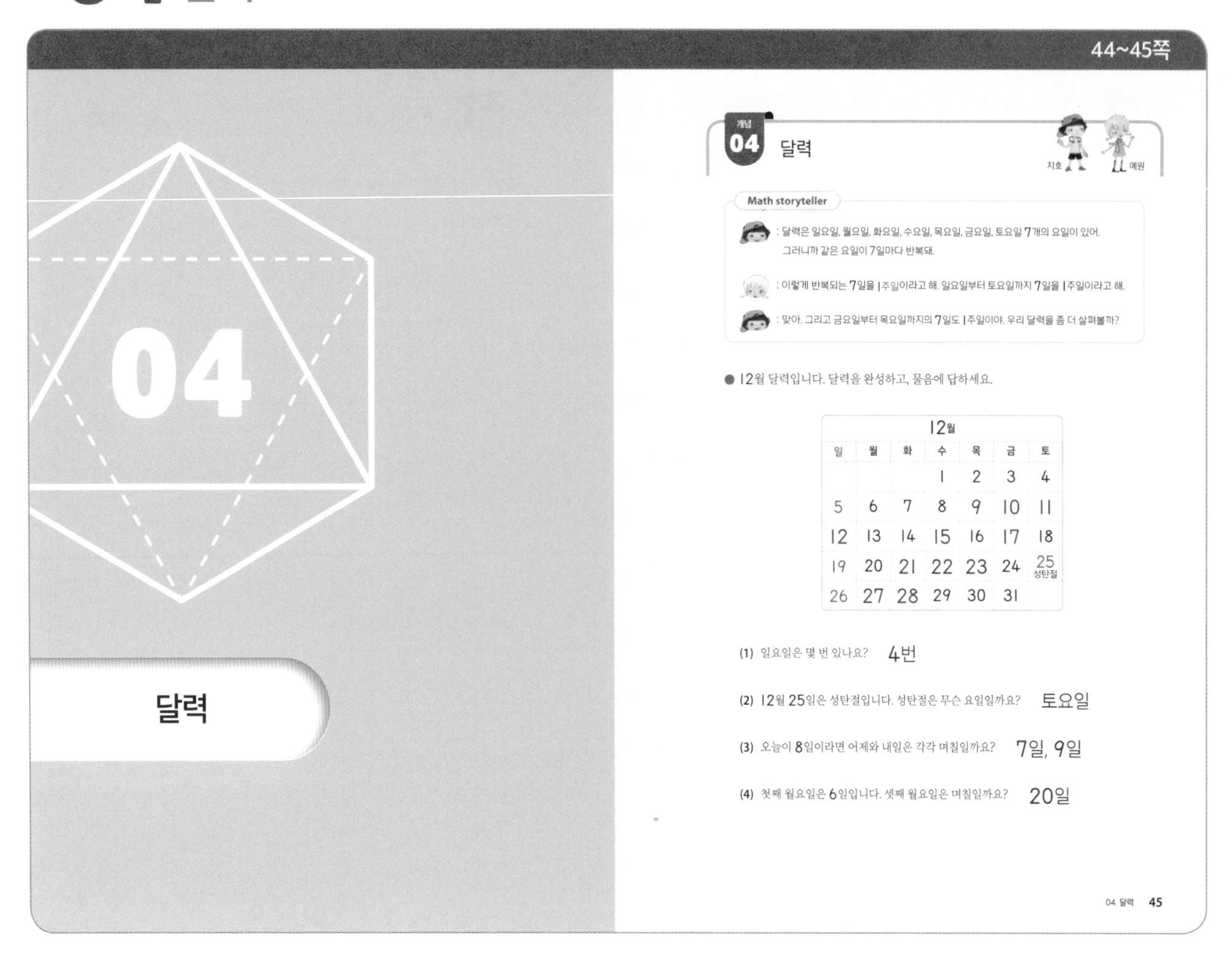

44~45쪽
04
달력
개념 04 달력
지호 예원
Math storyteller
: 달력은 일요일, 월요일, 화요일, 수요일, 목요일, 금요일, 토요일 7개의 요일이 있어. 그러니까 같은 요일이 7일마다 반복돼.
: 이렇게 반복되는 7일을 1주일이라고 해. 일요일부터 토요일까지 7일을 1주일이라고 해.
: 맞아. 그리고 금요일부터 목요일까지의 7일도 1주일이야. 우리 달력을 좀 더 살펴볼까?
● 12월 달력입니다. 달력을 완성하고, 물음에 답하세요.
12월
(1) 일요일은 몇 번 있나요? 4번
(2) 12월 25일은 성탄절입니다. 성탄절은 무슨 요일일까요? 토요일
(3) 오늘이 8일이라면 어제와 내일은 각각 며칠일까요? 7일, 9일
(4) 첫째 월요일은 6일입니다. 셋째 월요일은 며칠일까요? 20일
04. 달력 45

일	월	화	수	목	금	토
			1	2	3	4
5	6	7	8	9	10	11
12	13	14	15	16	17	18
19	20	21	22	23	24	25 성탄절
26	27	28	29	30	31	

(1) 5일, 12일, 19일, 26일이 일요일입니다.
(2) 달력에서 25일이 있는 세로줄의 요일을 읽습니다.
(3) 어제는 바로 전날, 내일은 바로 다음 날입니다.
(4) 둘째 월요일은 13일, 셋째 월요일은 20일입니다.

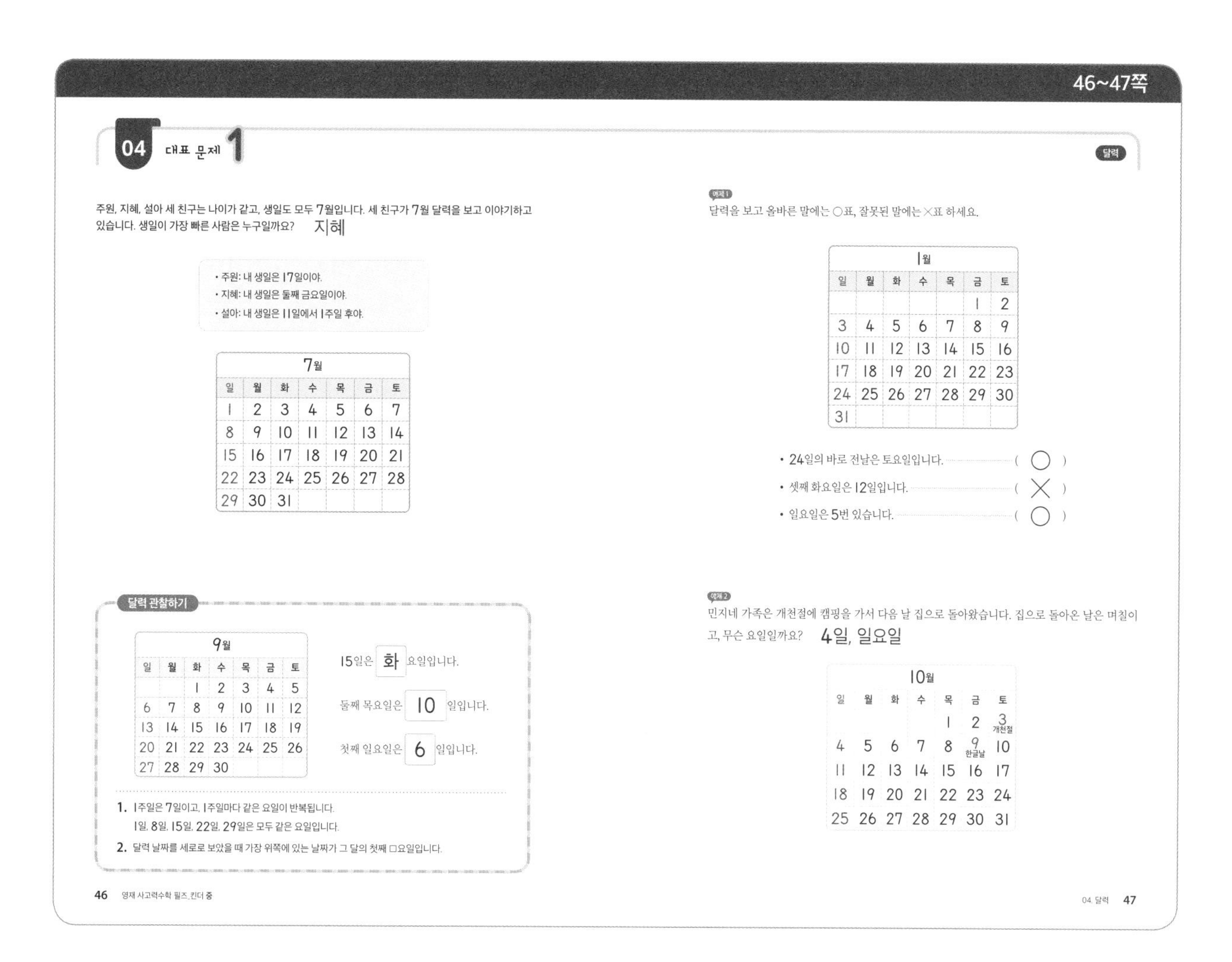
46~47쪽

04 대표 문제 1

달력

주원, 지혜, 설아 세 친구는 나이가 같고, 생일도 모두 7월입니다. 세 친구가 7월 달력을 보고 이야기하고 있습니다. 생일이 가장 빠른 사람은 누구일까요? 지혜

- 주원: 내 생일은 17일이야.
- 지혜: 내 생일은 둘째 금요일이야.
- 설아: 내 생일은 11일에서 1주일 후야.

7월

일	월	화	수	목	금	토
1	2	3	4	5	6	7
8	9	10	11	12	13	14
15	16	17	18	19	20	21
22	23	24	25	26	27	28
29	30	31				

달력 관찰하기

9월

일	월	화	수	목	금	토
		1	2	3	4	5
6	7	8	9	10	11	12
13	14	15	16	17	18	19
20	21	22	23	24	25	26
27	28	29	30			

15일은 화 요일입니다.

둘째 목요일은 10 일입니다.

첫째 일요일은 6 일입니다.

1. 1주일은 7일이고, 1주일마다 같은 요일이 반복됩니다.
   1일, 8일, 15일, 22일, 29일은 모두 같은 요일입니다.
2. 달력 날짜를 세로로 보았을 때 가장 위쪽에 있는 날짜가 그 달의 첫째 □요일입니다.

예제 1

달력을 보고 올바른 말에는 ○표, 잘못된 말에는 ×표 하세요.

1월

일	월	화	수	목	금	토
					1	2
3	4	5	6	7	8	9
10	11	12	13	14	15	16
17	18	19	20	21	22	23
24	25	26	27	28	29	30
31						

- 24일의 바로 전날은 토요일입니다. (○)
- 셋째 화요일은 12일입니다. (×)
- 일요일은 5번 있습니다. (○)

예제 2

민지네 가족은 개천절에 캠핑을 가서 다음 날 집으로 돌아왔습니다. 집으로 돌아온 날은 며칠이고, 무슨 요일일까요? 4일, 일요일

10월

일	월	화	수	목	금	토
				1	2	3 개천절
4	5	6	7	8	9 한글날	10
11	12	13	14	15	16	17
18	19	20	21	22	23	24
25	26	27	28	29	30	31

46 영재 사고력수학 필즈, 킨더 중

04. 달력 47

7월

일	월	화	수	목	금	토
1	2	3	4	5	6	7
8	9	10	11	12	13 지혜	14
15	16	17 주원	18 설아	19	20	21
22	23	24	25	26	27	28
29	30	31				

예제 1

1) 24일은 일요일이므로 바로 전날은 23일 토요일입니다.
2) 셋째 화요일은 19일입니다.

예제 2

개천절은 3일입니다. 3일 토요일의 다음 날은 4일 일요일입니다.

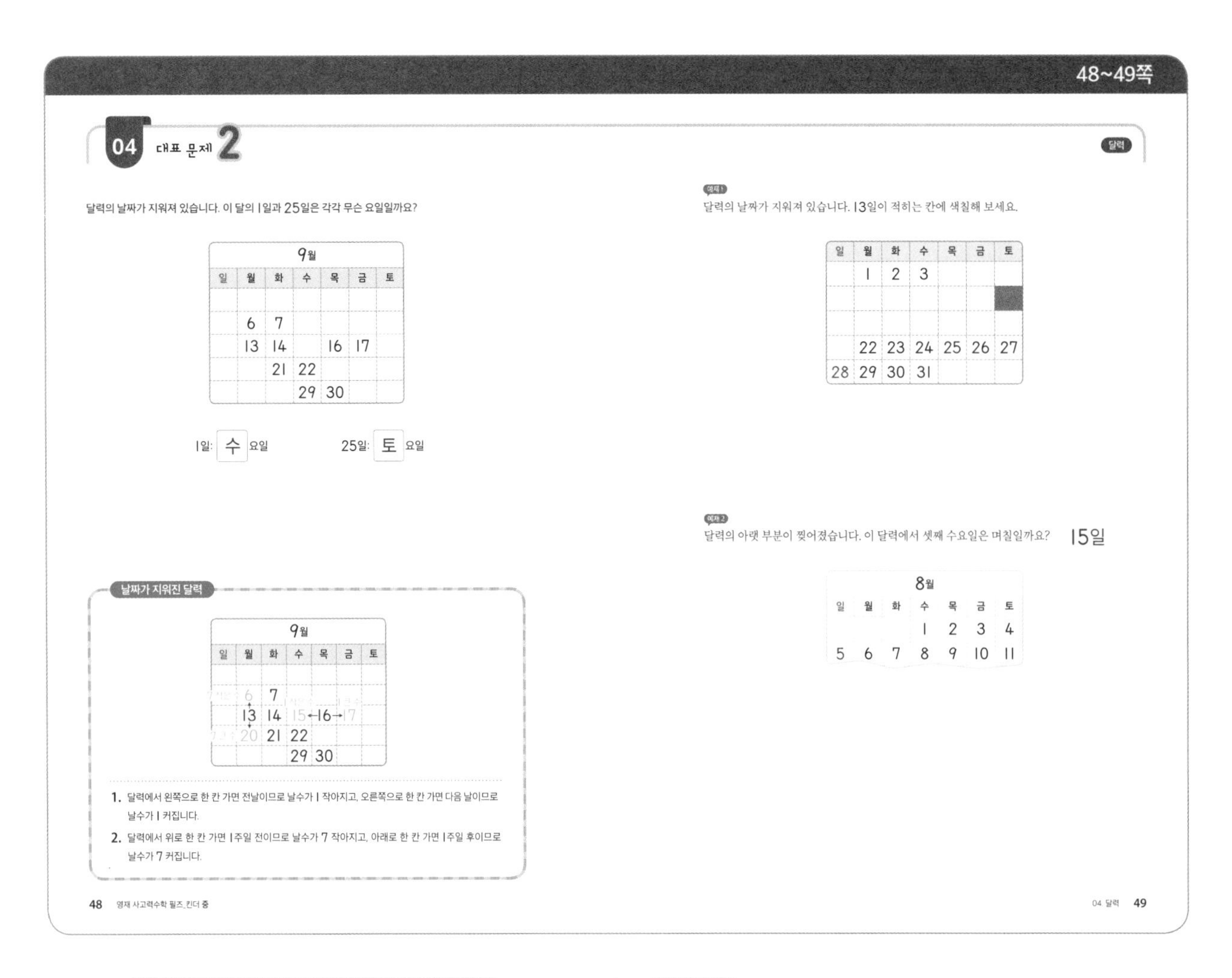
48~49쪽

04 대표 문제 2

달력

달력의 날짜가 지워져 있습니다. 이 달의 1일과 25일은 각각 무슨 요일일까요?

1일: 수 요일　　25일: 토 요일

날짜가 지워진 달력

1. 달력에서 왼쪽으로 한 칸 가면 전날이므로 날수가 1 작아지고, 오른쪽으로 한 칸 가면 다음 날이므로 날수가 1 커집니다.
2. 달력에서 위로 한 칸 가면 1주일 전이므로 날수가 7 작아지고, 아래로 한 칸 가면 1주일 후이므로 날수가 7 커집니다.

48 영재 사고력수학 필즈_킨더 중

예제 1
달력의 날짜가 지워져 있습니다. 13일이 적히는 칸에 색칠해 보세요.

예제 2
달력의 아랫 부분이 찢어졌습니다. 이 달력에서 셋째 수요일은 며칠일까요? 15일

04 달력 49

9월

일	월	화	수	목	금	토
			(1)	2	3	4
5	6	7	8	9	10	11
12	13	14	15	16	17	18
19	20	21	22	23	24	(25)
26	27	28	29	30		

예제 1

일	월	화	수	목	금	토
	1	2	3	4	5	6
7	8	9	10	11	12	(13)
	22	23	24	25	26	27
28	29	30	31			

예제 2

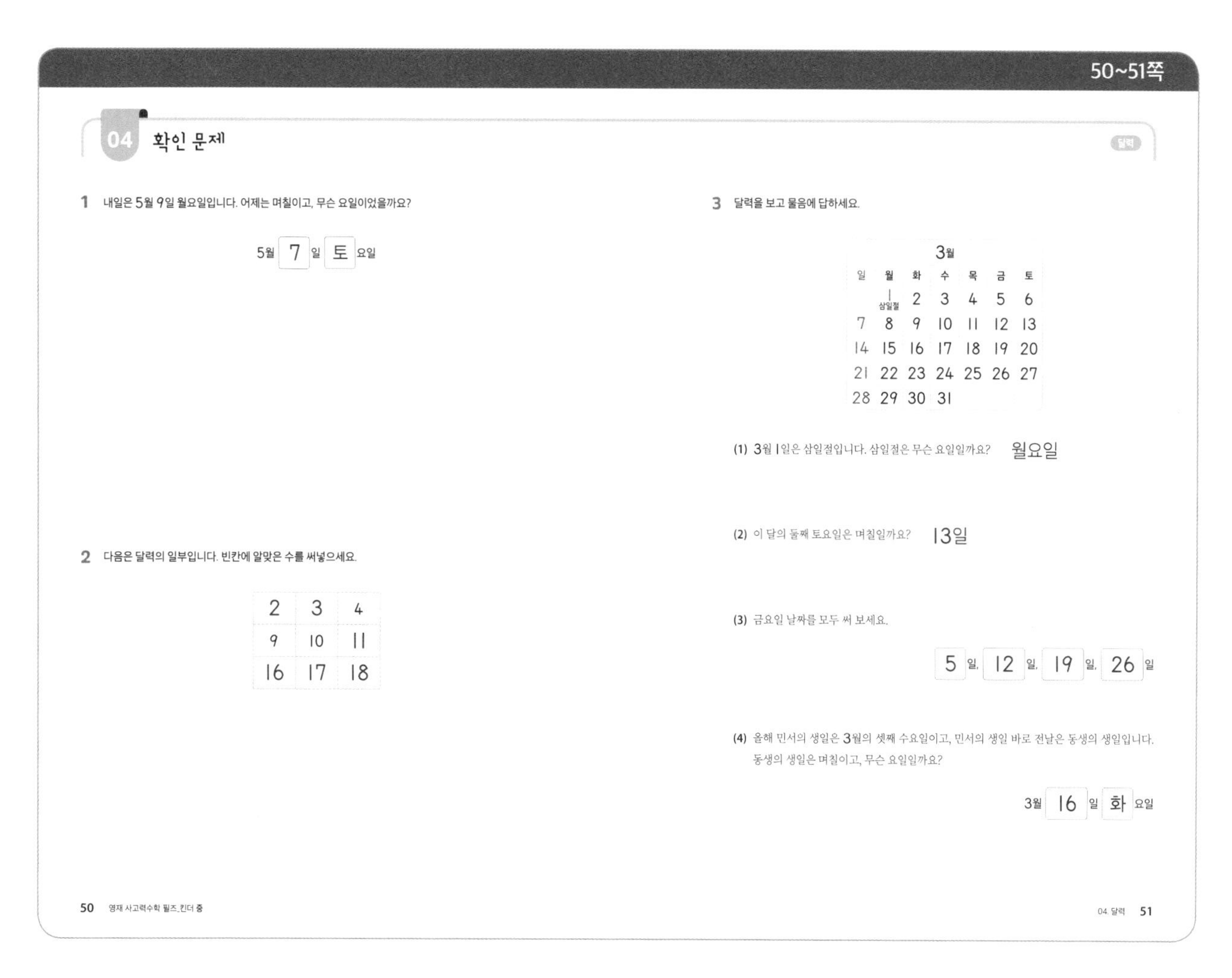

50~51쪽

04 확인 문제

달력

1 내일은 5월 9일 월요일입니다. 어제는 며칠이고, 무슨 요일이었을까요?

5월 [7] 일 [토] 요일

2 다음은 달력의 일부입니다. 빈칸에 알맞은 수를 써넣으세요.

2	3	4
9	10	11
16	17	18

3 달력을 보고 물음에 답하세요.

3월

일	월	화	수	목	금	토
	1 삼일절	2	3	4	5	6
7	8	9	10	11	12	13
14	15	16	17	18	19	20
21	22	23	24	25	26	27
28	29	30	31			

(1) 3월 1일은 삼일절입니다. 삼일절은 무슨 요일일까요? 월요일

(2) 이 달의 둘째 토요일은 며칠일까요? 13일

(3) 금요일 날짜를 모두 써 보세요.

[5] 일, [12] 일, [19] 일, [26] 일

(4) 올해 민서의 생일은 3월의 셋째 수요일이고, 민서의 생일 바로 전날은 동생의 생일입니다. 동생의 생일은 며칠이고, 무슨 요일일까요?

3월 [16] 일 [화] 요일

50 영재 사고력수학 필즈_킨더 중

04. 달력 51

1 오늘은 8일 일요일, 어제는 7일 토요일입니다.

2 오른쪽으로 한 칸 가면 1씩 커지고 아래로 한 칸 가면 7씩 커집니다.

3 (2) 첫째 토요일은 6일, 둘째 토요일은 13일입니다.

(4) 민서의 생일: 17일 수요일

동생의 생일: 16일 화요일

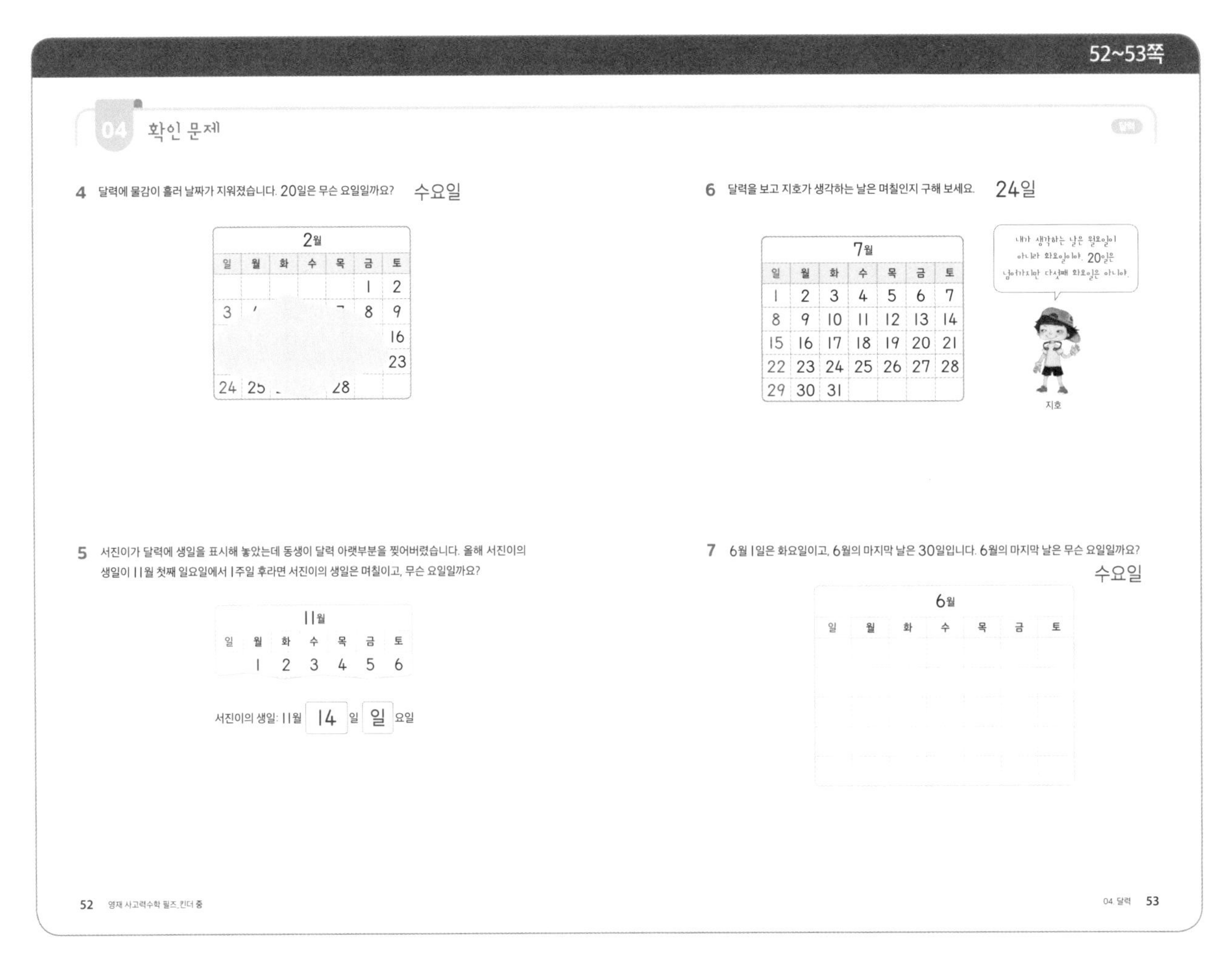

52~53쪽

04 확인 문제

4 달력에 물감이 흘러 날짜가 지워졌습니다. 20일은 무슨 요일일까요? 수요일

2월						
일	월	화	수	목	금	토
					1	2
3					8	9
						16
						23
24	25			28		

5 서진이가 달력에 생일을 표시해 놓았는데 동생이 달력 아랫부분을 찢어버렸습니다. 올해 서진이의 생일이 11월 첫째 일요일에서 1주일 후라면 서진이의 생일은 며칠이고, 무슨 요일일까요?

11월						
일	월	화	수	목	금	토
	1	2	3	4	5	6

서진이의 생일: 11월 14 일 일 요일

6 달력을 보고 지호가 생각하는 날은 며칠인지 구해 보세요. 24일

7월						
일	월	화	수	목	금	토
1	2	3	4	5	6	7
8	9	10	11	12	13	14
15	16	17	18	19	20	21
22	23	24	25	26	27	28
29	30	31				

내가 생각하는 날은 월요일이
아니라 화요일이야. 20일은
넘어가지만 다섯째 화요일은 아니야.
지호

7 6월 1일은 화요일이고, 6월의 마지막 날은 30일입니다. 6월의 마지막 날은 무슨 요일일까요? 수요일

6월						
일	월	화	수	목	금	토

52 영재 사고력수학 필즈_킨더 중

04 달력 53

4

5 첫째 일요일은 7일, 7일에서 1주일 후는 14일입니다.

6 화요일이면서 20일 이후는 24일, 31일인데 다섯째 화요일은 아니므로 24일입니다.

7 조건에 맞게 달력을 만들어 봅니다.

6월						
일	월	화	수	목	금	토
		1	2	3	4	5
6	7	8	9	10	11	12
13	14	15	16	17	18	19
20	21	22	23	24	25	26
27	28	29	30			

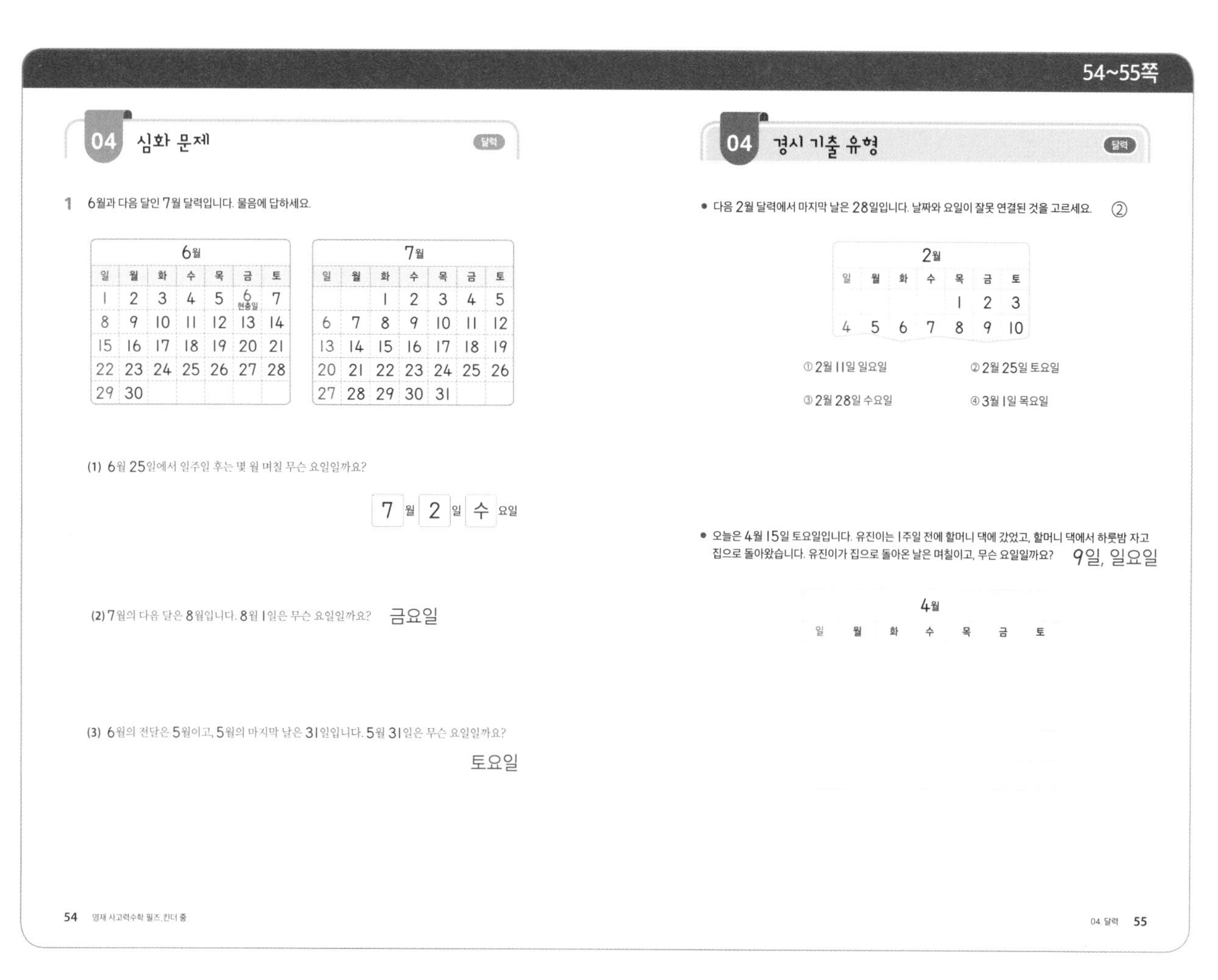
54~55쪽

04 심화 문제 달력

1 6월과 다음 달인 7월 달력입니다. 물음에 답하세요.

6월						
일	월	화	수	목	금	토
1	2	3	4	5	6 현충일	7
8	9	10	11	12	13	14
15	16	17	18	19	20	21
22	23	24	25	26	27	28
29	30					

7월						
일	월	화	수	목	금	토
		1	2	3	4	5
6	7	8	9	10	11	12
13	14	15	16	17	18	19
20	21	22	23	24	25	26
27	28	29	30	31		

(1) 6월 25일에서 일주일 후는 몇 월 며칠 무슨 요일일까요?

7 월 2 일 수 요일

(2) 7월의 다음 달은 8월입니다. 8월 1일은 무슨 요일일까요? 금요일

(3) 6월의 전달은 5월이고, 5월의 마지막 날은 31일입니다. 5월 31일은 무슨 요일일까요?

토요일

54 영재 사고력수학 필즈 킨더 중

04 경시 기출 유형 달력

• 다음 2월 달력에서 마지막 날은 28일입니다. 날짜와 요일이 잘못 연결된 것을 고르세요. ②

2월						
일	월	화	수	목	금	토
				1	2	3
4	5	6	7	8	9	10

① 2월 11일 일요일 ② 2월 25일 토요일

③ 2월 28일 수요일 ④ 3월 1일 목요일

• 오늘은 4월 15일 토요일입니다. 유진이는 1주일 전에 할머니 댁에 갔었고, 할머니 댁에서 하룻밤 자고 집으로 돌아왔습니다. 유진이가 집으로 돌아온 날은 며칠이고, 무슨 요일일까요? 9일, 일요일

4월

일 월 화 수 목 금 토

04 달력 55

1 (1)

6월						
일	월	화	수	목	금	토
1	2	3	4	5	6 현충일	7
8	9	10	11	12	13	14
15	16	17	18	19	20	21
22	23	24	25	26	27	28
29	30	1	2			

(2) 7월의 마지막 날이 31일 목요일이므로 다음 날은 8월 1일 금요일입니다.

7월						
일	월	화	수	목	금	토
		1	2	3	4	5
6	7	8	9	10	11	12
13	14	15	16	17	18	19
20	21	22	23	24	25	26
27	28	29	30	31	1	

(3) 6월 1일이 일요일이므로 바로 전날인 5월 31일은 토요일입니다.

•

2월						
일	월	화	수	목	금	토
				1	2	3
4	5	6	7	8	9	10
(11)	12	13	14	15	16	17
18	19	20	21	22	23	24
(25)	26	27	(28)	(1)		

•

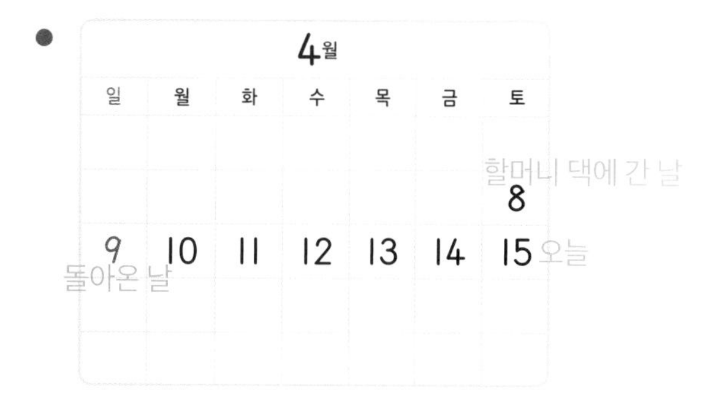

05 선 잇기 퍼즐

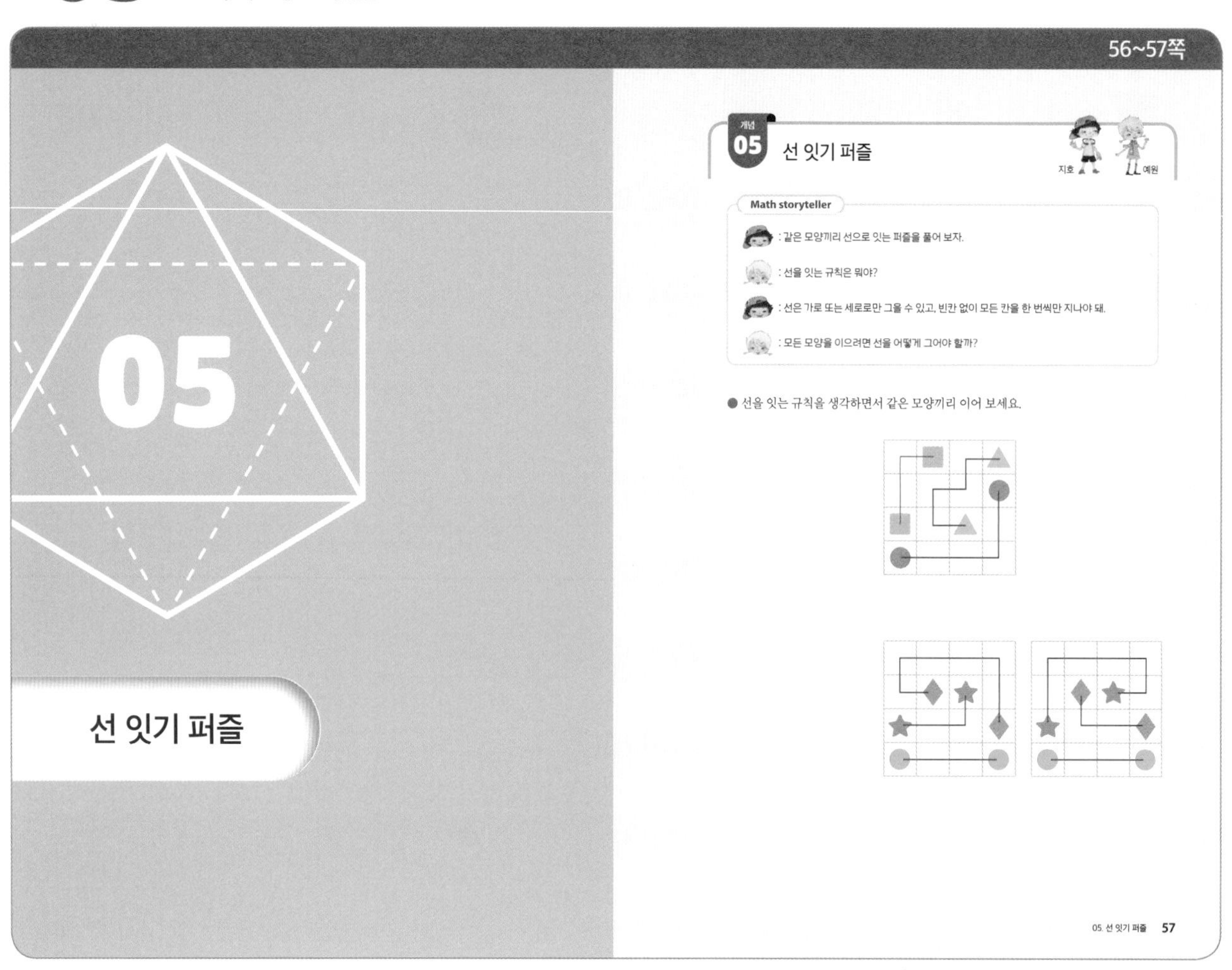
56~57쪽
05
선 잇기 퍼즐
개념 05 선 잇기 퍼즐
지호
예원
Math storyteller
: 같은 모양끼리 선으로 잇는 퍼즐을 풀어 보자.
: 선을 잇는 규칙은 뭐야?
: 선은 가로 또는 세로로만 그을 수 있고, 빈칸 없이 모든 칸을 한 번씩만 지나야 돼.
: 모든 모양을 이으려면 선을 어떻게 그어야 할까?
● 선을 잇는 규칙을 생각하면서 같은 모양끼리 이어 보세요.
05. 선 잇기 퍼즐 57

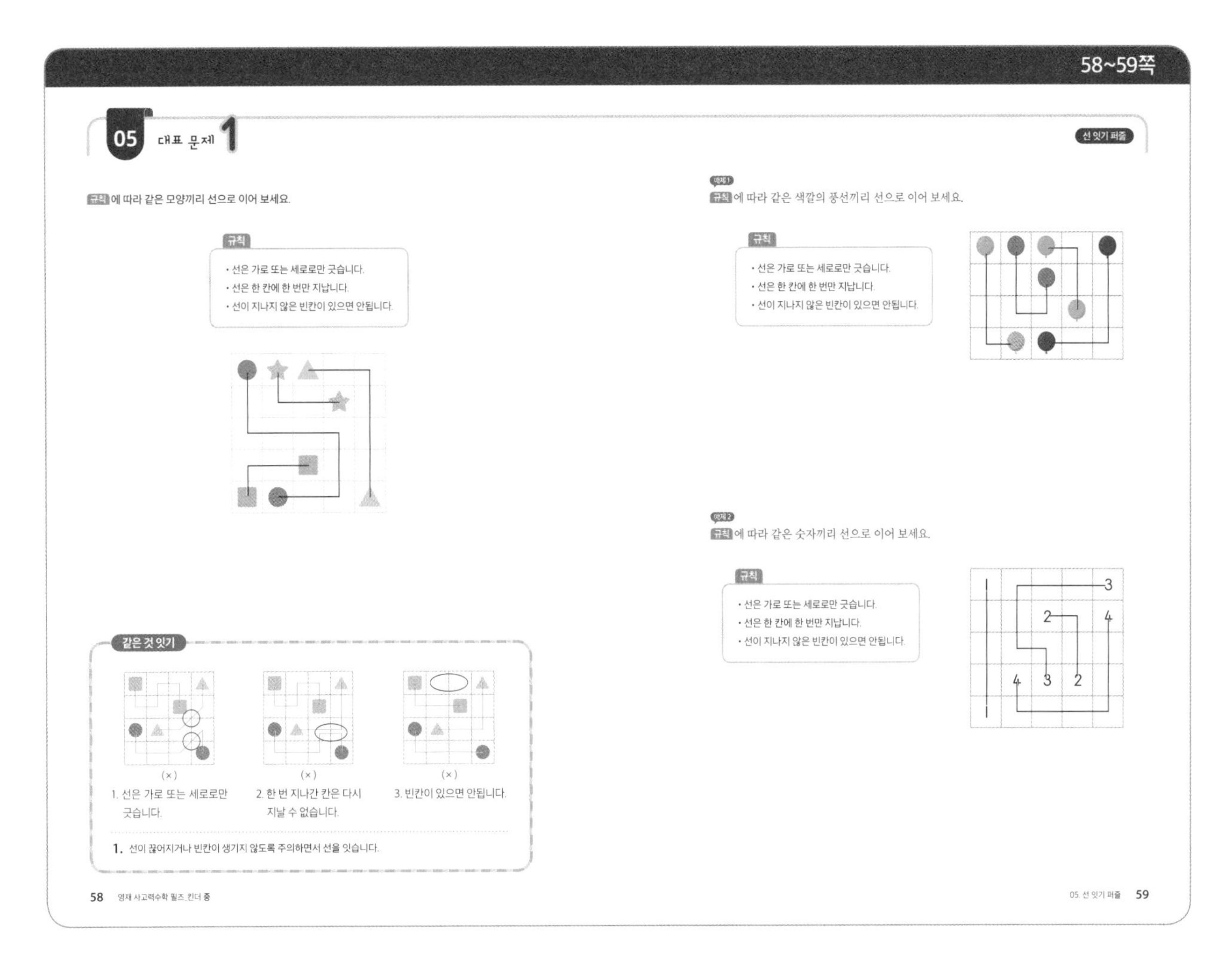

58~59쪽

05 대표 문제 1

선 잇기 퍼즐

규칙에 따라 같은 모양끼리 선으로 이어 보세요.

규칙
- 선은 가로 또는 세로로만 긋습니다.
- 선은 한 칸에 한 번만 지납니다.
- 선이 지나지 않은 빈칸이 있으면 안됩니다.

같은 것 잇기

(×) 1. 선은 가로 또는 세로로만 긋습니다.

(×) 2. 한 번 지나간 칸은 다시 지날 수 없습니다.

(×) 3. 빈칸이 있으면 안됩니다.

1. 선이 끊어지거나 빈칸이 생기지 않도록 주의하면서 선을 잇습니다.

예제 1

규칙에 따라 같은 색깔의 풍선끼리 선으로 이어 보세요.

규칙
- 선은 가로 또는 세로로만 긋습니다.
- 선은 한 칸에 한 번만 지납니다.
- 선이 지나지 않은 빈칸이 있으면 안됩니다.

예제 2

규칙에 따라 같은 숫자끼리 선으로 이어 보세요.

규칙
- 선은 가로 또는 세로로만 긋습니다.
- 선은 한 칸에 한 번만 지납니다.
- 선이 지나지 않은 빈칸이 있으면 안됩니다.

58 영재 사고력수학 필즈 킨더 중

05 선 잇기 퍼즐 59

1) 빈칸이 남지 않으려면 아래쪽 ●은 오른쪽으로만 출발할 수 있습니다.

2) ▲은 가장자리를 따라 잇습니다.

예제 1

노란색과 빨간색 풍선은 각각 가장자리를 따라 잇습니다.

예제 2

1) 아래쪽 '1'에서 오른쪽으로 선을 그으면 다른 숫자들을 이을 수 없으므로 아래쪽 '1'은 위로 선을 긋습니다.

2) 빈칸이 남지 않으려면 아래쪽 '4'는 아래로 선을 그어야 합니다.

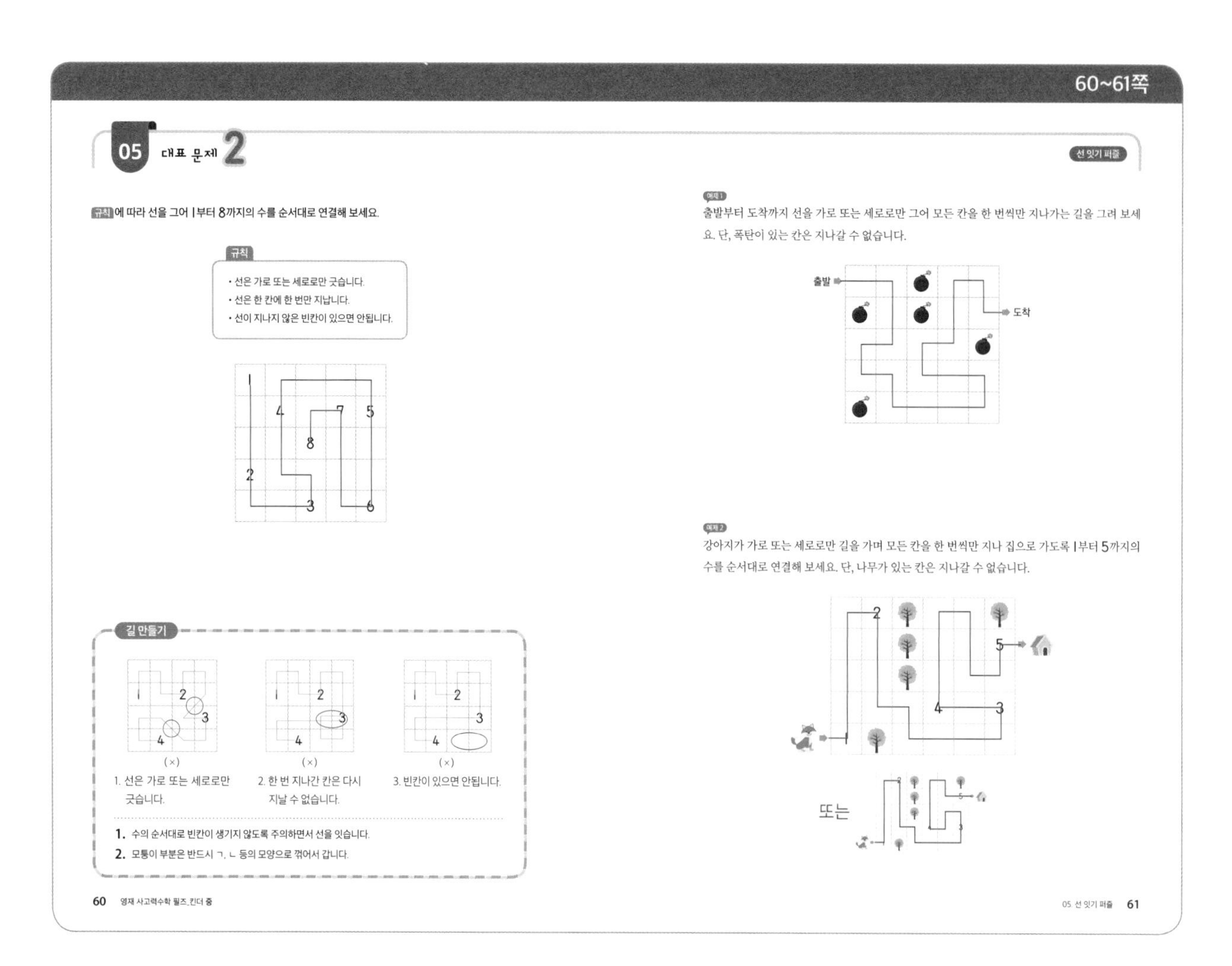
60~61쪽

05 대표 문제 2

선 잇기 퍼즐

규칙에 따라 선을 그어 1부터 8까지의 수를 순서대로 연결해 보세요.

규칙
- 선은 가로 또는 세로로만 긋습니다.
- 선은 한 칸에 한 번만 지납니다.
- 선이 지나지 않은 빈칸이 있으면 안됩니다.

길 만들기

(×) 1. 선은 가로 또는 세로로만 긋습니다.

(×) 2. 한 번 지나간 칸은 다시 지날 수 없습니다.

(×) 3. 빈칸이 있으면 안됩니다.

1. 수의 순서대로 빈칸이 생기지 않도록 주의하면서 선을 잇습니다.
2. 모퉁이 부분은 반드시 ㄱ, ㄴ 등의 모양으로 꺾어서 갑니다.

예제 1
출발부터 도착까지 선을 가로 또는 세로로만 그어 모든 칸을 한 번씩만 지나가는 길을 그려 보세요. 단, 폭탄이 있는 칸은 지나갈 수 없습니다.

예제 2
강아지가 가로 또는 세로로만 길을 가며 모든 칸을 한 번씩만 지나 집으로 가도록 1부터 5까지의 수를 순서대로 연결해 보세요. 단, 나무가 있는 칸은 지나갈 수 없습니다.

또는

60 영재 사고력수학 필즈_킨더 중

05 선 잇기 퍼즐 61

1) 1부터 출발합니다.

2) 출발점인 1을 제외하고 모퉁이 부분은 항상 ㄱ 모양으로 꺾입니다.

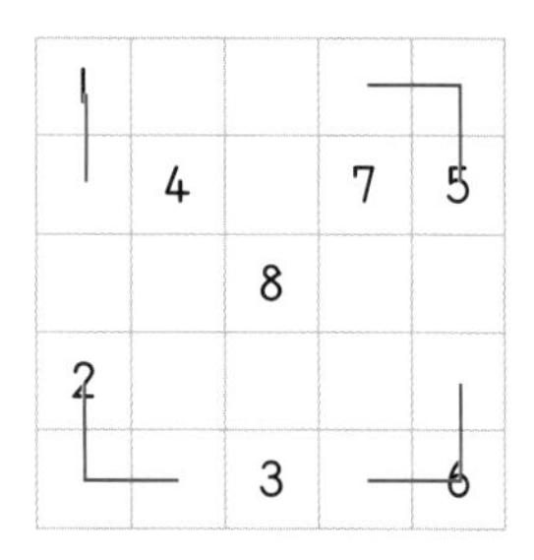

예제 1

모퉁이 부분은 항상 ㄱ 모양으로 꺾입니다.

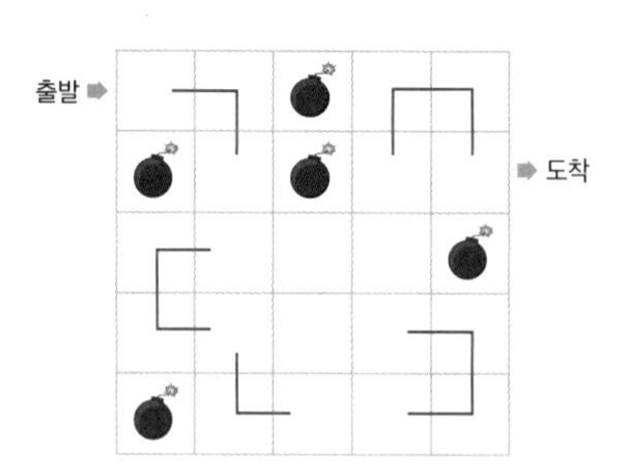

예제 2

모퉁이 부분은 항상 ㄱ 모양으로 꺾입니다.

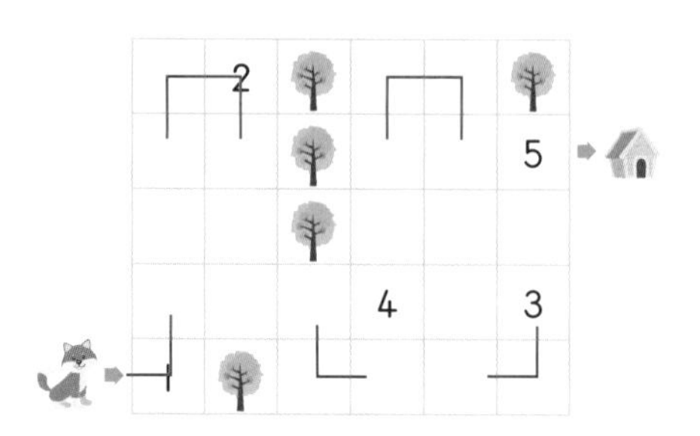

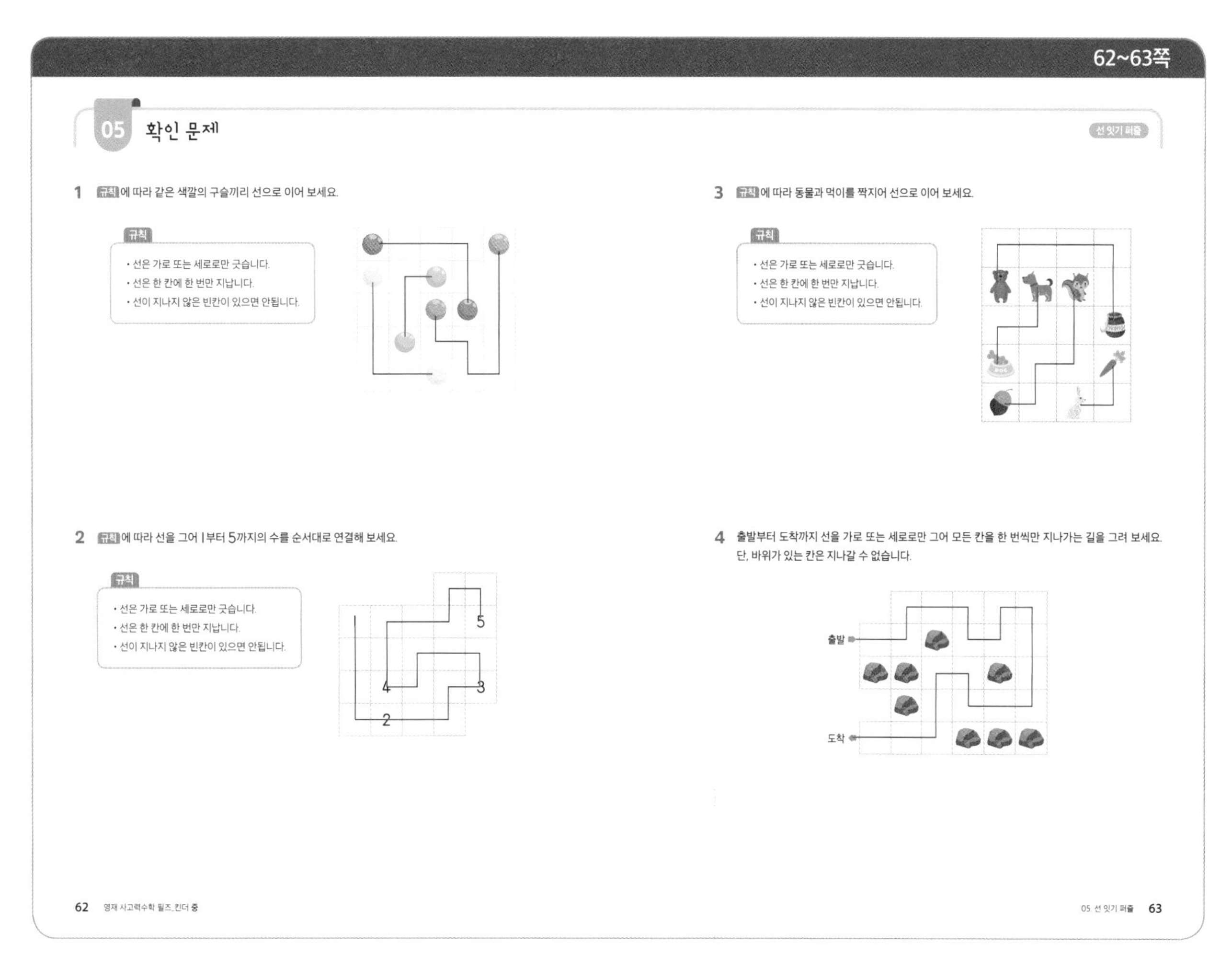

1 주황색 구슬부터 ㄱ 모양으로 잇습니다.

2 **1)** 1부터 아래쪽으로 선을 긋습니다.
2) 모퉁이 부분은 항상 ㄱ 또는 ㄴ 모양으로 꺾입니다.

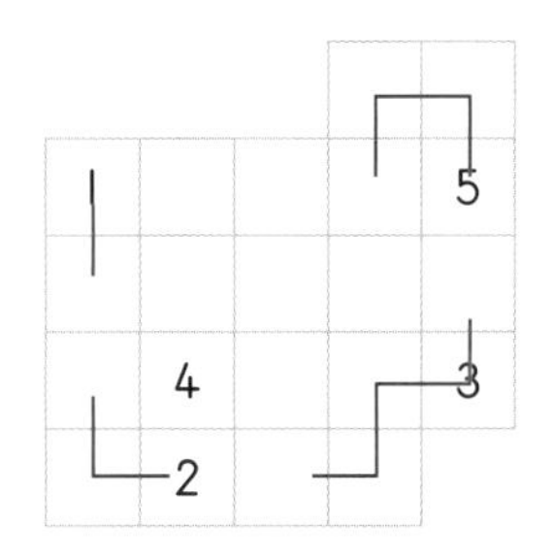

3 곰 - 꿀단지, 강아지 - 뼈다귀, 토끼 - 당근, 다람쥐 - 도토리를 잇습니다.

4 모퉁이 부분은 항상 ㄱ 또는 ㄴ 모양으로 꺾입니다.

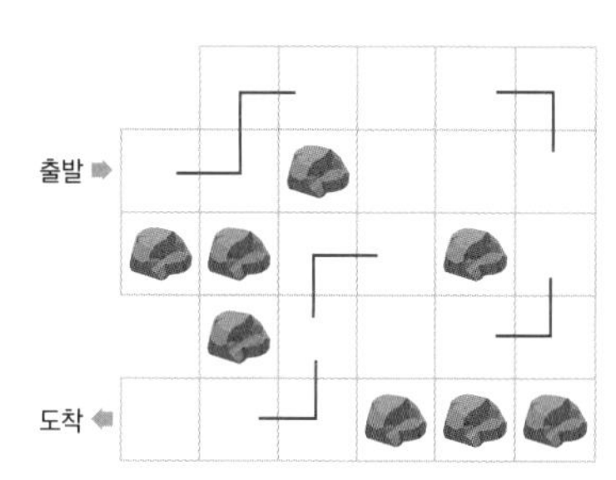

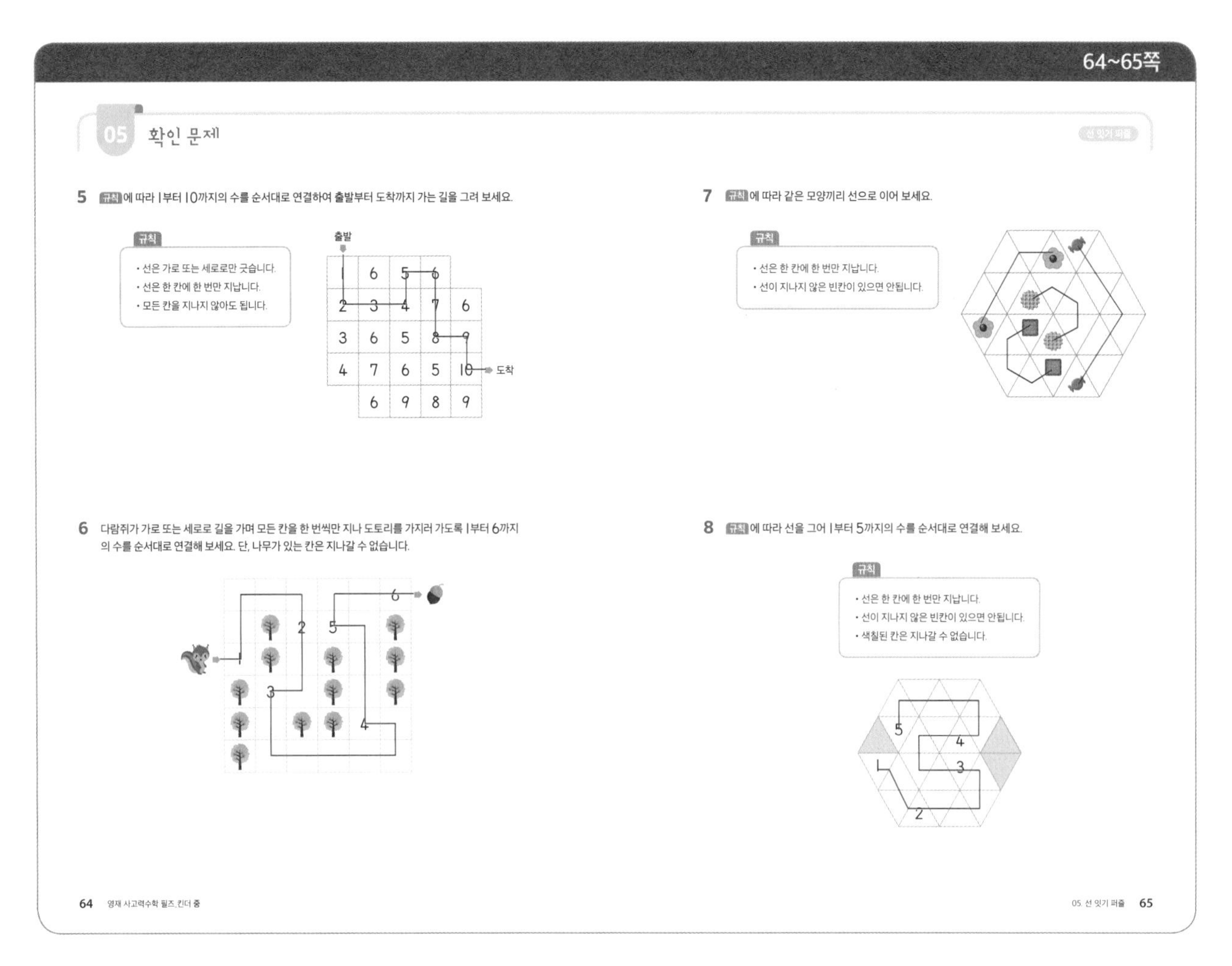
64~65쪽

05 확인 문제

선 잇기 퍼즐

5 규칙에 따라 1부터 10까지의 수를 순서대로 연결하여 출발부터 도착까지 가는 길을 그려 보세요.

규칙
- 선은 가로 또는 세로로만 긋습니다.
- 선은 한 칸에 한 번만 지납니다.
- 모든 칸을 지나지 않아도 됩니다.

7 규칙에 따라 같은 모양끼리 선으로 이어 보세요.

규칙
- 선은 한 칸에 한 번만 지납니다.
- 선이 지나지 않은 빈칸이 있으면 안됩니다.

6 다람쥐가 가로 또는 세로로 길을 가며 모든 칸을 한 번씩만 지나 도토리를 가지러 가도록 1부터 6까지의 수를 순서대로 연결해 보세요. 단, 나무가 있는 칸은 지나갈 수 없습니다.

8 규칙에 따라 선을 그어 1부터 5까지의 수를 순서대로 연결해 보세요.

규칙
- 선은 한 칸에 한 번만 지납니다.
- 선이 지나지 않은 빈칸이 있으면 안됩니다.
- 색칠된 칸은 지나갈 수 없습니다.

64 영재 사고력수학 필즈_킨더 중

05 선 잇기 퍼즐 65

5 10부터 거꾸로 출발하여 1까지 연결해도 됩니다.

8 모퉁이 부분에 빈칸이 남지 않도록 주의하면서 수를 순서대로 연결합니다.

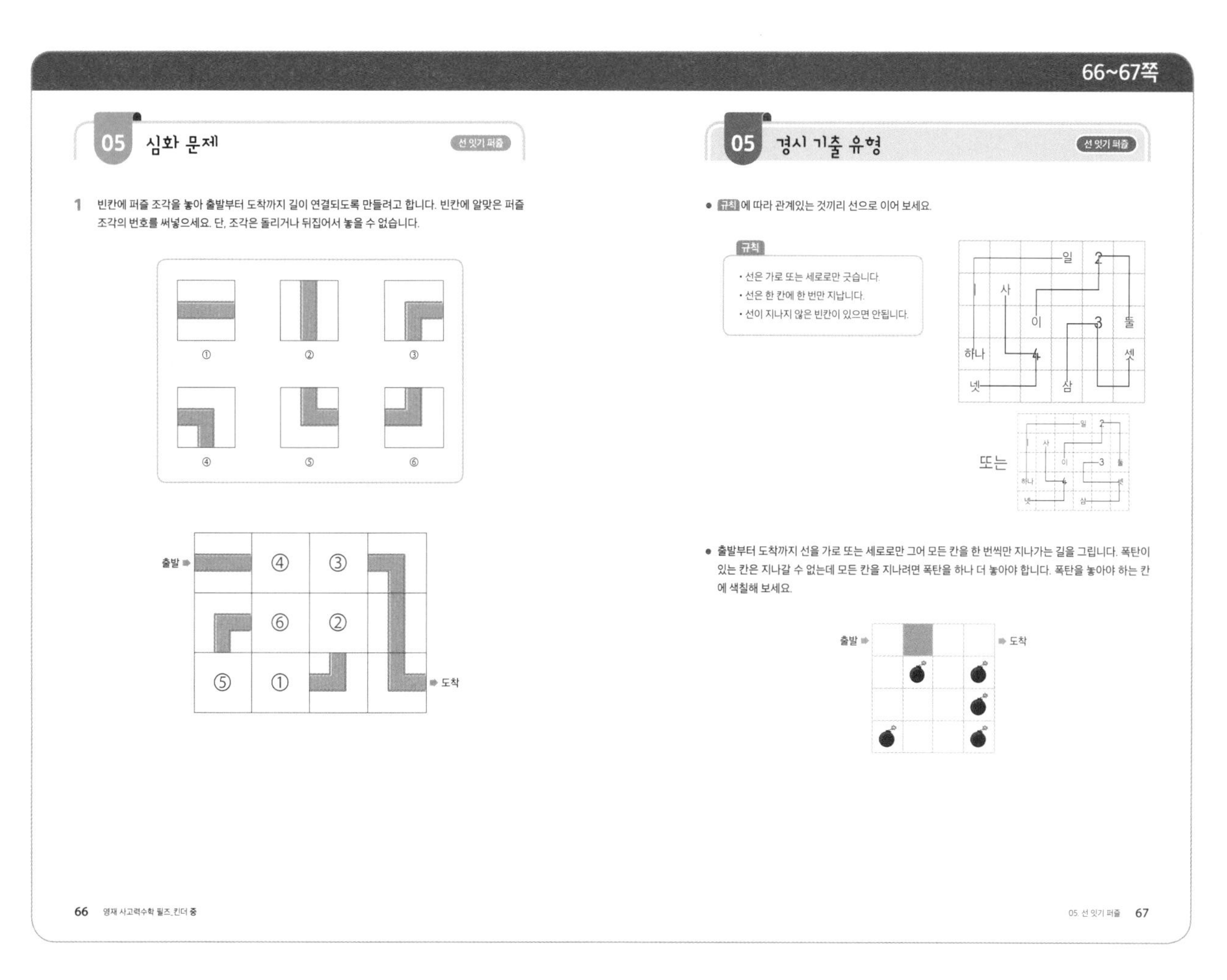

66~67쪽
05 심화 문제
선 잇기 퍼즐
1 빈칸에 퍼즐 조각을 놓아 출발부터 도착까지 길이 연결되도록 만들려고 합니다. 빈칸에 알맞은 퍼즐 조각의 번호를 써넣으세요. 단, 조각은 돌리거나 뒤집어서 놓을 수 없습니다.
출발
도착
05 경시 기출 유형
선 잇기 퍼즐
규칙 에 따라 관계있는 것끼리 선으로 이어 보세요.
규칙
• 선은 가로 또는 세로로만 긋습니다.
• 선은 한 칸에 한 번만 지납니다.
• 선이 지나지 않은 빈칸이 있으면 안됩니다.
또는
• 출발부터 도착까지 선을 가로 또는 세로로만 그어 모든 칸을 한 번씩만 지나가는 길을 그립니다. 폭탄이 있는 칸은 지나갈 수 없는데 모든 칸을 지나려면 폭탄을 하나 더 놓아야 합니다. 폭탄을 놓아야 하는 칸에 색칠해 보세요.
66 영재 사고력수학 필즈_킨더 중
05. 선 잇기 퍼즐 67

1 길이 끊어지지 않도록 선으로 이은 다음, 알맞은 퍼즐 조각을 찾습니다.

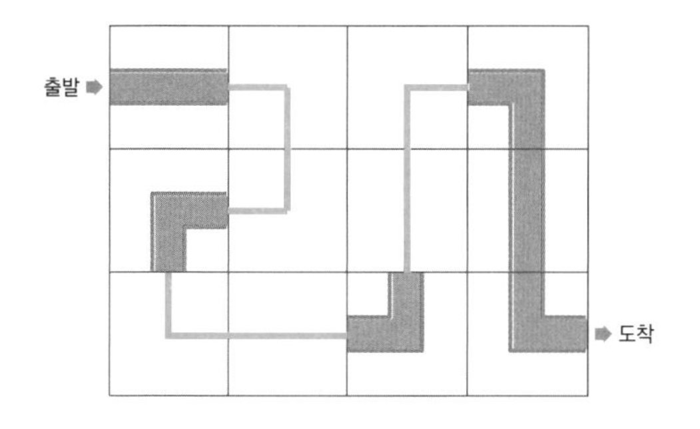

• 1) '둘'은 위로 선을 그어 '2'를 지나 '이'로 갑니다.
2) '넷'은 '4'를 지나 '사'로 갑니다.

•

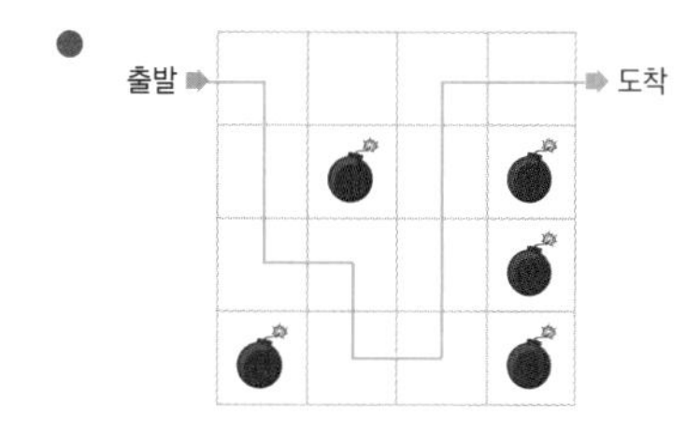

06 이동 경로

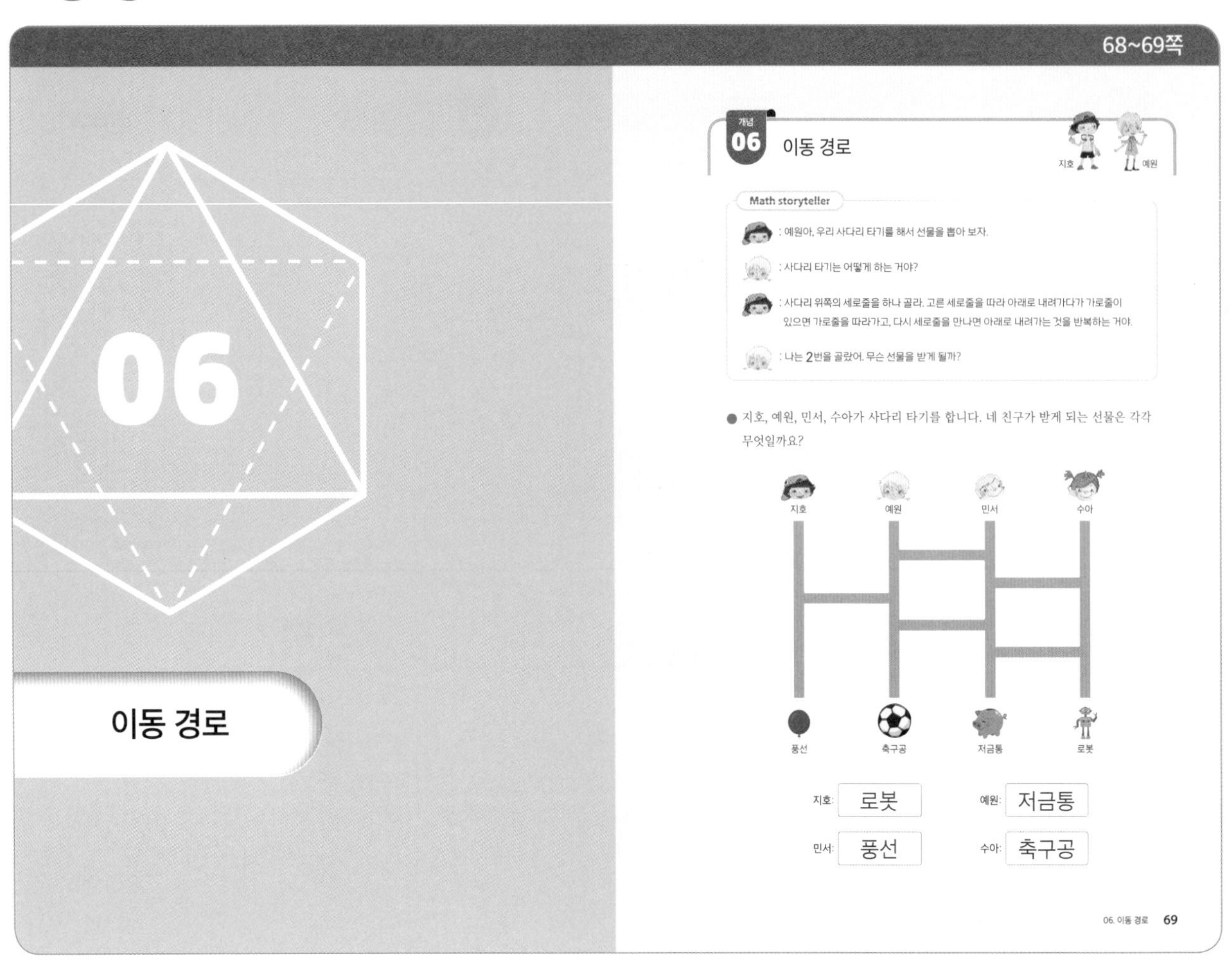
68~69쪽
06
이동 경로
개념 06
이동 경로
Math storyteller
: 예원아, 우리 사다리 타기를 해서 선물을 뽑아 보자.
: 사다리 타기는 어떻게 하는 거야?
: 사다리 위쪽의 세로줄을 하나 골라. 고른 세로줄을 따라 아래로 내려가다가 가로줄이 있으면 가로줄을 따라가고, 다시 세로줄을 만나면 아래로 내려가는 것을 반복하는 거야.
: 나는 2번을 골랐어. 무슨 선물을 받게 될까?
지호, 예원, 민서, 수아가 사다리 타기를 합니다. 네 친구가 받게 되는 선물은 각각 무엇일까요?
지호
예원
민서
수아
풍선
축구공
저금통
로봇
지호: 로봇
예원: 저금통
민서: 풍선
수아: 축구공
06. 이동 경로 69

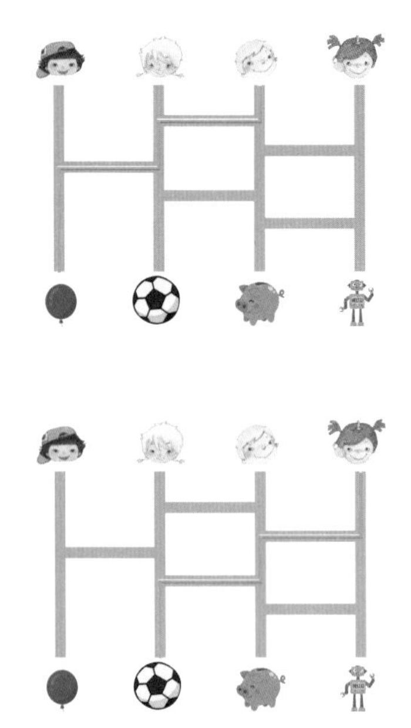

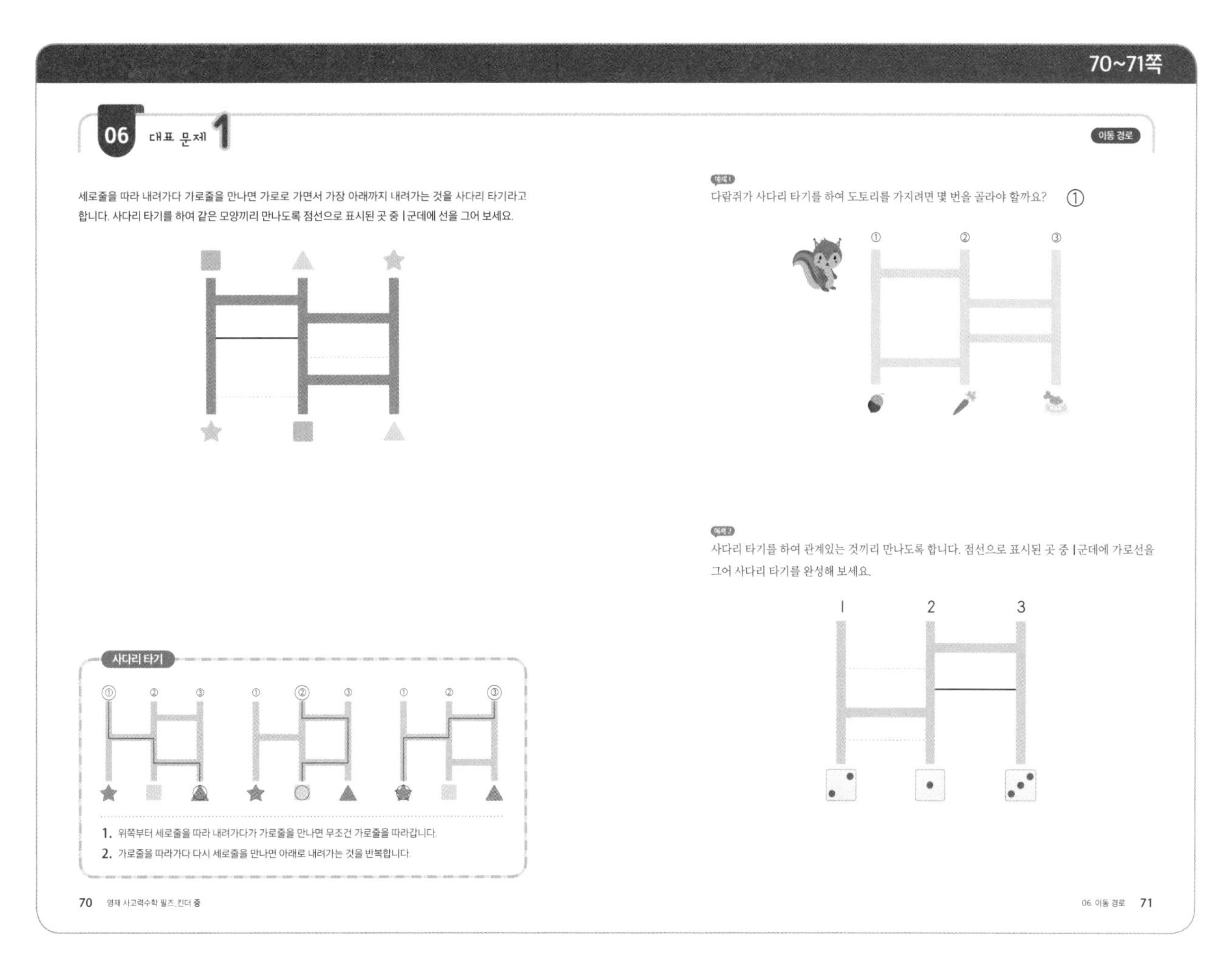
70~71쪽

06 대표 문제 1

이동 경로

세로줄을 따라 내려가다 가로줄을 만나면 가로로 가면서 가장 아래까지 내려가는 것을 사다리 타기라고 합니다. 사다리 타기를 하여 같은 모양끼리 만나도록 점선으로 표시된 곳 중 1군데에 선을 그어 보세요.

사다리 타기

1. 위쪽부터 세로줄을 따라 내려가다가 가로줄을 만나면 무조건 가로줄을 따라갑니다.
2. 가로줄을 따라가다 다시 세로줄을 만나면 아래로 내려가는 것을 반복합니다.

예제 1

다람쥐가 사다리 타기를 하여 도토리를 가지려면 몇 번을 골라야 할까요? ①

예제 2

사다리 타기를 하여 관계있는 것끼리 만나도록 합니다. 점선으로 표시된 곳 중 1군데에 가로선을 그어 사다리 타기를 완성해 보세요.

70 영재 사고력수학 필즈, 킨더 중

06 이동 경로 71

▲이 ★과 만나므로 ▲이 지나가는 길에 가로선을 알맞게 긋습니다.

예제 1

도토리부터 거꾸로 사다리를 타고 올라갑니다.

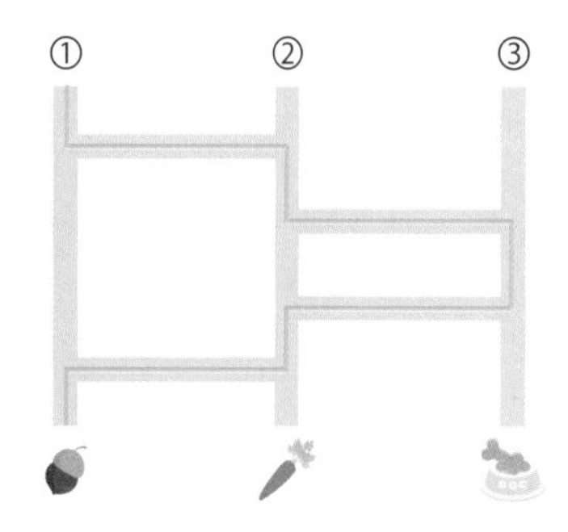

예제 2

2와 점 3개가 만나므로 2가 지나가는 길에 가로선을 알맞게 긋습니다.

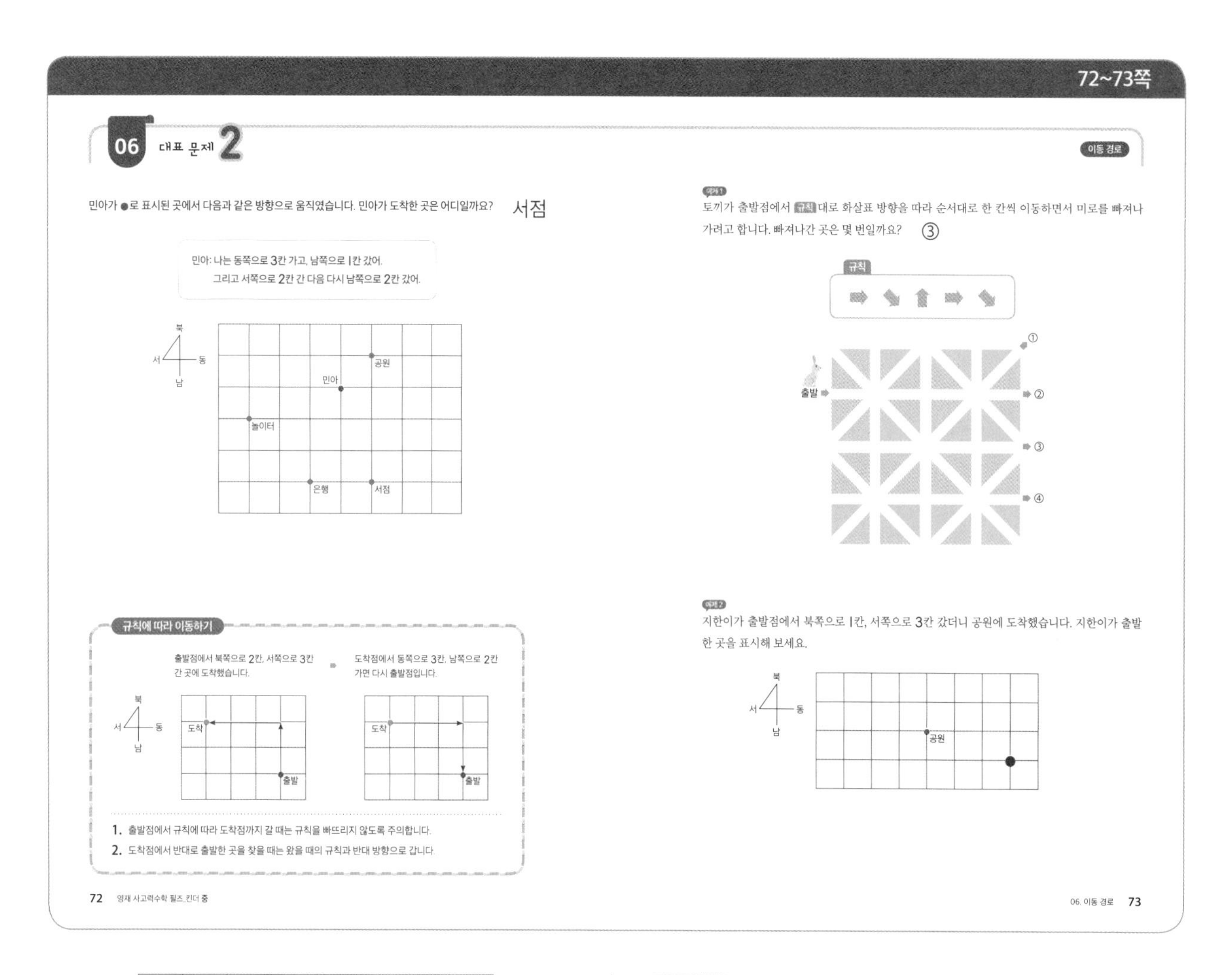
72~73쪽

06 대표 문제 2

이동 경로

민아가 ●로 표시된 곳에서 다음과 같은 방향으로 움직였습니다. 민아가 도착한 곳은 어디일까요? 서점

민아: 나는 동쪽으로 3칸 가고, 남쪽으로 1칸 갔어.
그리고 서쪽으로 2칸 간 다음 다시 남쪽으로 2칸 갔어.

규칙에 따라 이동하기

출발점에서 북쪽으로 2칸, 서쪽으로 3칸 간 곳에 도착했습니다. → 도착점에서 동쪽으로 3칸, 남쪽으로 2칸 가면 다시 출발점입니다.

1. 출발점에서 규칙에 따라 도착점까지 갈 때는 규칙을 빠뜨리지 않도록 주의합니다.
2. 도착점에서 반대로 출발한 곳을 찾을 때는 왔을 때의 규칙과 반대 방향으로 갑니다.

예제 1

토끼가 출발점에서 규칙 대로 화살표 방향을 따라 순서대로 한 칸씩 이동하면서 미로를 빠져나가려고 합니다. 빠져나간 곳은 몇 번일까요? ③

예제 2

지한이가 출발점에서 북쪽으로 1칸, 서쪽으로 3칸 갔더니 공원에 도착했습니다. 지한이가 출발한 곳을 표시해 보세요.

72 영재 사고력수학 필즈_킨더 중

06. 이동 경로 73

예제 1

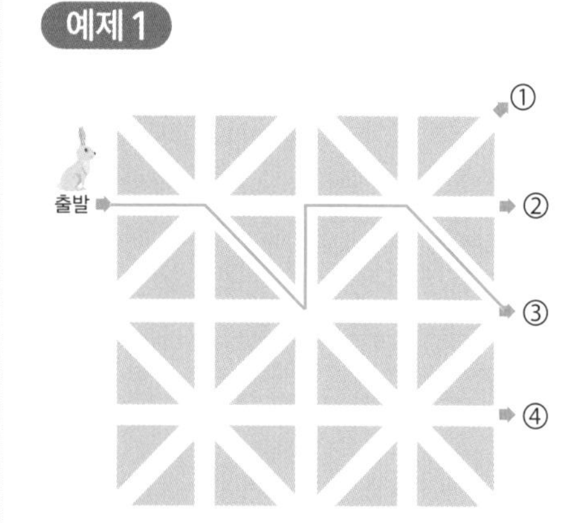

예제 2

도착점에서 출발점으로 가려면 올 때와 반대 방향으로 공원에서 동쪽으로 3칸, 남쪽으로 1칸 갑니다.

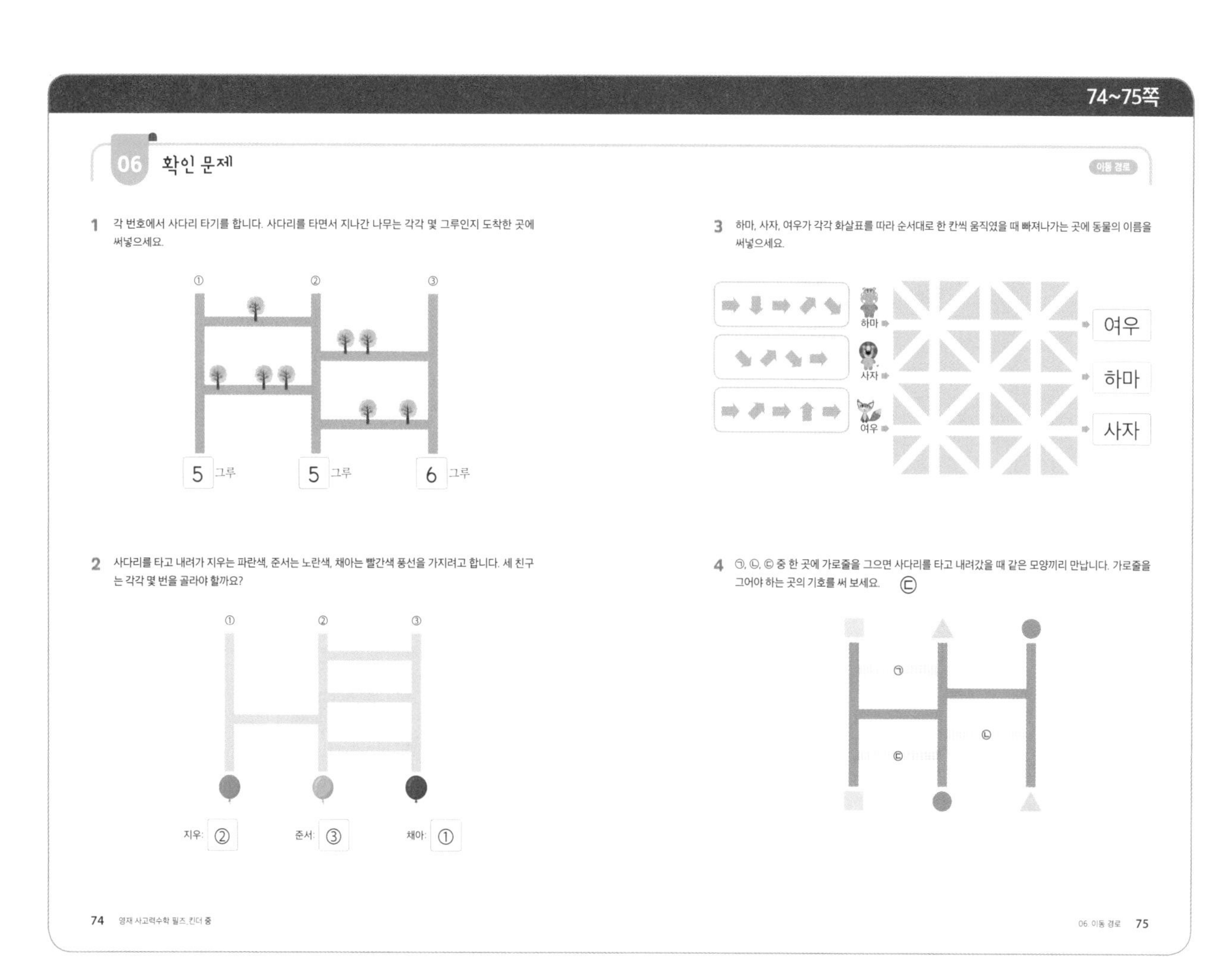

74~75쪽
06 확인 문제
이동 경로
1 각 번호에서 사다리 타기를 합니다. 사다리를 타면서 지나간 나무는 각각 몇 그루인지 도착한 곳에 써넣으세요.
① ② ③
5 그루 5 그루 6 그루
2 사다리를 타고 내려가 지우는 파란색, 준서는 노란색, 채아는 빨간색 풍선을 가지려고 합니다. 세 친구는 각각 몇 번을 골라야 할까요?
① ② ③
지우: ② 준서: ③ 채아: ①
3 하마, 사자, 여우가 각각 화살표를 따라 순서대로 한 칸씩 움직였을 때 빠져나가는 곳에 동물의 이름을 써넣으세요.
하마 사자 여우
여우 하마 사자
4 ㉠, ㉡, ㉢ 중 한 곳에 가로줄을 그으면 사다리를 타고 내려갔을 때 같은 모양끼리 만납니다. 가로줄을 그어야 하는 곳의 기호를 써 보세요. ㉢
㉠ ㉡ ㉢
74 영재 사고력수학 필즈 킨더 중
06 이동 경로 75

1

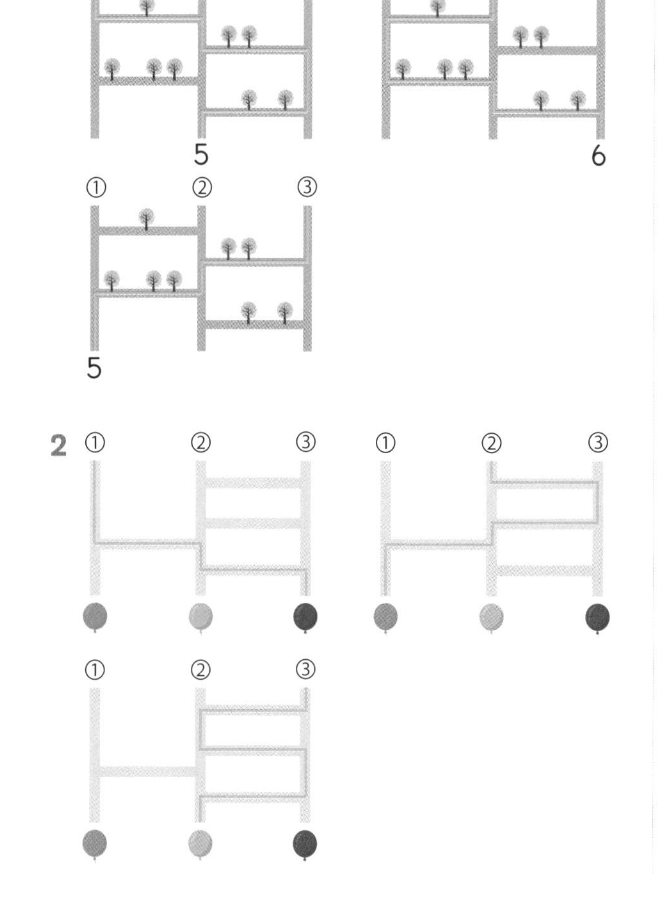

3

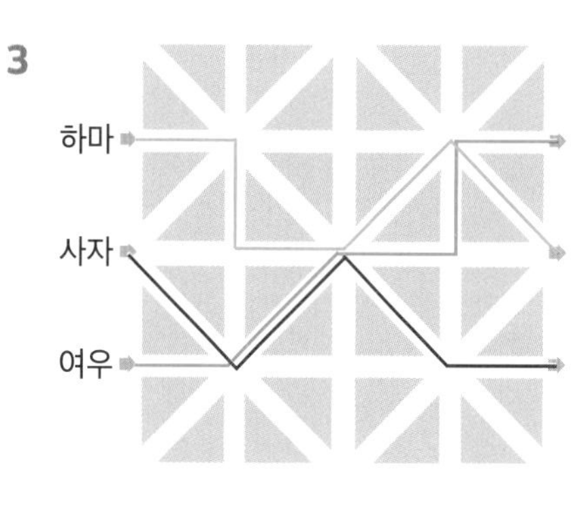

4 ●이 ■과 만나므로 ●이 지나가는 길에 있는 ㉢에 가로선을 긋습니다.

이동 경로

5 사다리 위쪽에 있는 수에서 사다리를 타고 내려가면서 더하기와 빼기를 합니다. 도착한 곳에 알맞은 수를 써넣으세요.

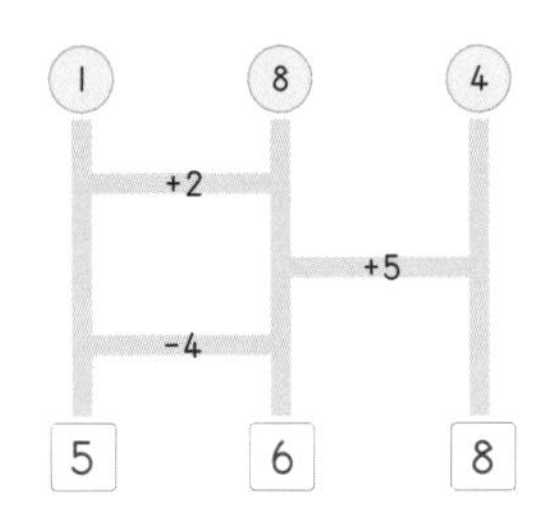

6 승기는 출발점에서 동쪽으로 2칸 간 다음, 남쪽으로 1칸, 서쪽으로 4칸 갔습니다. 승기가 도착한 곳은 어디일까요? 도서관

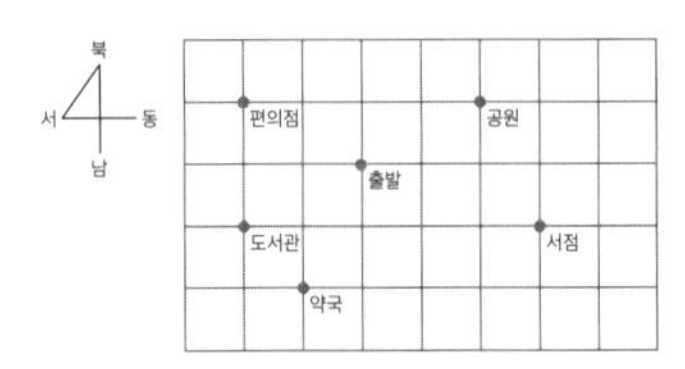

7 다음 사다리에서 가로줄 하나를 지운 다음 사다리를 타고 내려가면 친구들이 각자 자신의 집으로 갈 수 있습니다. 지워야 하는 가로줄 하나에 ×표 하세요.

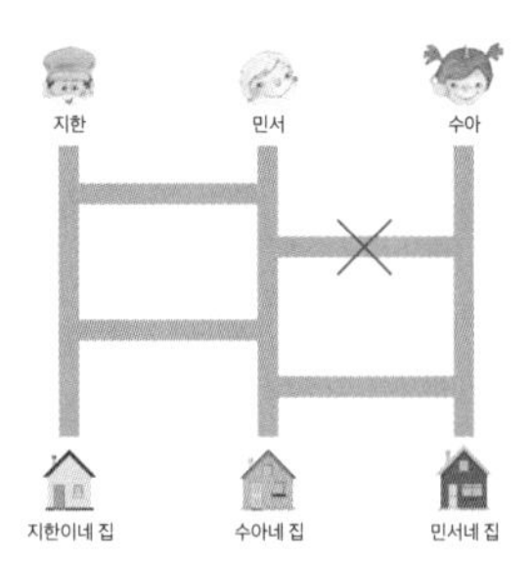

8 현수가 동쪽으로 3칸, 남쪽으로 1칸, 서쪽으로 1칸 이동했더니 문구점에 도착했습니다. 현수가 출발한 칸을 찾아 색칠해 보세요.

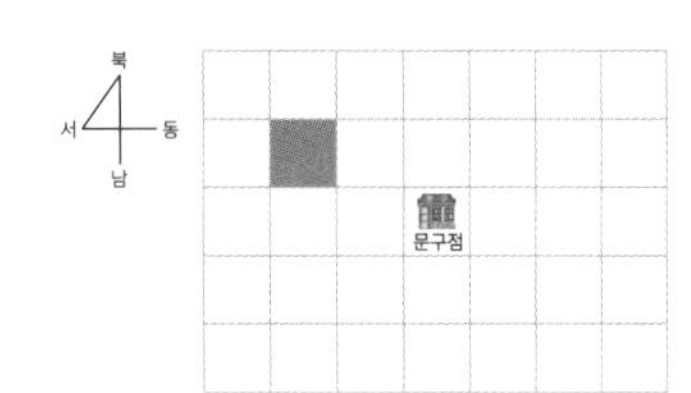

5

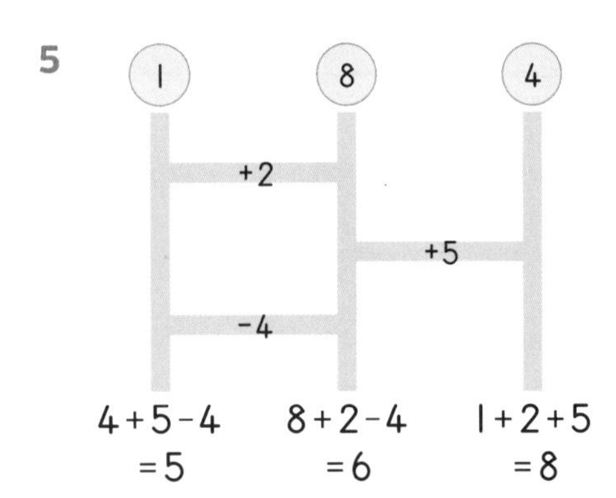

6

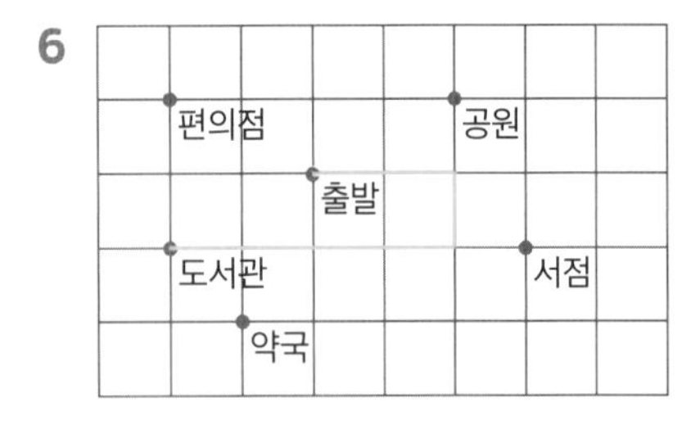

7 수아가 지한이네 집으로 가므로 수아가 가는 길에 있는 가로줄 2개 중 하나를 지웁니다.

8 도착점에서 출발점으로 가려면 올 때와 반대 방향으로 문구점에서 동쪽으로 1칸, 북쪽으로 1칸, 서쪽으로 3칸 갑니다.

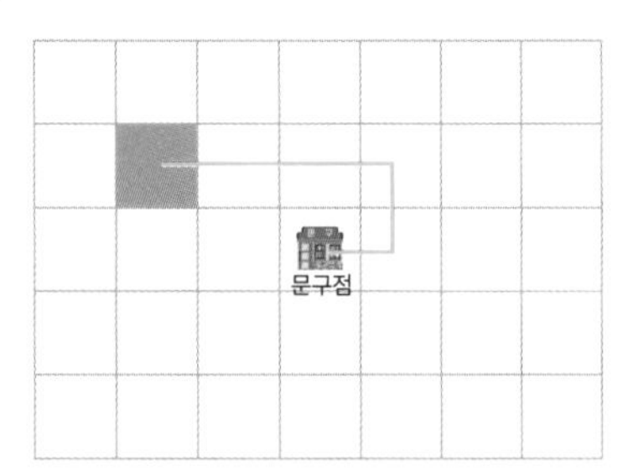

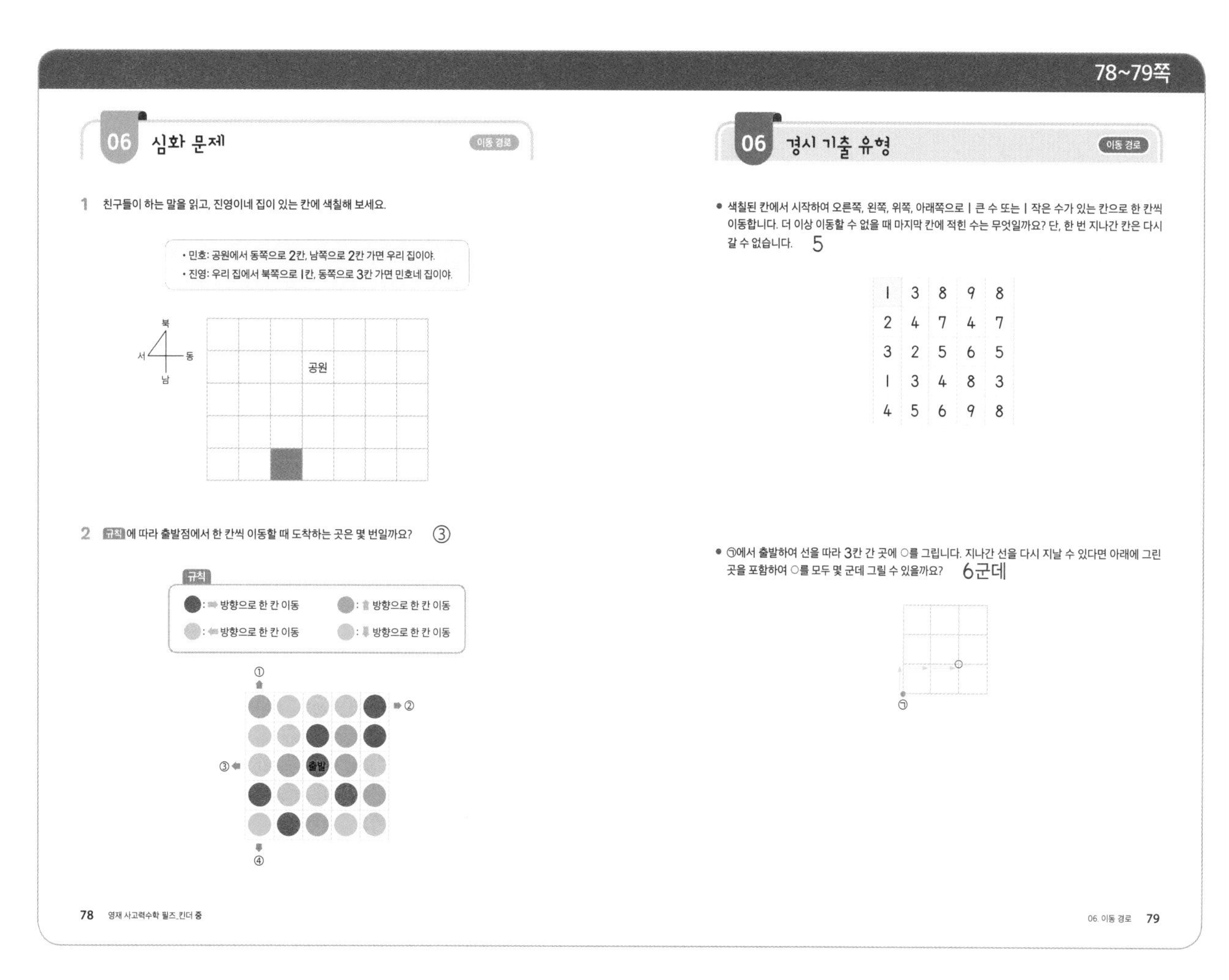
78~79쪽

06 심화 문제 이동 경로

1 친구들이 하는 말을 읽고, 진영이네 집이 있는 칸에 색칠해 보세요.

• 민호: 공원에서 동쪽으로 2칸, 남쪽으로 2칸 가면 우리 집이야.
• 진영: 우리 집에서 북쪽으로 1칸, 동쪽으로 3칸 가면 민호네 집이야.

2 규칙에 따라 출발점에서 한 칸씩 이동할 때 도착하는 곳은 몇 번일까요? ③

규칙
● : ➡ 방향으로 한 칸 이동
● : ⬆ 방향으로 한 칸 이동
● : ⬅ 방향으로 한 칸 이동
● : ⬇ 방향으로 한 칸 이동

06 경시 기출 유형 이동 경로

• 색칠된 칸에서 시작하여 오른쪽, 왼쪽, 위쪽, 아래쪽으로 1 큰 수 또는 1 작은 수가 있는 칸으로 한 칸씩 이동합니다. 더 이상 이동할 수 없을 때 마지막 칸에 적힌 수는 무엇일까요? 단, 한 번 지나간 칸은 다시 갈 수 없습니다. 5

1	3	8	9	8
2	4	7	4	7
3	2	5	6	5
1	3	4	8	3
4	5	6	9	8

• ㉠에서 출발하여 선을 따라 3칸 간 곳에 ○를 그립니다. 지나간 선을 다시 지날 수 있다면 아래에 그린 곳을 포함하여 ○를 모두 몇 군데 그릴 수 있을까요? 6군데

78 영재 사고력수학 필즈_킨더 중
06. 이동 경로 79

1 민호 집에서 서쪽으로 3칸, 남쪽으로 1칸 가면 진영이네 집입니다.

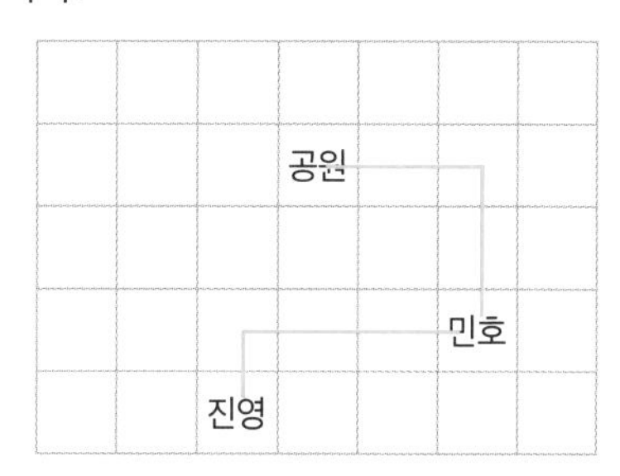

2

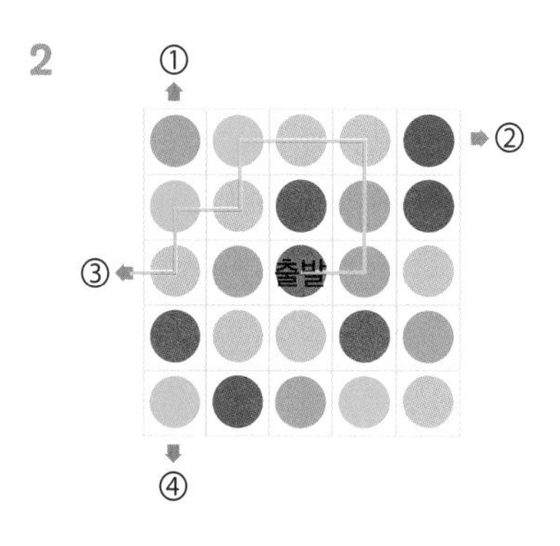

•

1	3	8	9	8
2	4	7	4	7
3	2	5	6	5
1	3	4	8	3
4	5	6	9	8

•

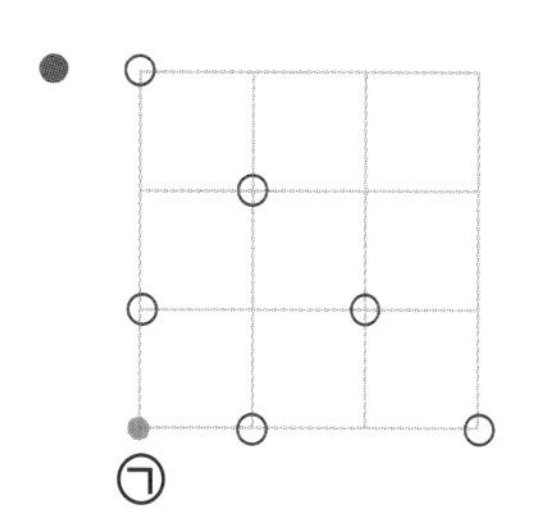

07 가위바위보

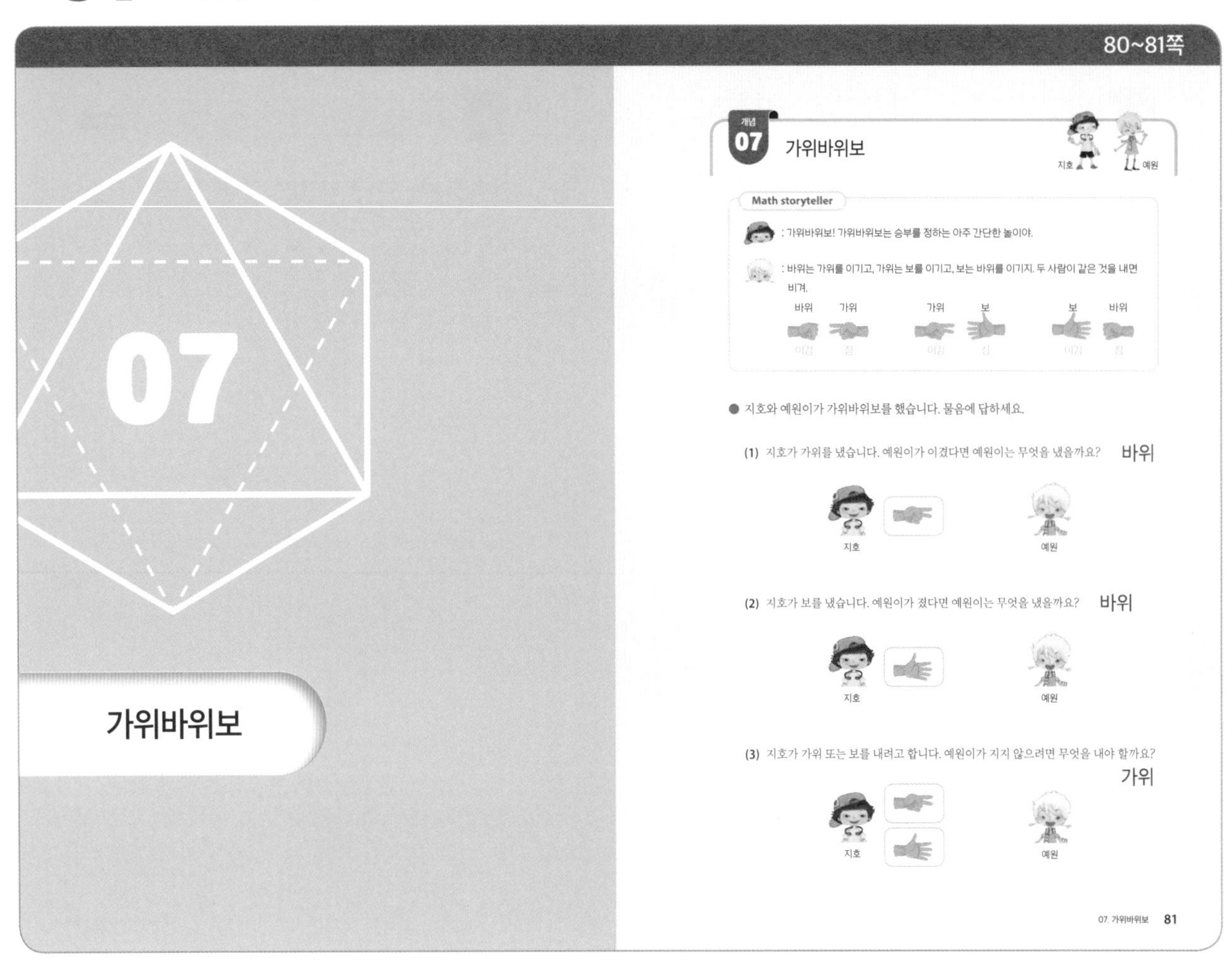
80~81쪽

07

가위바위보

개념 07 가위바위보

지호 예원

Math storyteller

: 가위바위보! 가위바위보는 승부를 정하는 아주 간단한 놀이야.

: 바위는 가위를 이기고, 가위는 보를 이기고, 보는 바위를 이기지. 두 사람이 같은 것을 내면 비겨.

바위 가위 가위 보 보 바위

이김 짐 이김 짐 이김 짐

● 지호와 예원이가 가위바위보를 했습니다. 물음에 답하세요.

(1) 지호가 가위를 냈습니다. 예원이가 이겼다면 예원이는 무엇을 냈을까요? 바위

지호 예원

(2) 지호가 보를 냈습니다. 예원이가 졌다면 예원이는 무엇을 냈을까요? 바위

지호 예원

(3) 지호가 가위 또는 보를 내려고 합니다. 예원이가 지지 않으려면 무엇을 내야 할까요? 가위

지호 예원

07. 가위바위보 81

(3) 지호가 내려는 두 가지 중 이기는 것으로 내면 됩니다. 예원이가 바위를 내면 보로 질 수 있고, 보를 내면 가위로 질 수 있습니다. 가위를 내면 최소한 비기므로 지지는 않습니다.

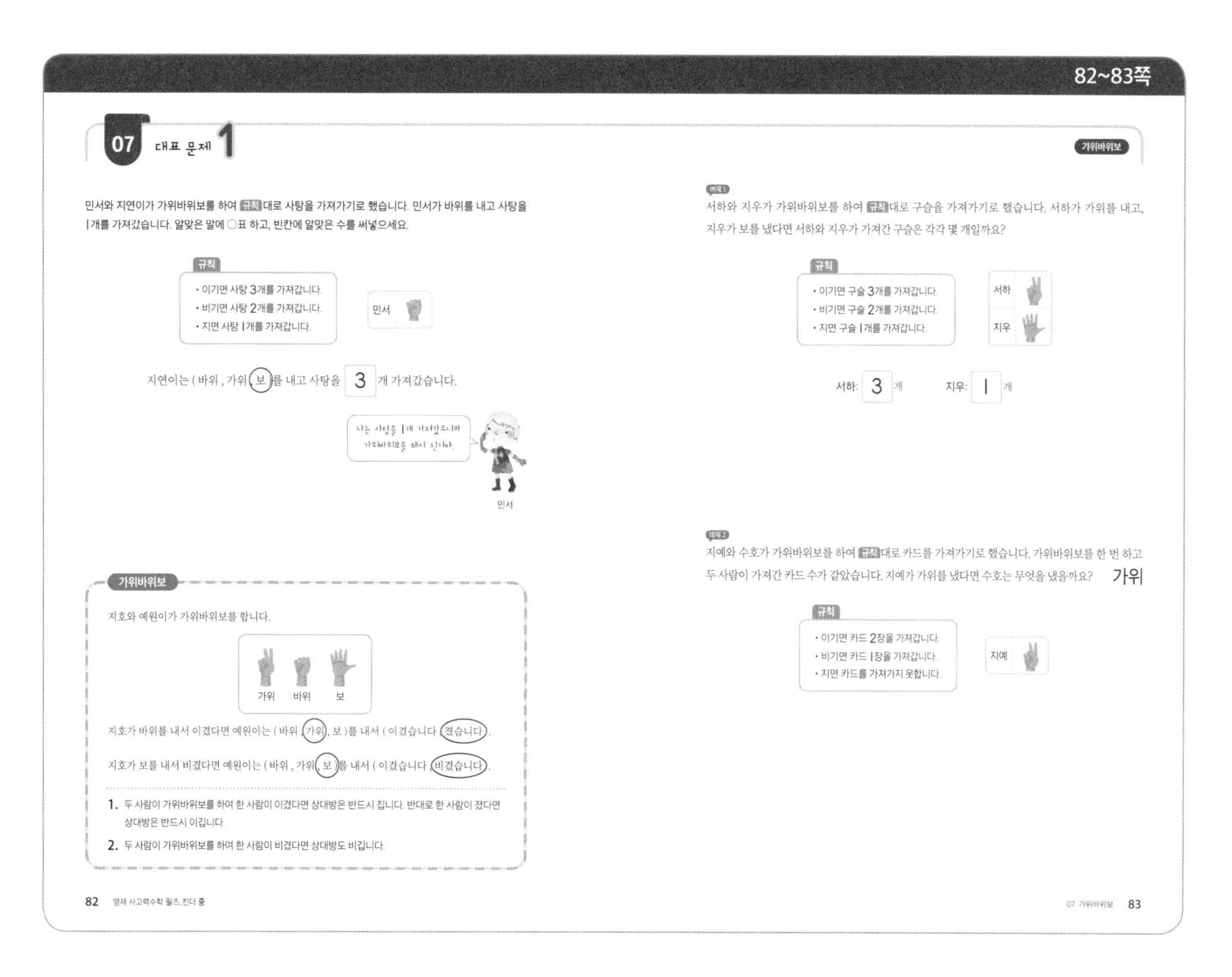

82~83쪽

07 대표 문제 1

가위바위보

민서와 지연이가 가위바위보를 하여 규칙 대로 사탕을 가져가기로 했습니다. 민서가 바위를 내고 사탕을 1개를 가져갔습니다. 알맞은 말에 ○표 하고, 빈칸에 알맞은 수를 써넣으세요.

규칙
- 이기면 사탕 3개를 가져갑니다.
- 비기면 사탕 2개를 가져갑니다.
- 지면 사탕 1개를 가져갑니다.

민서

지연이는 (바위 , 가위 , 보)를 내고 사탕을 3 개 가져갔습니다.

나는 사탕을 1개 가져갔으니까 가위바위보를 해서 졌구나.

민서

가위바위보

지호와 예원이가 가위바위보를 합니다.

가위 바위 보

지호가 바위를 내서 이겼다면 예원이는 (바위 , 가위 , 보)를 내서 (이겼습니다 , 졌습니다).

지호가 보를 내서 비겼다면 예원이는 (바위 , 가위 , 보)를 내서 (이겼습니다 , 비겼습니다).

1. 두 사람이 가위바위보를 하여 한 사람이 이겼다면 상대방은 반드시 집니다. 반대로 한 사람이 졌다면 상대방은 반드시 이깁니다.
2. 두 사람이 가위바위보를 하여 한 사람이 비겼다면 상대방도 비깁니다.

예제 1

서하와 지우가 가위바위보를 하여 규칙 대로 구슬을 가져가기로 했습니다. 서하가 가위를 내고, 지우가 보를 냈다면 서하와 지우가 가져간 구슬은 각각 몇 개일까요?

규칙
- 이기면 구슬 3개를 가져갑니다.
- 비기면 구슬 2개를 가져갑니다.
- 지면 구슬 1개를 가져갑니다.

서하 / 지우

서하: 3 개 지우: 1 개

예제 2

지예와 수호가 가위바위보를 하여 규칙 대로 카드를 가져가기로 했습니다. 가위바위보를 한 번 하고 두 사람이 가져간 카드 수가 같았습니다. 지예가 가위를 냈다면 수호는 무엇을 냈을까요? 가위

규칙
- 이기면 카드 2장을 가져갑니다.
- 비기면 카드 1장을 가져갑니다.
- 지면 카드를 가져가지 못합니다.

지예

82 영재 사고력수학 필즈_킨더 중 07 가위바위보 83

1) 민서는 바위를 내고 졌습니다.

2) 지연이가 이겼으므로 보를 냈고, 사탕은 3개 가져갔습니다.

예제 2

가위는 보를 이기므로 서하가 이기고, 지우가 졌습니다.

예제 2

1) 가져간 카드 수가 같으므로 두 사람은 비겼습니다.

2) 지예가 가위를 냈으므로 수호도 가위를 냈습니다.

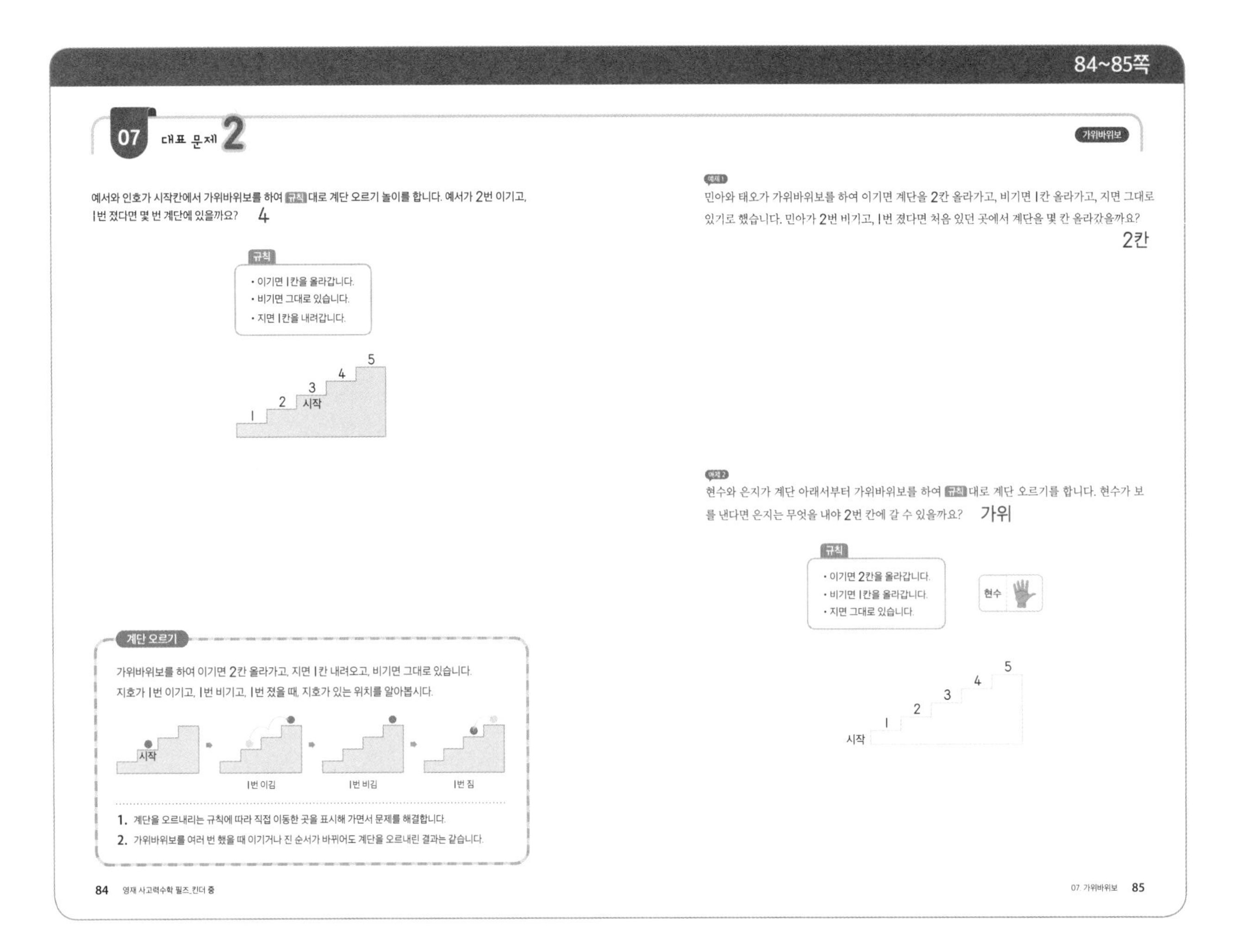

84~85쪽

07 대표 문제 2

가위바위보

예서와 인호가 시작칸에서 가위바위보를 하여 규칙 대로 계단 오르기 놀이를 합니다. 예서가 2번 이기고, I번 졌다면 몇 번 계단에 있을까요? 4

규칙
- 이기면 I칸을 올라갑니다.
- 비기면 그대로 있습니다.
- 지면 I칸을 내려갑니다.

I 2 3 시작 4 5

계단 오르기

가위바위보를 하여 이기면 2칸 올라가고, 지면 I칸 내려오고, 비기면 그대로 있습니다. 지호가 I번 이기고, I번 비기고, I번 졌을 때, 지호가 있는 위치를 알아봅시다.

시작 I번 이김 I번 비김 I번 짐

1. 계단을 오르내리는 규칙에 따라 직접 이동한 곳을 표시해 가면서 문제를 해결합니다.
2. 가위바위보를 여러 번 했을 때 이기거나 진 순서가 바뀌어도 계단을 오르내린 결과는 같습니다.

예제 1
민아와 태오가 가위바위보를 하여 이기면 계단을 2칸 올라가고, 비기면 I칸 올라가고, 지면 그대로 있기로 했습니다. 민아가 2번 비기고, I번 졌다면 처음 있던 곳에서 계단을 몇 칸 올라갔을까요? 2칸

예제 2
현수와 은지가 계단 아래서부터 가위바위보를 하여 규칙 대로 계단 오르기를 합니다. 현수가 보를 낸다면 은지는 무엇을 내야 2번 칸에 갈 수 있을까요? 가위

규칙
- 이기면 2칸을 올라갑니다.
- 비기면 I칸을 올라갑니다.
- 지면 그대로 있습니다.

현수

시작 I 2 3 4 5

84 영재 사고력수학 필즈_킨더 중

07 가위바위보 85

2번 이김: 3 → 4 → 5

I번 짐: 5 → 4

예제 1

2번 비겨서 2칸 올라가고, I번 져서 그대로 있었으므로 모두 2칸 올라갔습니다.

예제 2

1) 2번 칸에 가려면 이겨야 합니다.

2) 현수가 보를 내므로 은지는 가위를 내면 됩니다.

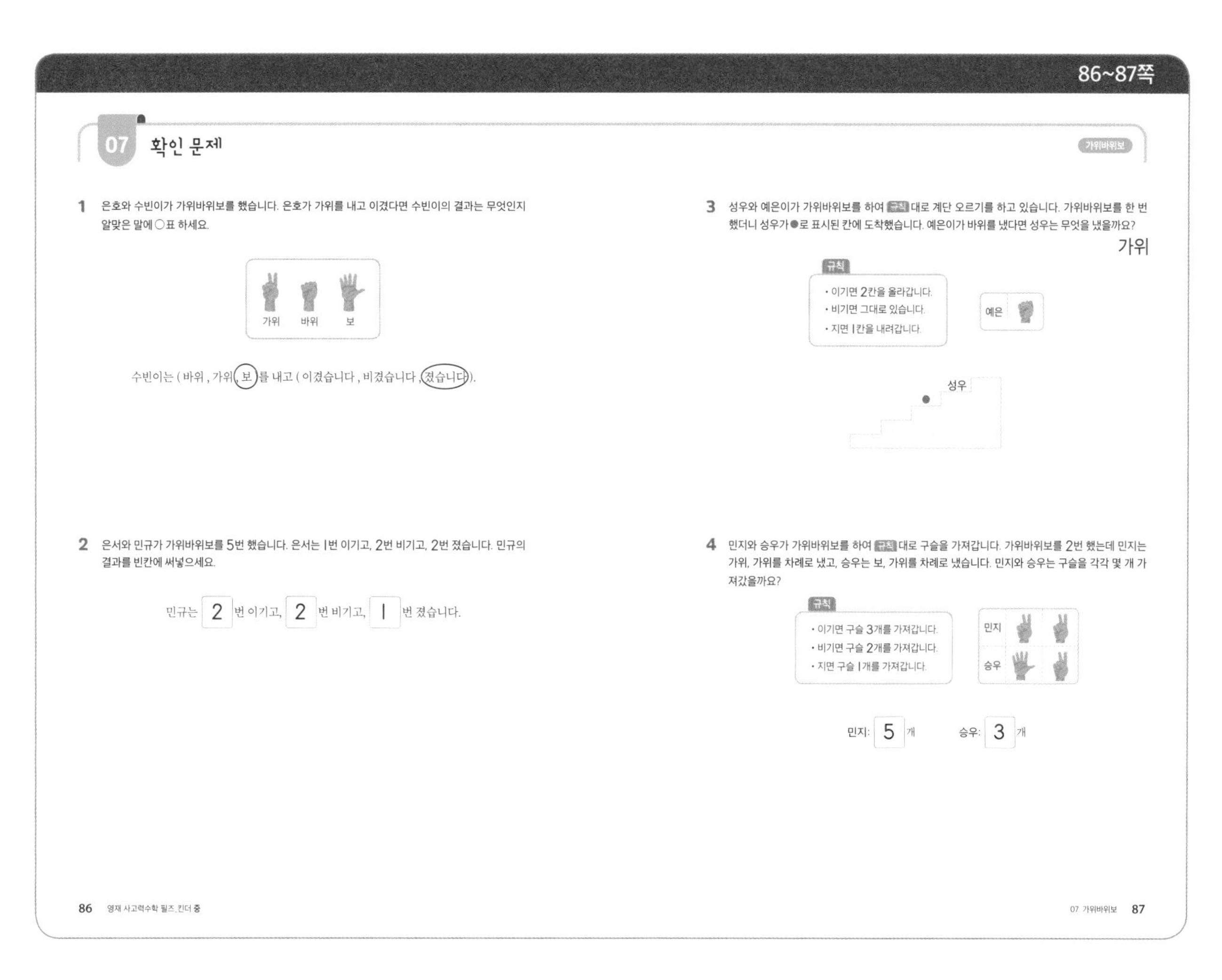
86~87쪽

07 확인 문제 (가위바위보)

1 은호와 수빈이가 가위바위보를 했습니다. 은호가 가위를 내고 이겼다면 수빈이의 결과는 무엇인지 알맞은 말에 ○표 하세요.

가위 바위 보

수빈이는 (바위 , 가위 , (보))를 내고 (이겼습니다 , 비겼습니다 , (졌습니다)).

2 은서와 민규가 가위바위보를 5번 했습니다. 은서는 1번 이기고, 2번 비기고, 2번 졌습니다. 민규의 결과를 빈칸에 써넣으세요.

민규는 2 번 이기고, 2 번 비기고, 1 번 졌습니다.

3 성우와 예은이가 가위바위보를 하여 규칙 대로 계단 오르기를 하고 있습니다. 가위바위보를 한 번 했더니 성우가 ●로 표시된 칸에 도착했습니다. 예은이가 바위를 냈다면 성우는 무엇을 냈을까요?

가위

규칙
- 이기면 2칸을 올라갑니다.
- 비기면 그대로 있습니다.
- 지면 1칸을 내려갑니다.

예은 / 성우

4 민지와 승우가 가위바위보를 하여 규칙 대로 구슬을 가져갑니다. 가위바위보를 2번 했는데 민지는 가위, 가위를 차례로 냈고, 승우는 보, 가위를 차례로 냈습니다. 민지와 승우는 구슬을 각각 몇 개 가져갔을까요?

규칙
- 이기면 구슬 3개를 가져갑니다.
- 비기면 구슬 2개를 가져갑니다.
- 지면 구슬 1개를 가져갑니다.

민지 / 승우

민지: 5 개 승우: 3 개

86 영재 사고력수학 필즈, 킨더 중 / 07 가위바위보 87

1 은호가 이겼으므로 수빈이는 졌습니다.

2 은서가 이긴 만큼 민규는 지고, 은서가 진 만큼 민규가 이겼습니다. 두 사람이 비긴 횟수는 같습니다.

3 **1)** 성우가 한 칸 내려갔으므로 진 것입니다.
2) 예은이가 바위를 냈으므로 성우는 가위를 냈습니다.

4 **1)** 민지는 1번 이기고, 1번 비겨서 구슬 5개를 가져갔습니다.
2) 승우는 1번 지고, 1번 비겨서 구슬 3개를 가져갔습니다.

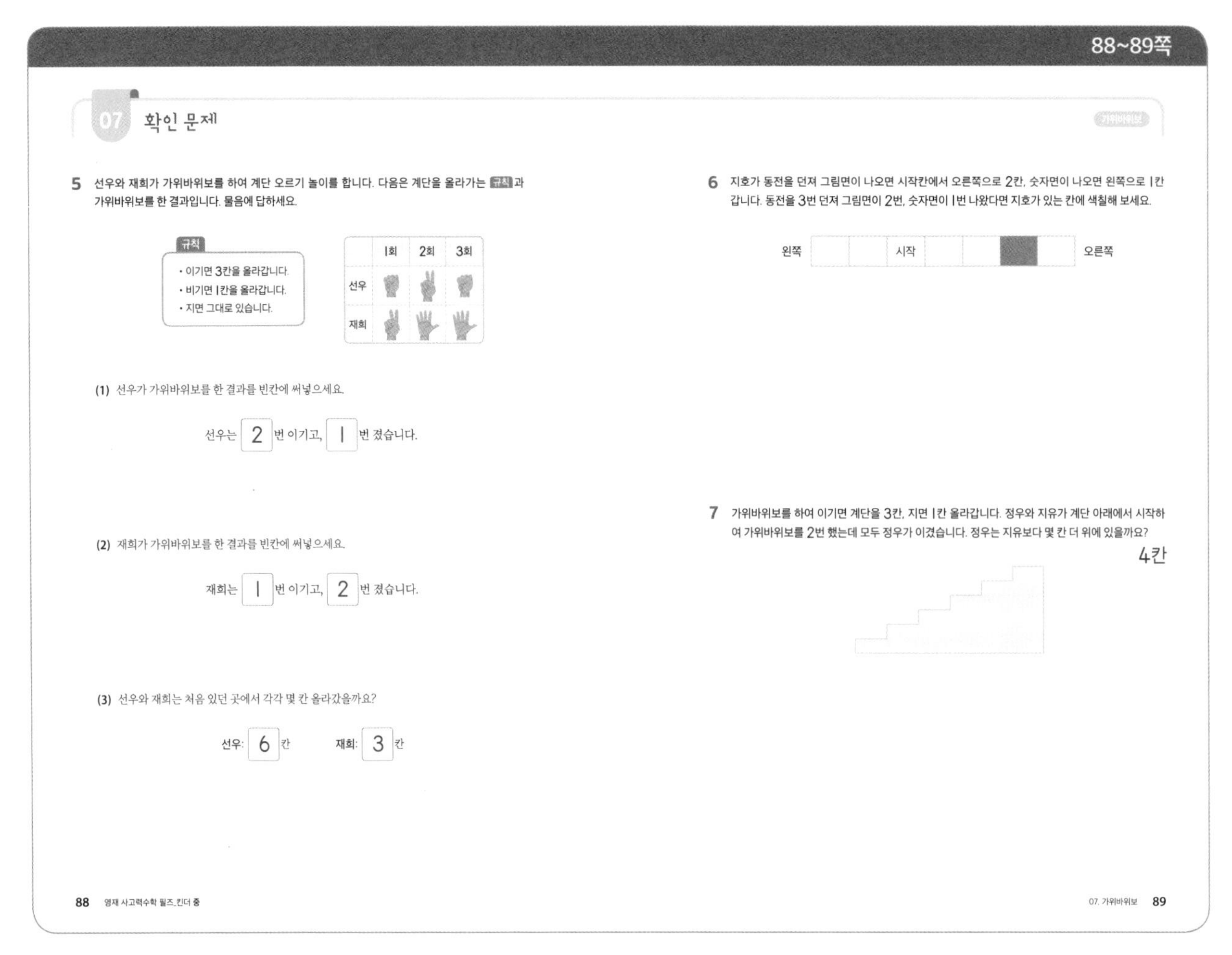

88~89쪽

07 확인 문제

가위바위보

5 선우와 재희가 가위바위보를 하여 계단 오르기 놀이를 합니다. 다음은 계단을 올라가는 규칙과 가위바위보를 한 결과입니다. 물음에 답하세요.

규칙
- 이기면 3칸을 올라갑니다.
- 비기면 I칸을 올라갑니다.
- 지면 그대로 있습니다.

	I회	2회	3회
선우			
재희			

(1) 선우가 가위바위보를 한 결과를 빈칸에 써넣으세요.

선우는 2 번 이기고, I 번 졌습니다.

(2) 재희가 가위바위보를 한 결과를 빈칸에 써넣으세요.

재희는 I 번 이기고, 2 번 졌습니다.

(3) 선우와 재희는 처음 있던 곳에서 각각 몇 칸 올라갔을까요?

선우: 6 칸 재희: 3 칸

6 지호가 동전을 던져 그림면이 나오면 시작칸에서 오른쪽으로 2칸, 숫자면이 나오면 왼쪽으로 I칸 갑니다. 동전을 3번 던져 그림면이 2번, 숫자면이 I번 나왔다면 지호가 있는 칸에 색칠해 보세요.

왼쪽 | | | 시작 | | | | | 오른쪽

7 가위바위보를 하여 이기면 계단을 3칸, 지면 I칸 올라갑니다. 정우와 지유가 계단 아래에서 시작하여 가위바위보를 2번 했는데 모두 정우가 이겼습니다. 정우는 지유보다 몇 칸 더 위에 있을까요?

4칸

88 영재 사고력수학 필즈_킨더 중

07. 가위바위보 89

5 (1)(2)

	I회	2회	3회
선우			
재희			

(3) 선우는 2번 이겨서 6칸, 재희는 I번 이겨서 3칸 올라갔습니다.

6

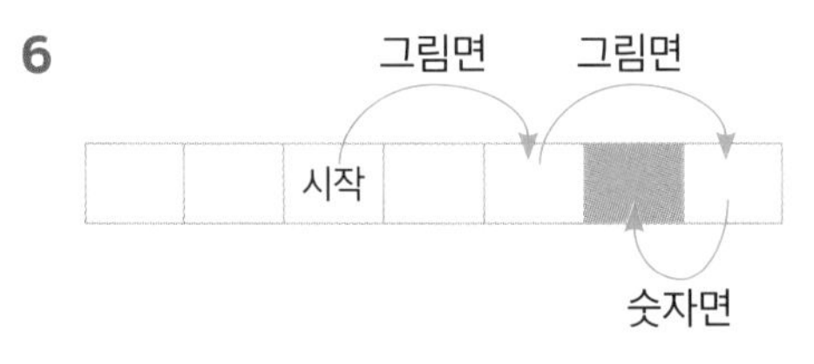

7 1) 정우는 2번 이겨서 6칸 올라갔습니다.
2) 지유는 2번 져서 2칸 올라갔습니다.

07 심화 문제

가위바위보

1 개구리가 계단을 올라가는 데 한 번 뛰면 2칸을 올라간 다음 1칸을 미끄러져 내려옵니다. 개구리가 3번 뛰었다면 처음 있던 곳에서 몇 칸을 올라갔을까요? 3칸

2 지안이와 주원이가 다음과 같은 방법으로 계단을 올랐습니다. 두 사람이 모두 3번 올라갔을 때, 주원이는 지안이보다 몇 칸 더 위에 있을까요? 1칸

- 지안: 난 한 번에 2칸씩 계단을 올라갈 거야.
- 주원: 난 한 번에 3칸, 1칸을 번갈아 가며 올라갈 거야.

07 경시 기출 유형

가위바위보

• 윤하와 준서가 다음과 같이 양끝 칸에 서 있고, 가위바위보를 하여 이기면 상대방쪽으로 1칸 가고, 지면 그대로 있습니다. 두 사람이 색칠된 칸에서 처음 만났다면 윤하는 몇 번 이기고, 몇 번 졌을까요? 단, 가위바위보를 하여 비긴 적은 없습니다.

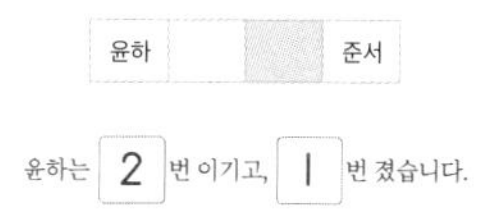

윤하는 2 번 이기고, 1 번 졌습니다.

• 가위바위보를 하여 바위로 이기면 1점, 가위로 이기면 2점, 보로 이기면 3점을 얻고, 비기거나 지면 점수를 얻지 못합니다. 가위바위보를 한 결과가 다음과 같다면 아진이는 몇 점일까요? 3점

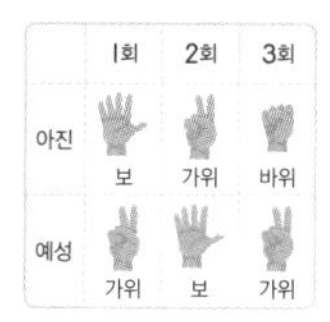

1 한 번 뛰면 1칸 올라가는 것과 같습니다.

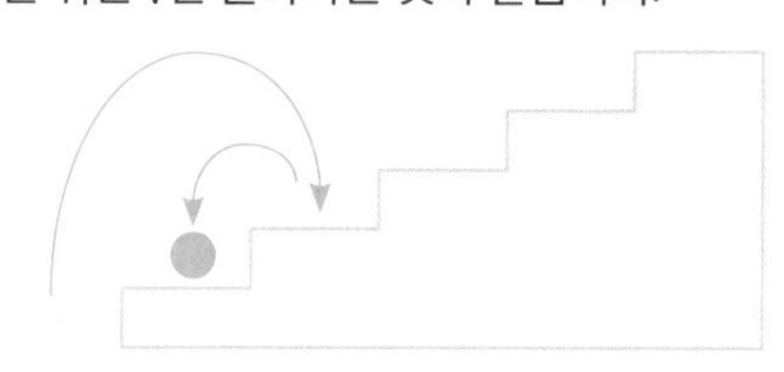

2 1) 지안: 2 → 4 → 6
주원: 3 → 4 → 7
2) 지안이는 6번째 칸, 주원이는 7번째 칸에 있으므로 주원이가 1칸 더 위에 있습니다.

• 1) 지면 그대로 있으므로 색칠된 칸까지 간 횟수만큼 두 사람이 각각 이겼습니다. 윤하는 2번, 준서는 1번 이겼습니다.
2) 준서가 1번 이겼으므로 윤하는 1번 졌습니다.

•

	1회	2회	3회
	패	2점	1점
아진	보	가위	바위
예성	가위	보	가위

2 + 1 = 3(점)

08 리뷰

94~95쪽

리뷰 1 전체와 부분

| 자른 조각의 모양 |

1. 큰 모양을 작은 조각 여러 개로 자를 수 있습니다.
2. 자른 조각을 찾을 때는 테두리의 꺾이는 부분과 크기를 관찰하여 찾습니다.

1. 세모 모양의 색종이를 선을 따라 잘랐습니다. 자른 조각이 아닌 것에 ×표 하세요.

2. 네모 모양의 색종이를 선을 따라 잘랐습니다. 색종이에서 왼쪽 조각을 찾아 색칠해 보세요.

| 조각 퍼즐 |

1. 그림 조각을 맞출 때는 조각의 끊어진 부분의 위치를 살펴보고, 연결되는 그림을 예상하여 알맞은 조각을 찾습니다.
2. 조각의 특징적인 부분을 찾아 연결되는 조각을 찾습니다.

1. 여우 퍼즐의 빈 곳에 들어갈 조각에 ○표 하세요.

2. 빈 곳에 들어갈 조각의 번호를 써넣어 자동차 퍼즐을 완성해 보세요.

① ② ③ ④

② ④ ① ③

94 영재 사고력수학 필즈_킨더 중

08. 리뷰 95

1

①
② ③

③ ② ①

1

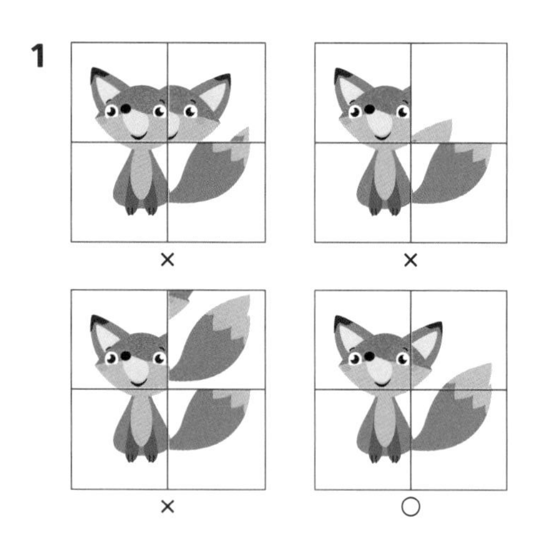

2 왼쪽의 완성된 그림을 네 부분으로 나눕니다.

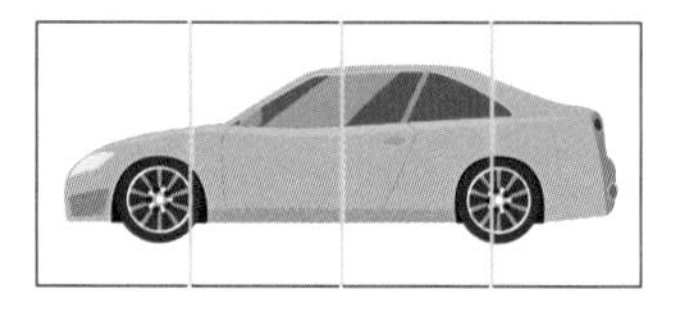

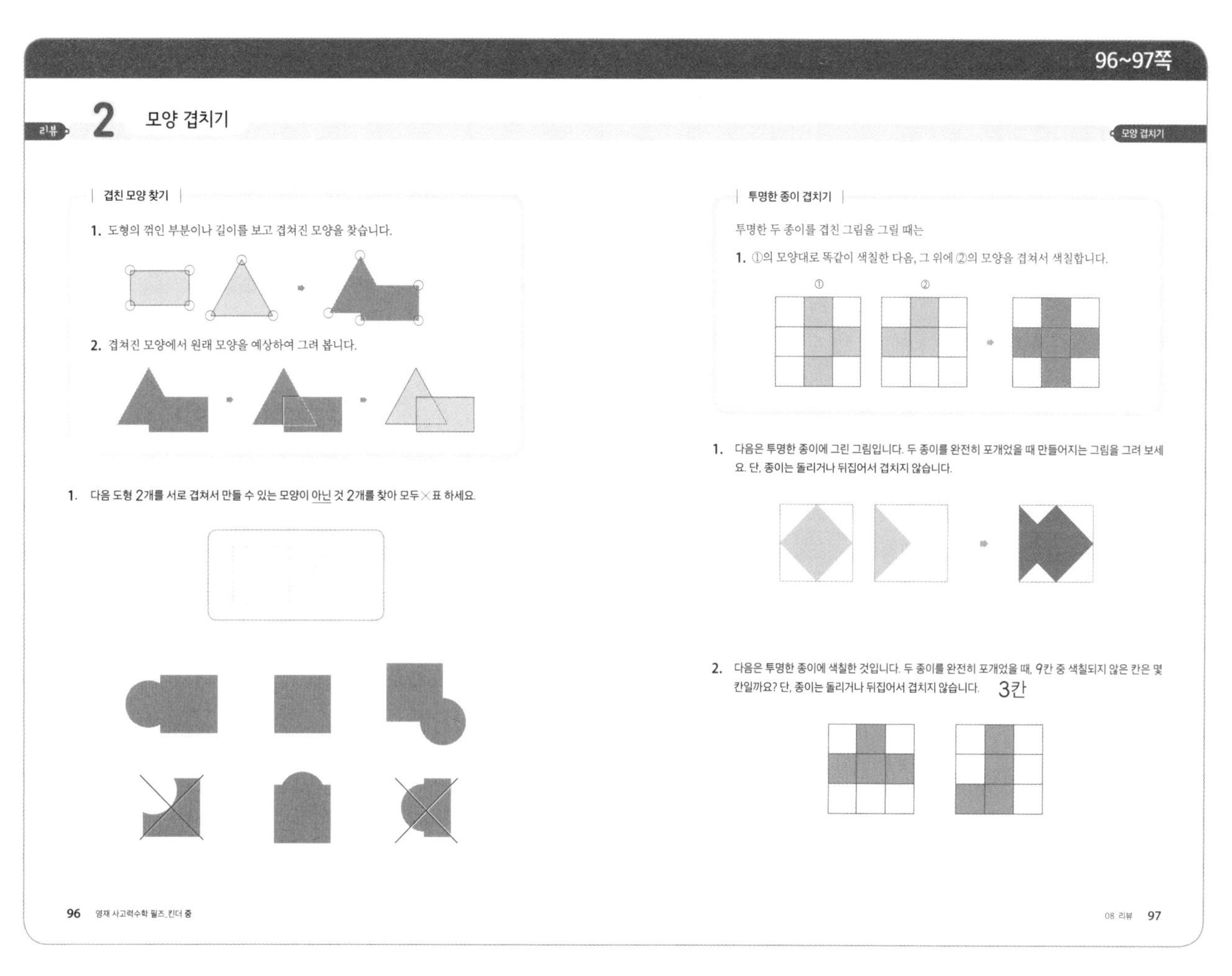
96~97쪽

리뷰 2 모양 겹치기

모양 겹치기

| 겹친 모양 찾기 |

1. 도형의 꺾인 부분이나 길이를 보고 겹쳐진 모양을 찾습니다.

2. 겹쳐진 모양에서 원래 모양을 예상하여 그려 봅니다.

1. 다음 도형 2개를 서로 겹쳐서 만들 수 있는 모양이 아닌 것 2개를 찾아 모두 ×표 하세요.

| 투명한 종이 겹치기 |

투명한 두 종이를 겹친 그림을 그릴 때는

1. ①의 모양대로 똑같이 색칠한 다음, 그 위에 ②의 모양을 겹쳐서 색칠합니다.

1. 다음은 투명한 종이에 그린 그림입니다. 두 종이를 완전히 포개었을 때 만들어지는 그림을 그려 보세요. 단, 종이는 돌리거나 뒤집어서 겹치지 않습니다.

2. 다음은 투명한 종이에 색칠한 것입니다. 두 종이를 완전히 포개었을 때, 9칸 중 색칠되지 않은 칸은 몇 칸일까요? 단, 종이는 돌리거나 뒤집어서 겹치지 않습니다. 3칸

96 영재 사고력수학 필즈, 킨더 중

08 리뷰 97

1

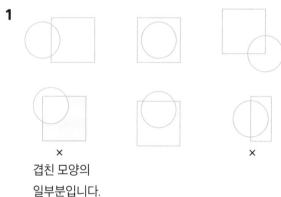

겹친 모양의
일부분입니다.

1 첫 번째 모양대로 똑같이 색칠한 다음, 두 번째 모양을 겹쳐서 색칠합니다.

2 완전히 포갠 모양

색칠된 칸은 6칸, 색칠되지 않은 칸은 3칸입니다.

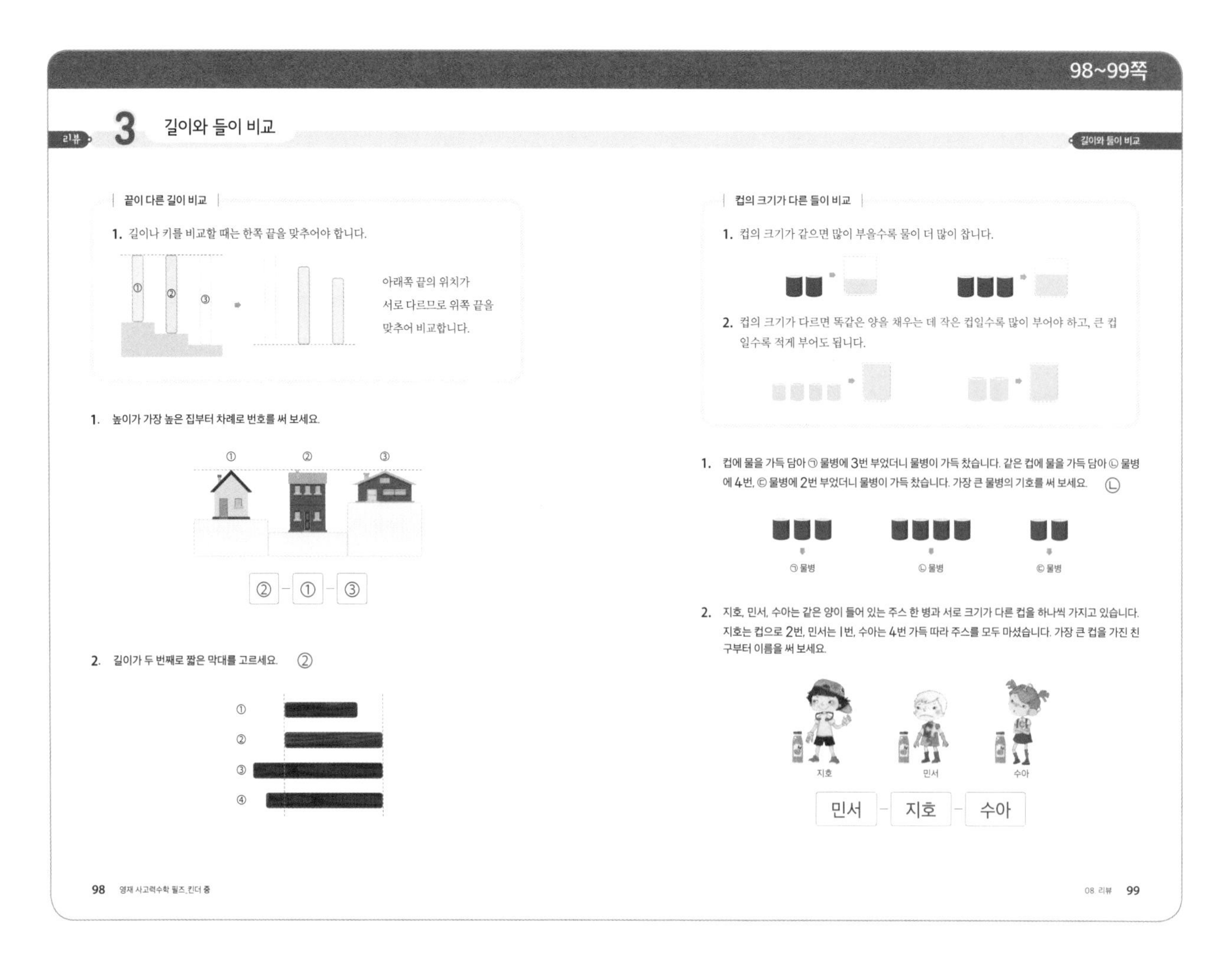
98~99쪽

리뷰 3 길이와 들이 비교

끝이 다른 길이 비교

1. 길이나 키를 비교할 때는 한쪽 끝을 맞추어야 합니다.

아래쪽 끝의 위치가 서로 다르므로 위쪽 끝을 맞추어 비교합니다.

1. 높이가 가장 높은 집부터 차례로 번호를 써 보세요.

② - ① - ③

2. 길이가 두 번째로 짧은 막대를 고르세요. ②

컵의 크기가 다른 들이 비교

1. 컵의 크기가 같으면 많이 부을수록 물이 더 많이 찹니다.

2. 컵의 크기가 다르면 똑같은 양을 채우는 데 작은 컵일수록 많이 부어야 하고, 큰 컵일수록 적게 부어도 됩니다.

1. 컵에 물을 가득 담아 ㉠ 물병에 3번 부었더니 물병이 가득 찼습니다. 같은 컵에 물을 가득 담아 ㉡ 물병에 4번, ㉢ 물병에 2번 부었더니 물병이 가득 찼습니다. 가장 큰 물병의 기호를 써 보세요. ㉡

㉠ 물병 ㉡ 물병 ㉢ 물병

2. 지호, 민서, 수아는 같은 양이 들어 있는 주스 한 병과 서로 크기가 다른 컵을 하나씩 가지고 있습니다. 지호는 컵으로 2번, 민서는 1번, 수아는 4번 가득 따라 주스를 모두 마셨습니다. 가장 큰 컵을 가진 친구부터 이름을 써 보세요.

지호 민서 수아

민서 - 지호 - 수아

98 영재 사고력수학 필즈_킨더 중 08 리뷰 99

1 지붕 끝을 기준으로 높이를 비교합니다.

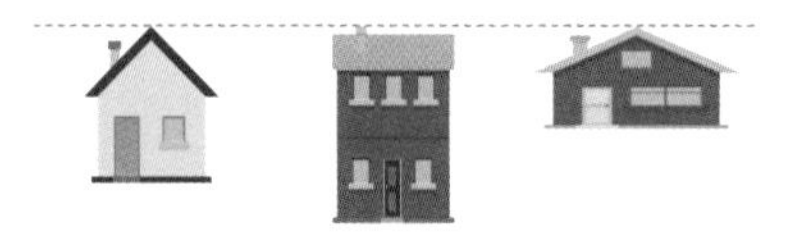

2 가장 짧은 막대부터 차례로 ①, ②, ④, ③입니다.

1 컵의 크기가 같으면 많이 부을수록 물이 더 많이 찹니다. 가장 큰 물병부터 차례로 ㉡, ㉠, ㉢입니다.

2 컵의 크기가 클수록 주스를 따르는 횟수가 적습니다.

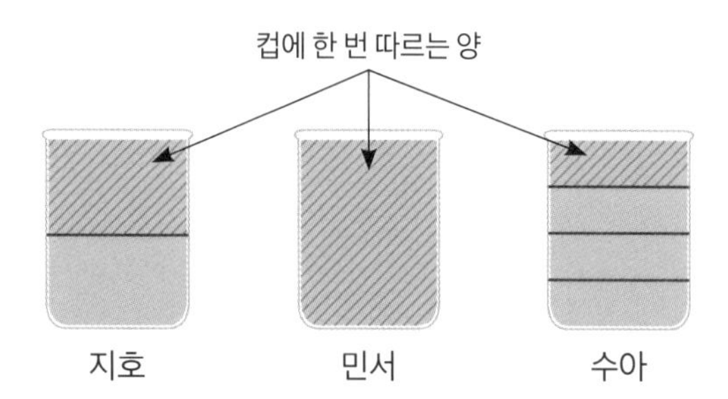

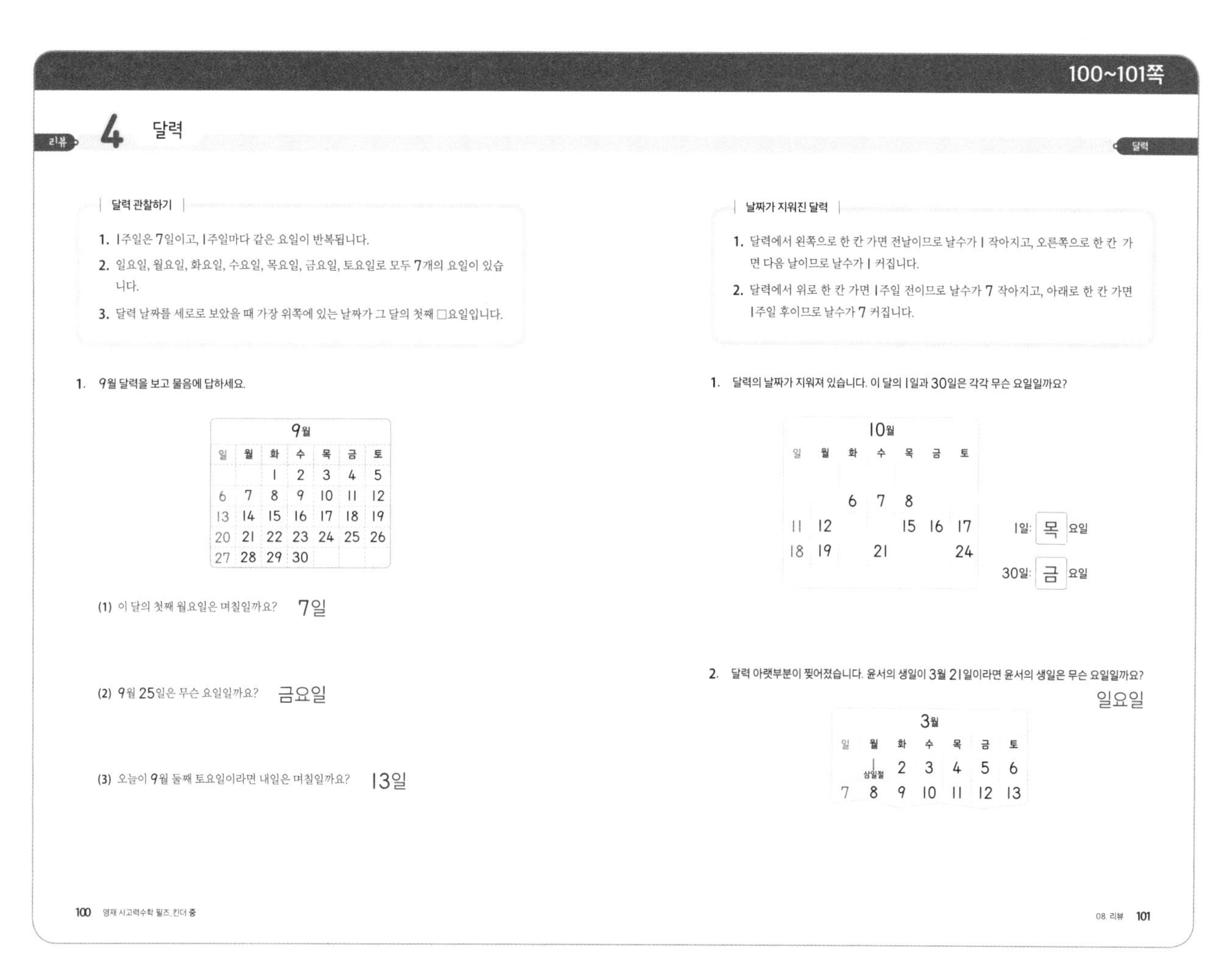
100~101쪽

리뷰 4 달력

달력 관찰하기

1. 1주일은 7일이고, 1주일마다 같은 요일이 반복됩니다.
2. 일요일, 월요일, 화요일, 수요일, 목요일, 금요일, 토요일로 모두 7개의 요일이 있습니다.
3. 달력 날짜를 세로로 보았을 때 가장 위쪽에 있는 날짜가 그 달의 첫째 □요일입니다.

1. 9월 달력을 보고 물음에 답하세요.

9월

일	월	화	수	목	금	토
		1	2	3	4	5
6	7	8	9	10	11	12
13	14	15	16	17	18	19
20	21	22	23	24	25	26
27	28	29	30			

(1) 이 달의 첫째 월요일은 며칠일까요? 7일

(2) 9월 25일은 무슨 요일일까요? 금요일

(3) 오늘이 9월 둘째 토요일이라면 내일은 며칠일까요? 13일

달력

날짜가 지워진 달력

1. 달력에서 왼쪽으로 한 칸 가면 전날이므로 날수가 1 작아지고, 오른쪽으로 한 칸 가면 다음 날이므로 날수가 1 커집니다.
2. 달력에서 위로 한 칸 가면 1주일 전이므로 날수가 7 작아지고, 아래로 한 칸 가면 1주일 후이므로 날수가 7 커집니다.

1. 달력의 날짜가 지워져 있습니다. 이 달의 1일과 30일은 각각 무슨 요일일까요?

10월

일	월	화	수	목	금	토
		6	7	8		
11	12			15	16	17
18	19		21			24

1일: 목 요일

30일: 금 요일

2. 달력 아랫부분이 찢어졌습니다. 윤서의 생일이 3월 21일이라면 윤서의 생일은 무슨 요일일까요? 일요일

3월

일	월	화	수	목	금	토
	1 삼일절	2	3	4	5	6
7	8	9	10	11	12	13

100 영재 사고력수학 필즈, 킨더 중

08. 리뷰 101

1 (3) 9월 둘째 토요일은 12일이므로 다음 날은 13일 입니다.

1

10월

일	월	화	수	목	금	토
				(1)	2	3
4	5	6	7	8		
11	12			15	16	17
18	19		21			24
25	26	27	28	29	(30)	

2

3월

일	월	화	수	목	금	토
	1 삼일절	2	3	4	5	6
7	8	9	10	11	12	13
14	15	16	17	18	19	20
(21)						

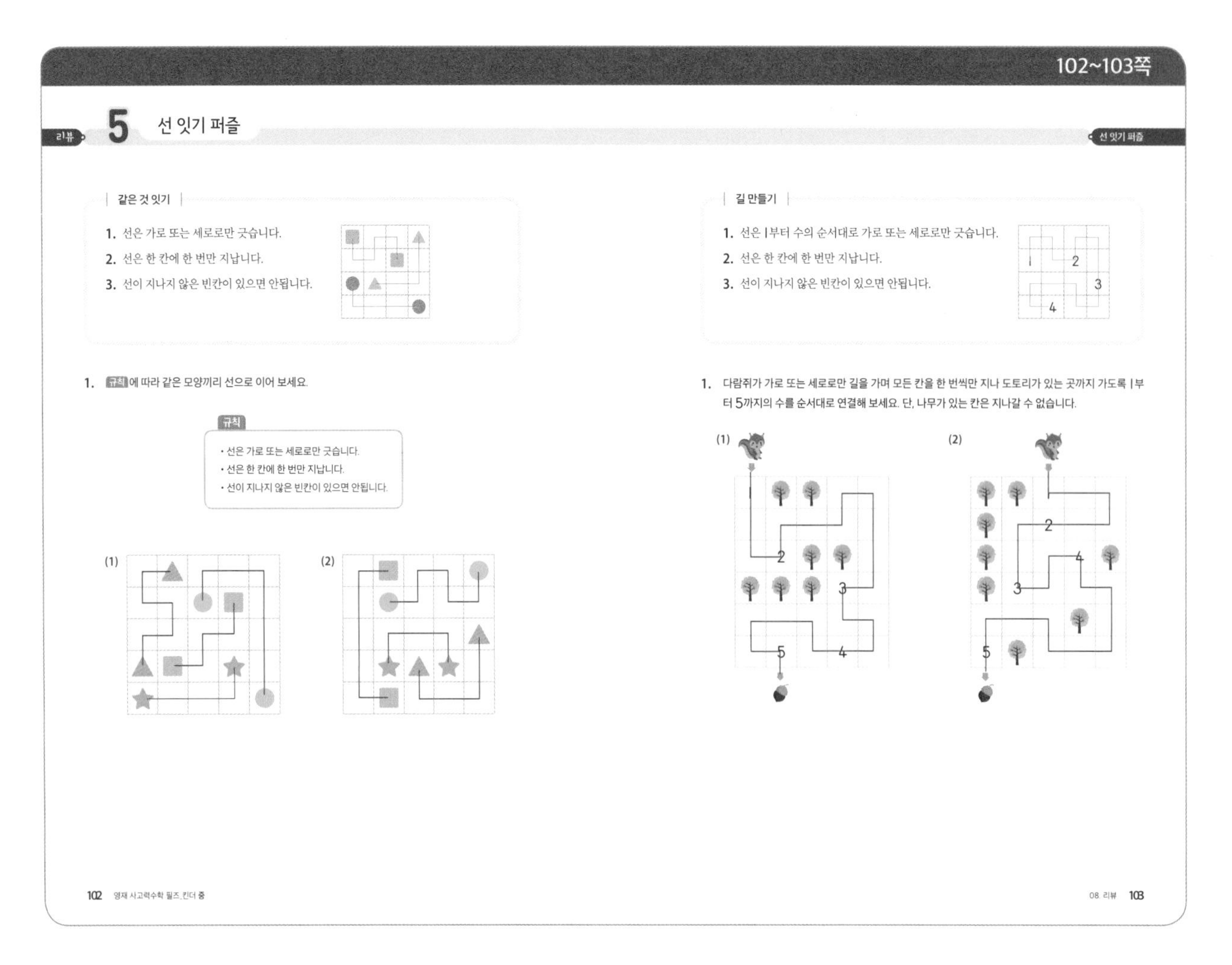
102~103쪽

리뷰 5 선 잇기 퍼즐

| 같은 것 잇기 |

1. 선은 가로 또는 세로로만 긋습니다.
2. 선은 한 칸에 한 번만 지납니다.
3. 선이 지나지 않은 빈칸이 있으면 안됩니다.

| 길 만들기 |

1. 선은 1부터 수의 순서대로 가로 또는 세로로만 긋습니다.
2. 선은 한 칸에 한 번만 지납니다.
3. 선이 지나지 않은 빈칸이 있으면 안됩니다.

1. 규칙에 따라 같은 모양끼리 선으로 이어 보세요.

규칙
- 선은 가로 또는 세로로만 긋습니다.
- 선은 한 칸에 한 번만 지납니다.
- 선이 지나지 않은 빈칸이 있으면 안됩니다.

(1) (2)

1. 다람쥐가 가로 또는 세로로만 길을 가며 모든 칸을 한 번씩만 지나 도토리가 있는 곳까지 가도록 1부터 5까지의 수를 순서대로 연결해 보세요. 단, 나무가 있는 칸은 지나갈 수 없습니다.

(1) (2)

102 영재 사고력수학 필즈_킨더 중

08 리뷰 103

1 **(1)** ●은 가장자리를 따라 잇습니다. 빈칸이 남지 않으려면 아래쪽 ★은 오른쪽으로 선을 그어 잇습니다.

(2) 빈칸이 남지 않으려면 위쪽 ■은 왼쪽으로 선을 그어 가장자리를 따라가 아래쪽 ■과 잇습니다.

1 모퉁이 부분은 항상 ㄱ 또는 ㄴ 모양으로 꺾입니다.

(1)

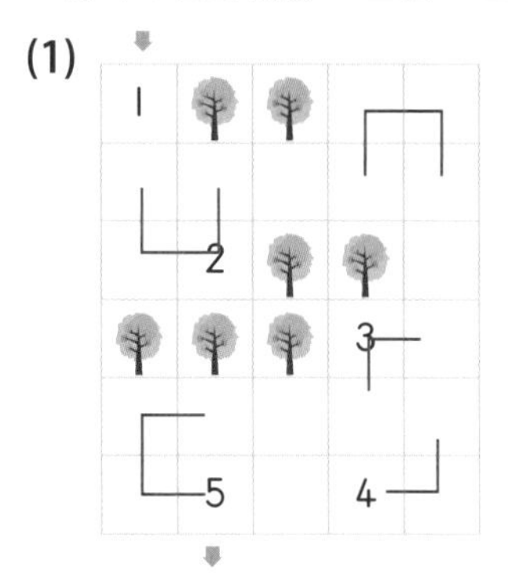

(2)

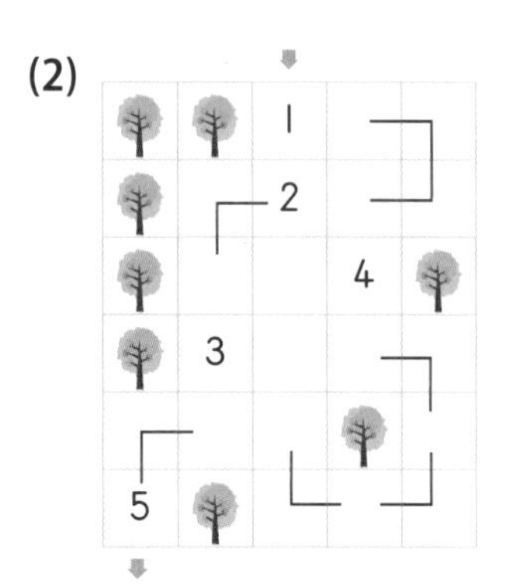

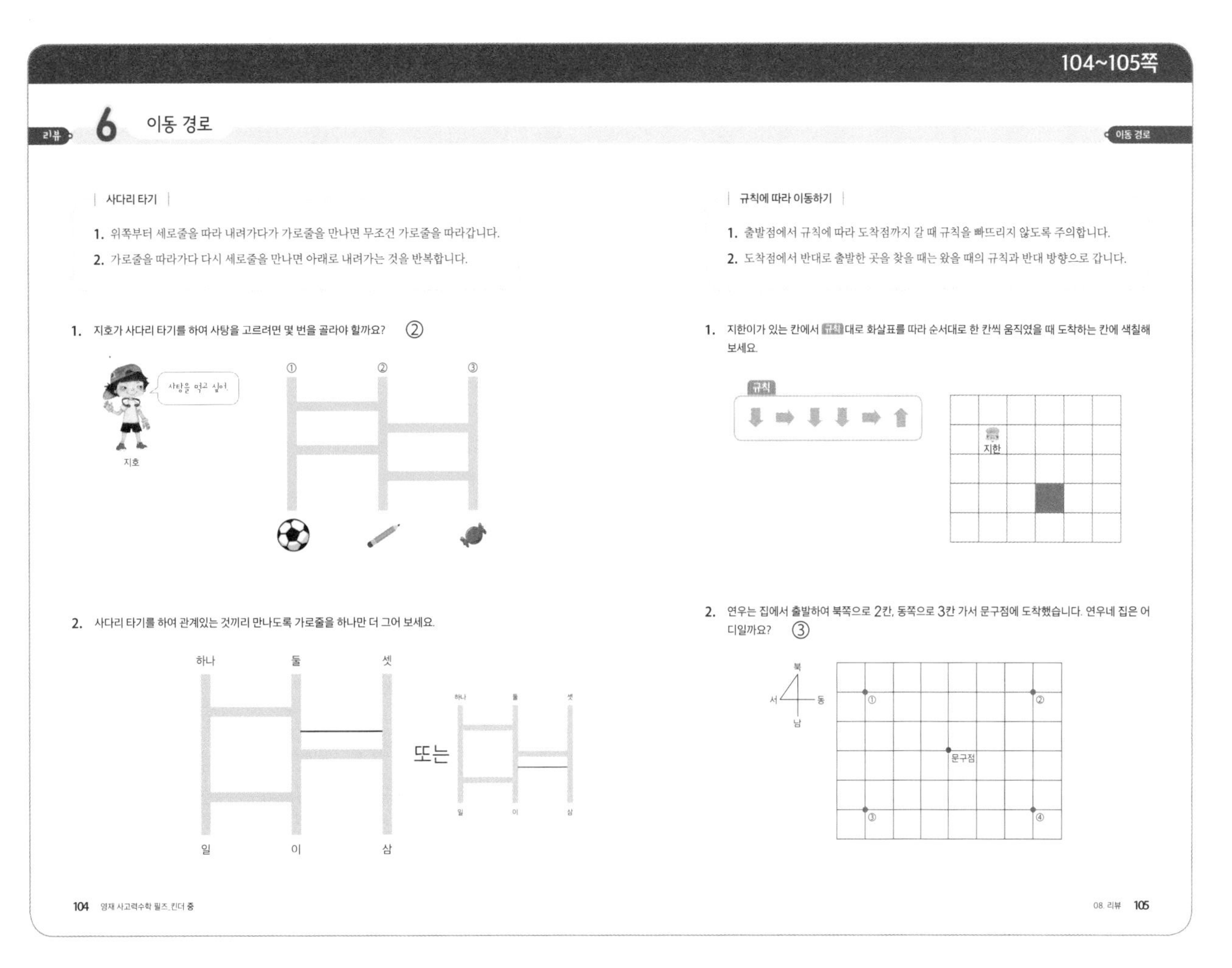

104~105쪽
리뷰
6 이동 경로
이동 경로
사다리 타기
1. 위쪽부터 세로줄을 따라 내려가다가 가로줄을 만나면 무조건 가로줄을 따라갑니다.
2. 가로줄을 따라가다 다시 세로줄을 만나면 아래로 내려가는 것을 반복합니다.
1. 지호가 사다리 타기를 하여 사탕을 고르려면 몇 번을 골라야 할까요? ②
지호
2. 사다리 타기를 하여 관계있는 것끼리 만나도록 가로줄을 하나만 더 그어 보세요.
하나
둘
셋
또는
일
이
삼
규칙에 따라 이동하기
1. 출발점에서 규칙에 따라 도착점까지 갈 때 규칙을 빠뜨리지 않도록 주의합니다.
2. 도착점에서 반대로 출발한 곳을 찾을 때는 왔을 때의 규칙과 반대 방향으로 갑니다.
1. 지한이가 있는 칸에서 규칙 대로 화살표를 따라 순서대로 한 칸씩 움직였을 때 도착하는 칸에 색칠해 보세요.
규칙
지한
2. 연우는 집에서 출발하여 북쪽으로 2칸, 동쪽으로 3칸 가서 문구점에 도착했습니다. 연우네 집은 어디일까요? ③
북
서
동
남
문구점
104 영재 사고력수학 필즈 킨더 중
08. 리뷰 105

1

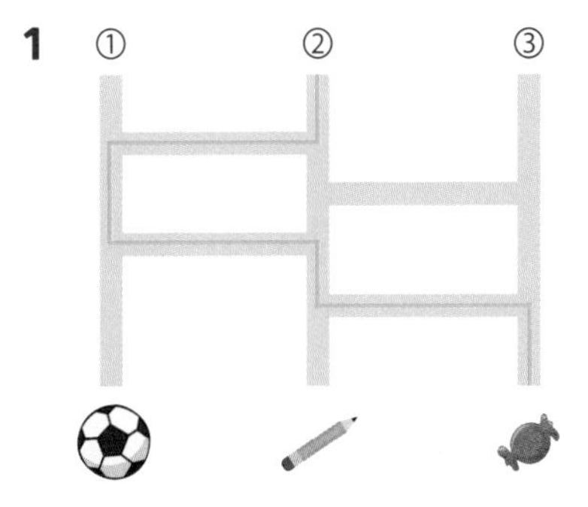

2 '하나'와 '삼'이 만나므로 '하나'가 지나가는 길에 가로선을 알맞게 긋습니다.

1

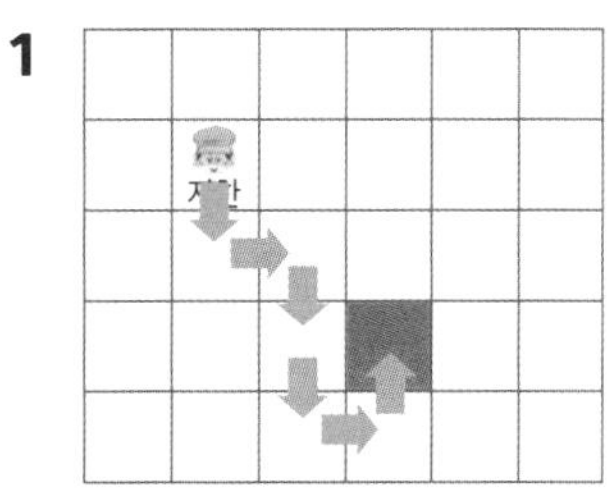

2 출발할 때와 반대 방향으로 문구점에서 서쪽으로 3칸, 남쪽으로 2칸 갑니다.

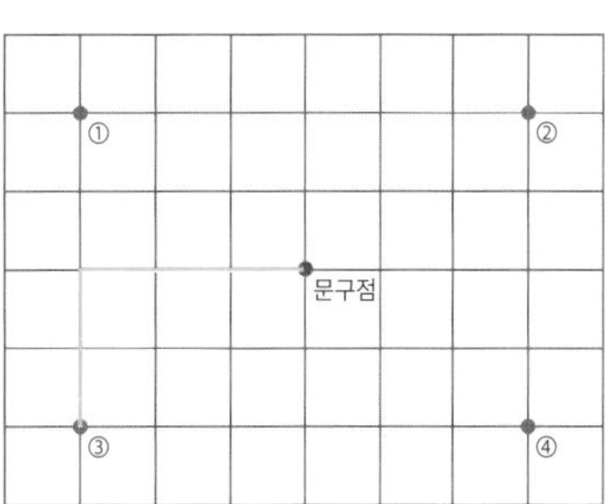

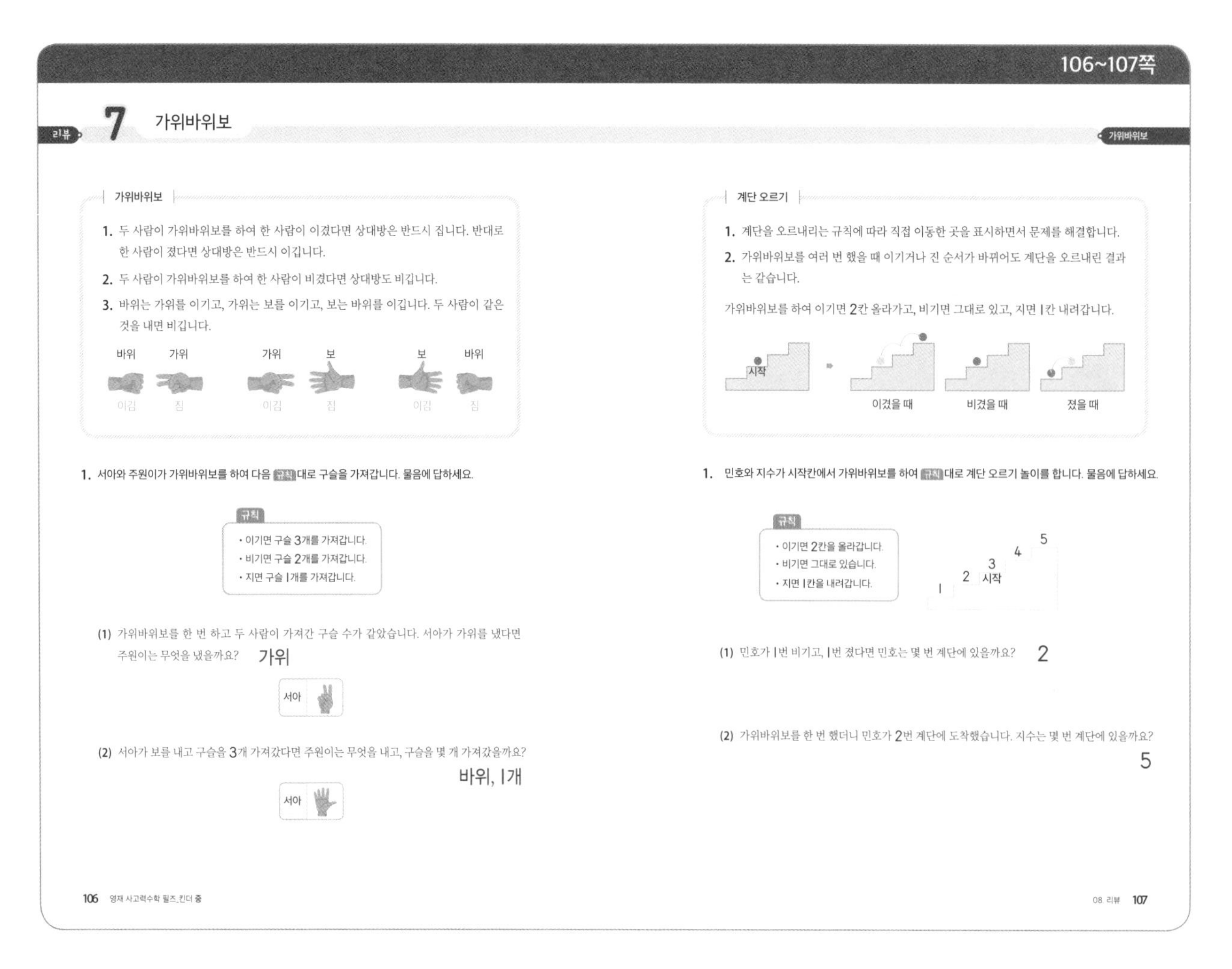

1 (1) 가져간 구슬 수가 같으므로 두 사람이 비겼습니다. 서아가 가위를 냈으므로 주원이도 가위를 냈습니다.

(2) 서아가 구슬 3개를 가져갔으므로 보를 내고 이겼습니다. 따라서 주원이는 바위를 내서 졌고, 구슬은 1개 가져갔습니다.

1 (1) 1번 비김: 3에 그대로 있음
1번 짐: 3 → 2

(2) 민호가 한 칸 내려갔으므로 진 것입니다. 따라서 지수는 이겼고 2칸을 올라가서 5번 계단에 있습니다.

Memo

Memo